GESTALT-TERAPIA

CIP-BRASIL. CATALOGAÇÃO NA PUBLICAÇÃO
SINDICATO NACIONAL DOS EDITORES DE LIVROS, RJ

R369g

Ribeiro, Jorge Ponciano
Gestalt-terapia : por outros caminhos / Jorge Ponciano Ribeiro. - 1. ed. - São Paulo : Summus, 2022.
280 p. ; 24 cm.

Inclui bibliografia
ISBN 978-65-5549-083-1

1. Psicoterapia. 2. Gestalt-terapia. I. Título.

22-79059 CDD: 616.89143
CDU: 615.851:159.9.019.2

Meri Gleice Rodrigues de Souza - Bibliotecária - CRB-7/6439

www.summus.com.br

GESTALT-TERAPIA

Por outros caminhos

Jorge Ponciano Ribeiro

GESTALT-TERAPIA
Por outros caminhos

Editora executiva: **Soraia Bini Cury**
Capa: **Alberto Mateus**
Revisão: **Raquel Gomes**
Foto da capa: **Valdir Peyceré**
Diagramação: **Crayon Editorial**

Summus Editorial
Departamento editorial
Rua Itapicuru, 613 – 7º andar
05006-000 – São Paulo – SP
Fone: (11) 3872-3322
http://www.summus.com.br
e-mail: summus@summus.com.br

Atendimento ao consumidor
Summus Editorial
Fone: (11) 3865-9890

Vendas por atacado
Fone: (11) 3873-8638
e-mail: vendas@summus.com.br

Impresso no Brasil

Para
Maria Alice Queiroz de Brito,
minha mulher,
nossa querida, sensível,
instigante e incansável
Lika Queiroz

Pai Nosso, que estais nos céus,
Santificado seja Vosso nome,
Venha a nós o Vosso reino.

Seja feita a Vossa vontade,
Aqui na terra como nos céus.

Dai-nos, hoje,
O alimento necessário à nossa vida.

Livrai-nos das nossas dívidas,
Assim como nós libertamos aqueles que nos devem.

Não nos deixeis ser levados pela provação,
Mas livrai-nos do perverso.

Assim seja.[1]

Jesus Cristo

1 Jesus falava em hebraico e aramaico. Ao longo dos primeiros anos após a sua morte, o Pai Nosso foi reescrito de diferentes maneiras. Esta oração, na versão de Jean-Yves Leloup, é considerada uma das formas mais fiéis ao que Ele de fato rezou.

Sumário

Prefácio 11

Apresentação 17

1. Fritz Perls: o mestre 19

2. Meu corpo, minha morada 45

3. Gestalt-terapia: um estudo epistemológico de suas bases teórico-vivenciais 47

4. Gestalt-terapia: configuração teórico-experiencial que nasce no caos da pós-modernidade 65

5. Gestalt-terapia: a busca de ir às coisas mesmas 83

6. "E a Palavra tornou-se carne": uma visão humano-existencial do conceito de pessoa 101

7. Sofrimento humano e o cuidado terapêutico 119

8. Relação ambiente-corpo como unidade sagrada: Gestalt-terapia como morada da espiritualidade 131

9. Gestalt-ecopsicoterapia, ecoespiritualidade e ecologia profunda: caminhos de sustentabilidade humana 143

10. Ambientalidade, coexistência e sustentabilidade: uma Gestalt em movimento 165

11. Do sagrado, da estética, da ética e os cinco sentidos: à luz da Gestalt-terapia 181

12. Quando o hífen faz diferença 209

13. Relação complementar: a pessoa como ser-no-mundo —
Um estudo sobre relações humanas 213
Jorge Ponciano Ribeiro e Celana Cardoso Andrade

14. Culpa e vergonha: "a tarefa de dar conta do impensado" 227

15. Nudez social e o corpo re-vestido na perspectiva da
abordagem gestáltica. 237
Jorge Ponciano Ribeiro e Marta Azevedo Klumb Oliveira

16. As bem-aventuranças: uma demanda para hoje 257

Prefácio

Sentada diante do computador, vejo que se descortina pela janela uma paisagem de rara beleza. Dois pássaros gorjeiam na araucária, o sol brilha no gramado, o horizonte do cerrado se amplia à minha frente, lembrando-me do fluxo da eterna renovação da vida. Trata-se de um eterno renovar do qual, para mim, Jorge é o exemplo vivo, sendo sua vida uma gestalt de conhecimentos e sabedoria. Sua formação religiosa lhe traz a conexão com o mistério maior da existência; a formação de filósofo o convida a buscar profundamente o sentido das coisas, a formação de psicólogo lhe traz a compreensão sobre o comportamento humano; sua alma de poeta o faz cultivar o encantamento pelas coisas simples da vida; sua dimensão humana lhe permite, com suas palavras, tocar nossa humanidade e ajuda-nos a nos reconhecermos naquilo que ele escreve e diz.

Essa gestalt que é Jorge nos brinda com mais um livro – que, aliás, não é mais um livro, mas o fruto maduro de toda uma trajetória de vida e reflexões. Ao analisar o sumário de *Gestalt-terapia – Por outros caminhos*, o leitor se vê diante de uma diversidade de percursos sobre temas variados. Qual desses temas, nesse momento, se destaca para cada um como figura? Cada capítulo é, em si, uma gestalt, um caminho, e Jorge, com o seu dom de expressar os conceitos mais complexos e profundos com clareza ímpar e linguagem poética, vai guiando cuidadosamente o leitor na sua peregrinação pelos meandros do caminho escolhido.

A jornada começa reverenciando o mestre. Volto no tempo e escuto o Jorge, na abertura de um dos congressos nacionais – não lembro qual –, nos reapresentando a trajetória de Fritz. Na sua voz, Perls se faz vivo, sua humanidade e genialidade se presentificando em um diálogo entre suas palavras e a cuidadosa análise do Jorge, na sua tentativa de

> [...] descer às profundezas de teu ser à sombra de tuas palavras. A tua luz intensa ofuscou meu pensamento e, muitas vezes, ao ler os teus relatos, a emoção perturbou minha procura. [...] Curvo-me ante tua clareza, tua força, tua obstinação, tua coragem ante a busca desesperada de tua verdade. (p. 41)[1]

1 Ao longo deste prefácio, os números entre parênteses nas citações correspondem às páginas em que aparecem neste livro.

Na sequência, um desafio no caminho: debater a natureza da Gestalt-terapia num estudo epistemológico de suas bases teóricas. O leitor desavisado pode pensar: "Já conheço as bases teórico-filosóficas da Gestalt-terapia, será que pulo este trecho da jornada?" Ledo engano; com a profundidade do psicoterapeuta e do filósofo, Jorge nos leva, a partir "das teorias que compõem [...] a natureza funcional da Gestalt-terapia" (p. 53), a repensar a epistemologia do processo terapêutico e a natureza do psicodiagnóstico.

A peregrinação é retomada e vai se aprofundando no capítulo 4, com o diálogo entre Gestalt-terapia e pós-modernidade. Ao descrever cada tema que caracteriza esse período, Jorge traz, como contraponto e saída, um aspecto do arcabouço teórico-metodológico da Gestalt-terapia, das suas bases teóricas e filosóficas, pois "ter nascido na e da pós-modernidade permitiu à Gestalt-terapia e à abordagem gestáltica conviver com algumas de suas mais importantes dimensões e, a partir delas, desenvolver sistemas de uma melhor compreensão da problemática humana" (p. 81).

Esse olhar para a Gestalt-terapia como "filha da esperança", em diálogo com a pós-modernidade, continua no capítulo 5. E, ao propor o método fenomenológico "como um contraponto à modernidade" (p. 89), Jorge, inspirado em Merleau-Ponty, presenteia-nos com os passos necessários para se trabalhar com o método. Peregrinos aliviados por termos encontrado, nesse momento, o mapa que pode conduzir-nos com segurança pelos meandros da relação terapêutica, continuamos, animados, nossa jornada.

Somos, então, chamados a continuar o trajeto iniciado no capítulo 3, ampliando ainda mais nosso olhar sobre a natureza da Gestalt-terapia, com as pontes feitas com a ecologia profunda e a espiritualidade. Pensar nossa abordagem como morada da espiritualidade nos convida a compreender os mundos do profano e do sagrado como dimensões constitutivas do humano, e a psicoterapia como uma possibilidade de encontro com o espiritual.

Olhamos para o céu. Os raios de sol atravessando as nuvens parecem trazer a confirmação dessa possibilidade em uma *awareness* unitiva, cósmica, em que o encontro terapêutico pode constituir um "espaço intermediário entre a psicoterapia e a espiritualidade" (Delacroix, 2009, p. 410)[2]. Os temas da ecologia profunda e da espiritualidade continuam a ser discutidos e aprofundados nos capítulos 8 a 10.

O conceito de pessoa, visto no capítulo 3, é retomado no capítulo 6, sendo discutido da perspectiva fenomenológico-existencial. Nesse trajeto do caminho, uma surpresa: ao apontar as dimensões ambiental-racional-animal como essenciais ao ser humano, Jorge apresenta o conceito de ambientalidade como a terceira

2 Delacroix, J.-M. *Encuentro con la psicoterapia*. Santiago de Chile: Cuatro Vientos, 2009.

dimensão que nos constitui. Cada um de nós é uma gestalt biopsicossociocultural--ambiental-espiritual e, como seres do e no mundo, somos "parte constituinte, fundante do universo" (p. 106).

Como não mergulhar na delicadeza com que Jorge, no capítulo 7, trata do sofrimento humano e do cuidado terapêutico? O Gestalt-terapeuta, como um "companheiro de caminho na exploração dos aspectos mais profundos do comportamento e da consciência humana" (Polster e Polster, 2001, p. 11)[3], é convocado a uma entrega à relação, fazendo a inclusão da dor e do sofrimento do(a) cliente. Com a compreensão dos movimentos do ciclo do contato que nos são apresentados nesse capítulo, acompanhamos como esses movimentos podem ser transformados nos primeiros passos do caminho para a saúde, para o resgate do que ficou interrompido.

A estrada se amplia e, no capítulo 9, nós, peregrinos, somos introduzidos ao conceito de Gestalt-ecopsicoterapia, uma alternativa de saúde para esse momento planetário em que o ser humano está tão desconectado de si como parte dessa gestalt maior que é o planeta. Nas palavras de Jorge, "Gestalt-ecopsicoterapia é uma proposta de experimentar e de vivenciar a natureza enquanto um compromisso pessoal de nossa conexão amorosa com o universo e enquanto um processo interior de cuidado e de pertencimento à mãe terra" (p. 144).

Esse tema é aprofundado no capítulo 10, no qual Jorge traz de volta o conceito de ambientalidade. Ao discuti-la em diálogo com os conceitos de sustentabilidade e ecologia profunda, ele nos convida a quebrar a ilusão de separatividade tão presente na modernidade e pós-modernidade, resgatando e dando nova dimensão à nossa base epistemológica holística e fenomenológica. Nessa perspectiva, enfatiza o humano realmente como uma relação de campo organismo-ambiente, no qual o ambiente constitui parte da gestalt que cada um de nós compõe. Com base nessa apropriação de cada um de nós como uma célula desse campo maior, Jorge apresenta a Gestalt-terapia como uma contribuição para a solução da crise planetária, convocando-nos a cocriar

> um mundo em coexistência, [...] no qual nossas dimensões ambientalidade, animalidade, racionalidade [...] possam ser vividas como uma totalidade estruturante de um novo paradigma, de um novo modelo no qual a relação mundo-pessoa se constitua na ética e na estética que moverão as necessidades humanas. (p. 178-179)

A jornada continua, e a nova estação de pouso nos convida ao inusitado: qual é a relação entre as funções de contato, a ética, a estética e o sagrado? É por

3 Polster E; Polster, M. *Gestalt-terapia integrada*. São Paulo: Summus, 2001.

meio das funções de contato que nos apropriamos de nós mesmos e do mundo e a existência adquire, fenomenologicamente, sentido. Nesse vivido, as dimensões da ética e da estética se entrelaçam. Passeando por cada um dos cinco sentidos, caminhos para se chegar às coisas mesmas – como diz um trecho de um poema de Fritz[4] –, Jorge, em linguagem gestáltica, vai resgatando o sagrado que habita na experiência de cada uma dessas funções.

O poeta se revela nos capítulos 2 e 12. Um refrigério nessa jornada que nos convoca a reflexões profundas, desafiando e ampliando nossos conhecimentos como peregrinos na abordagem. Como em um tapete mágico, dançando ao sabor do vento com as palavras-imagens, de repente nos damos conta de que estamos sendo presenteados com conceitos fundantes para nós, Gestalt-terapeutas. Na leveza da poesia, o que era conhecido adquire uma nova roupagem – e, nessa nova configuração, tudo fica mais colorido e claro.

Em um trecho da estrada, Celana Cardoso Andrade se junta a Jorge para, caminhando, conversarem sobre o conceito de relação complementar da perspectiva da Gestalt-terapia. Seres de relação, existimos em contato, "nos constituímos através de complementações, nenhum de nós é uma totalidade" (p. 216). Fruto do encontro das diferenças, da busca do que falta a cada um, a relação complementar pode ser disfuncional ou saudável. Vêm-me à mente imagens de árvores diferentes, entrelaçadas; penso que são exemplos de relações complementares saudáveis, pois ambas estão plenas, vivas, uma dando suporte à outra, existindo plenamente em uma interdependência autorreguladora. Escuto as palavras de Jorge: "Olha uma confluência saudável!" Ao nos apresentar os tipos de relação complementar, esse capítulo contribui para a compreensão das relações estabelecidas pelos nossos clientes e, consequentemente, para a nossa práxis como Gestalt-terapeutas.

Que peregrino da estrada da vida não viveu um momento de culpa e/ou vergonha? Esses sentimentos tão humanos, que se fazem presentes "quando a consciência moral se interpõe imediatamente entre a liberdade humana e a objetividade da ação" (p. 227), são discutidos no capítulo 14. Passeando pelas interrupções do contato na sua relação com a culpa e a vergonha, somos mobilizados por nossas lembranças e damos uma pausa na nossa jornada para respirarmos. Esses são temas que mexem profundamente com nosso modo de funcionar *self* como personalidade, sendo reguladores do nosso contato na relação de campo organismo-ambiente. Voltamos ao texto, e as palavras de Jorge nos chegam como um bálsamo:

4 "Volta a teus sentidos. Vê com clareza. Observa o real, não teus pensamentos". In: Perls, F.; Baumgardner, P. *Terapia Gestalt – Teoría y práctica / Una interpretación*. Cidade do México: Pax México, 2003, p. 140.

> Por mais estranhos que possam ser nossos sentimentos e emoções, a experiência da vergonha e da culpa são processos de travessia e nos ensinam, às vezes através da dor e do sofrimento, caminhos que nos conduzem ao encontro de nossa máxima verdade: transformarmo-nos em nós mesmos. (p. 233)

Quase chegando ao fim dessa jornada, Marta Azevedo Klumb Oliveira se agrega ao Jorge e, juntos, eles nos levam a refletir sobre a nudez social e o corpo *re-vestido* como um processo de ampliação da *awareness* de si na relação com o próprio corpo, com o mundo, com os sentidos do vestir-se. Partindo de uma reflexão fenomenológica, e do conceito de corpo-presença de Merleau-Ponty, somos chamados a rever nossos introjetos, nossas fronteiras de valor. E, mergulhando nos nossos corpos *des-vestidos* e sociais, retornarmos às coisas mesmas e reencontrarmos a inocência perdida. O naturismo traz, assim, um

> campo de força que emerge da relação das pessoas com a natureza em estado de homeostase, no qual a realidade relacional é produzida por variáveis psicológicas ligadas ao sentimento de conexão com a paz, a tranquilidade e a alegria de simplesmente existir. (p. 253)

Chegamos à última estação e somos abençoados com uma reflexão tocante e profunda sobre o amor. Com essa bênção, mergulhamos nas bem-aventuranças, os oito mandamentos da ecologia humana, como nos explica Jorge com maestria ao detalhar cada um deles. Um fechamento inspirado para essa rica jornada "na construção do amor, puro e simples, por nós mesmos" (p. 274).

Com esse ato de amor encerro este prefácio, desejando que você, leitor, leitora, saboreie cada passo dessa jornada, assim como o fiz. Em alguns trechos, talvez você queira parar à sombra de uma árvore e degustar o que leu; em outros, você caminhará lentamente, apreciando a paisagem que vai se descortinando com cada parágrafo; em outros momentos, talvez você apresse o passo na ânsia do que está por vir. Mas o caminho se faz caminhando, já dizia o poeta, e o importante é que você possa "se entender como um presente da vida e, sobretudo, entender que a vida é única, singular, não delegável" (p. 128).

Fazenda Capão do Negro, Alto Paraiso de Goiás.

Maria Alice Queiroz de Brito (Lika Queiroz)
Mestre em Psicologia Social, professora
da Universidade Federal da Bahia

Apresentação

Ter escrito *Gestalt-terapia – Refazendo um caminho* e agora *Gestalt-terapia – Por outros caminhos* foi uma façanha humana, pois passei a limpo o mais íntimo do que senti, pensei, fiz e, de fato, falei.

Um livro é uma longa conversa com o outro que nos habita, que dialoga conosco, conhece nossas mais íntimas intenções; é quase uma confissão, na qual penetramos os meandros do possível, abrindo nossa caixa-preta para o mundo.

Escrever é também ir além de si mesmo, parar à beira de um rio, sentir suas águas nos levando, literalmente, para desembocar na imensidão do sentimento de ser lançado no mundo à procura de novos horizontes que se sucedem à nossa frente, numa interminável dança de possibilidades.

Às vezes, são meses e até anos para finalizar uma obra, pois ela depende da expectativa de sucesso do autor, de temas, conceitos e pensamentos que pululam a alma do escritor. Depende, sobretudo, de uma sensação desafiadora de que o livro valha a pena.

Nosso julgamento transcende nossa subjetividade, ancorando-se na nossa objetividade – que, em um lugar bem dentro de nós, diz que podemos liberar nossas âncoras, porque o mar nos permite sentir que o barco está firme, que podemos ver o amanhã e marchar na direção de um horizonte que nos conduzirá a um porto seguro, acolhendo-nos sedento por saber por onde temos navegado.

Este livro nasceu assim, de estradas percorridas ao longo da minha vida, de temas que povoaram minha mente e meu coração, de sensações que me apontavam um mundo melhor e uma crença inabalável de que nossa condição humana nos provê de tudo aquilo que necessitamos para, juntos, convivermos como irmãos na construção de uma terra melhor.

Para escrever este livro, percorri longas e complexas estradas, algumas delas pouco conhecidas. Acredito que sinalizei alguns caminhos para que aqueles que vierem depois de mim provem o gosto do risco, do diferente, da liberdade – e, com lógica e objetividade, sintam que a possibilidade de caminhos diversos é o que mais nos aproxima da realidade das coisas.

Escolhi temas que, segundo penso, mais se aproximam daquilo que meus possíveis leitores gostariam de encontrar, sem que deixassem de resgatar o sentido de sua experiência imediata, num aqui-agora que lhes permitisse vivenciar a sensação de serem, de fato, pessoas à procura de si mesmas, em um mundo que parece estar perdendo seu sentido e significado em complexa desorganização.

Pensei, o tempo todo, numa possível estruturação deste livro em um duplo diálogo: 1) dos temas entre si, ou seja, da leitura de um tema para o outro, de tal modo que não produzisse no leitor um sentimento de estranheza por estarem juntos tantos assuntos distintos uns dos outros; 2) um diálogo provocativo num processo de inclusão sequencial, quase de confluência teórica, entre um e outro tema em busca de que o leitor alimentasse, desenvolvesse e criasse um conjunto harmonioso, gestáltico.

Na verdade, estou vivendo um sonho, que é escrever esta obra sem perder o sabor de um texto pensado epistemologicamente, de tal modo que leitores de diferentes áreas pudessem usufruir de nossa teoria de forma livre, num processo de socialização cultural e acadêmica.

Uma Gestalt-terapia para todos que desejem, por meio de uma teoria séria, competente e de qualidade, contribuir para o surgimento de um mundo melhor, sejam eles Gestalt-terapeutas, profissionais de outras áreas ou pessoas que, conscientes de seu papel, possam encontrar aqui respostas que os coloquem no caminho, seja de uma maior consolidação de nosso campo teórico, seja de um universo, cujos horizontes apenas começam a surgir, que receba de cada um de nós tudo aquilo que estamos necessitando.

E, em se tratando de Gestalt-terapeutas, que este texto sirva para expandir os limites de atuação da nossa abordagem em um mundo *des-norteado*, que se perdeu de si mesmo, mas que aspira, como mundo humano, à plenitude de uma configuração cujas partes, que somos nós, se apresentem como uma Gestalt plena.

Brasília, 10 de fevereiro de 2022.

Jorge Ponciano Ribeiro

1. Fritz Perls: o mestre[1]

Dentro e fora da lata de lixo
Ponho a minha criação
Seja ela vívida ou rançosa
Tristeza ou exaltação.

O que tive de alegria e aflição
Será reexaminado
Sentir-se sadio e viver na loucura
Aceito ou rejeitado.

Basta de caos e sujeira!
Em vez de confusão sentida
Que se forme uma gestalt inteira
na conclusão de minha vida.

Confesso que tenho profunda consciência da minha responsabilidade ao fazer contato com Friedrich Salomon Perls no seu centenário.

Sinto-me como um viandante, perplexo diante da simplicidade e majestade das pirâmides. De um lado, uma figura clara, gritante até; do outro, um fundo misterioso, que me coloca diante do enigma.

Percorri vários caminhos antes de começar esta fala. Pensei em um discurso puramente acadêmico. Pensei em um relato da Gestalt-terapia pelo mundo inteiro. Nada me satisfazia. Deparei, então e de novo, com *In and out the garbage pail* [*Escarafunchando Fritz – Dentro e fora da lata de lixo*] (Perls, 1969).

Li uma, duas, três vezes, para colher na clareza de sua fala seu enigma e seu mistério e, ao mesmo tempo, sua luminosidade e capacidade incontestável de criar. Decidi. Vou escarafunchar Fritz.

Esse livro tem características que fazem seu autor inconfundível. Ele se descreveu com tais minúcias que tornam sua figura intensamente iluminada, como um ator contracenando a própria vida.

1 Ribeiro, J. P. "Fritz Perls – 100 anos". Conferência de Abertura do IV Congresso Nacional da Abordagem Gestáltica, Vitória (ES), 1995.

Nele Fritz percorre, lenta, cuidadosa e criativamente, todos os principais conceitos da Gestalt-terapia. Fala sobre eles, critica-os. Explica as teorias de fundo que sustentam sua proposta. Fala sério e brinca com seus conceitos.

Ao longo do livro, o autor adota, para expressar, clarear e criticar suas ideias, o sistema de diálogo entre dominador e dominado. Assim ele pode criticar-se, refazer seus caminhos e, sobretudo, expandir sua consciência a respeito de si e do mundo.

Além disso, ilustra a obra com 210 caricaturas. Para cada tópico, para cada gesto, para cada emoção, para cada pensamento uma caricatura. O humor, o movimento, a capacidade de sintetizar, num traço, o diálogo entre as partes tornam a leitura interessantíssima e a compreensão facilitada, demonstrando como Perls era atento à sua experiência imediata e como a permissão para criar era algo intuitivo e vivido por ele no calor do aqui-agora.

Fritz fala sem reservas de todas as suas experiências. Chega, assim, ao extremo de sua coragem. Revela os fatos mais íntimos de sua vida, mostra a plenitude de seus desejos. Não esconde nada: fala de seus amores, de suas amadas e amantes, das formas mais diversas, experimentadas por ele, de amar e ser amado, de seus amores públicos e constantes, de seus mais variados jogos sexuais, envolvendo homens e mulheres – enfim, ele se despe completamente numa área em que, normalmente, muitos de nós têm medo dos próprios pensamentos.

Ele fez o que desejou fazer, sem medo nem restrições. Como aponta Bob Hall no prefácio da obra: "Você veio e fez o que queria fazer, e muitos de nós nos apaixonamos por você e por sua forma de ser. Você era o que dizia, e isso é raro entre os homens"[2]. Ou, como dizia ele mesmo, "Tenho de ser o meu laboratório, tenho de ser a prova viva da minha teoria". Falando de seus jogos sexuais, diz que Freud o chamaria de "pervertido polimorfo".

Raríssimas pessoas tiveram a coragem de se mostrar sem máscaras, exatamente como se viam por dentro e por fora, em virtude dos prejuízos pessoais que tal atitude poderia causar.

> Neste momento, algumas pessoas estão se intrometendo neste livro, resmungando por causa das divagações, desprezando-me por causa de minha falta de controle, ficando chocadas com minha linguagem, admirando-me pela minha coragem, confusas pela grande quantidade de traços contraditórios e desesperadas por não poderem me classificar.

2 Como, ao longo do texto, o autor referencia a obra em inglês e realiza traduções dos livros, optamos por não apontar as páginas de onde foram extraídas as citações. Já nas citações extraídas da edição em português as páginas estão anotadas. [N. E.].

O interesse no meu trabalho crescia, mas eu não me sentia aceito. Mesmo os profissionais que eram bem-sucedidos no trabalho comigo tinham o cuidado de não se identificar com a Gestalt-terapia e tampouco com aquele maluco, o Fritz Perls.

Sinto que é a tarefa mais difícil a que já me propus. "Se" eu tiver peito de passar por tudo isto, possivelmente terei ultrapassado o grande impasse. "Se" eu conseguir enfrentar a oposição e a indignação moral, real ou imaginária, me tornarei ainda mais livre para encarar as pessoas e possivelmente abandonar minha cortina de fumaça.

Se Perls era pervertido polimorfo, narcisista, irreverente, histérico, paranoico, esquizofrênico, ousado ou maluco, como era às vezes chamado, não sei. Sei, sim, que tentou esgotar nele as possibilidades de ser pessoa. Ele fez o que pensou e desejou, escreveu e contou para todo mundo. Não quis ficar inacabado com seus desejos. Realizou-os, não mentiu nem para si nem para os outros. E nisso ele é admirável.

Estou olhando para você, meu leitor, com os olhos inquiridores. Meu coração está pesado, receoso que você me jogue na sua lata de lixo. [...]

Com quem falar?
Não tenho escolha.
Com quem andar?

Uma voz que chora
Na solidão
Sem ninguém encontrar.

Todos se vão
Sem ruído
Sem som.

Em *Ego, fome e agressão* (2002, p. 110-11), Perls afirma:

Bom ou mau, certo ou errado, esses são julgamentos feitos por indivíduos ou instituições coletivas, de acordo com a realização ou frustração de suas exigências. Geralmente perderam seu caráter pessoal, e qualquer que possa ter sido sua origem social, se tornaram princípios e padrões de comportamento.
"Um organismo responde a uma situação." O homem esqueceu que bem e mal eram originalmente reações emocionais, e está inclinado a aceitá-los como fatos. [...]

Chamar coisas ou pessoas de "boas" ou "más" tem mais do que um significado descritivo – contém interferência dinâmica.

Voltando à sua obra seminal, temos:

Eu, você, pais, sociedade, cônjuges, dizemos:
"Sinto-me bem na sua presença, sinto-me à vontade.
Chamo você de bom. Quero você *sempre* comigo.
Quero que você seja sempre assim".
Eu, você, sociedade, cônjuges dizemos:
"Sinto-me mal com você. Você não me deixa à vontade.
Se você *sempre* me faz sentir mal, não quero você.
Quero eliminar você. Você não deveria existir.
Onde você está não deveria haver 'nada'".

Eu, você, pais, sociedade, cônjuges dizemos:
"Às vezes, me sinto bem com você, às vezes me sinto mal.
Quando você é bom, eu fluo com gosto e amor
e deixo você compartilhar esses sentimentos.
Quando você é mau, sinto-me venenoso e punitivo.
Fluo com sentimento de vingança e ódio,
e deixo você compartilhar o meu desconforto."

Acredito que essas distinções marcaram as atitudes e opções de Fritz ao longo de sua vida.

Perls foi um amante sensível das artes e dos esportes. Foi também piloto: "Meu maior prazer era estar sozinho no avião, desligar o motor e descer planando naquele magnífico silêncio e solidão."

Tinha diversas cicatrizes provocadas por quedas de motocicleta. Foi pintor. "Pintar virou um envolvimento intenso, quase uma obsessão". Trabalhou com teatro. Diz que não era um bom ator, mas fazia excelentes imitações de pessoas famosas, provocando gargalhadas no público.

Participou de duas guerras, em uma como estudante de Medicina e na outra como médico no front de batalha. Sentiu na pele o perigo, o risco, a morte.

Depois de uma batalha, ao voltar para a casa, escreveu: "Na marcha de retorno, um maravilhoso nascer do sol. Senti a presença de Deus. Ou era gratidão, ou o contraste entre a artilharia e um silêncio sereno? Quem é capaz de responder?"

Quando estava inspirado, falava da sua teoria em versos, que desta vez extraí da edição brasileira (1979, p. 22-23):

Venha, faça os discursos que quiser.
Você fala de si, e não do mundo.
Pois há espelhos no lugar
Da luz e do brilho das janelas.
Você vê a si mesmo, e não a nós.
Só projeções, livre-se delas.
Self mais pobre, recupere
Aquilo que é apenas seu,
Torne-se essa projeção
Entre nela bem a fundo.
O papel dos outros é o seu.
Venha, recupere e cresça mais
Assimile o que você negou.

Falando sobre projeção, Fritz diz (*ibidem*, p. 23):

Se você odeia algo que existe
Isso é você, embora seja triste.
Pois você é eu e eu sou você.
Você odeia em si mesmo
Aquilo que você despreza.
Você odeia a si mesmo
E pensa que odeia a mim.
Projeções são a pior coisa
Acabam com você, o deixam cego
Transformam montinhos em montanhas
Para justificar seu preconceito.
Recupere os sentidos. Veja claro.
Observe aquilo que é real
E não aquilo que você pensa.

E, ao se referir às polaridades, postula (*ibidem*, p. 25):

O menino bonzinho é um pirralho invejoso
O limpinho é um compulsivo.
O fraco esconde bem o seu tiro.
O prestativo não passa de intrometido.

Perls ensina que confluência é uma das categorias do nada (*ibidem*, p. 110):

Você fez sua cama
Forjou suas correntes
Goze a sua dança forte.

Adeus por enquanto
Mas voltarei
Reclamando sem cessar.

E, ainda, que a culpa é um fenômeno social, sendo o ressentimento organísmico (*ibidem*, p. 182):

Introjeção e projeção,
Retroflexão, são convidadas,
Já não mais sofrerão
Esperando ser chamadas.

Venham, pulem para fora,
Conversem conosco, as três
Para o leitor poder agora
Saber qual é a de vocês.

Fritz viveu profundamente cada momento de sua existência. Não sonegou a si nada daquilo que a realidade ou a vida colocaram diante dele. Enfrentou sempre a dor, a fome, a alegria e o prazer como momentos de passagem, pois, como dizia, "o nome do tempo é eternidade". Talvez, como Vinicius, ele pudesse dizer: "Eterno enquanto dure".

No tempo de Hitler, passou fome, viveu fugindo dos nazistas. Na Holanda, para onde se refugiou com sua família, viveu em um quartinho miserável e frio.

Na África do Sul, ao contrário, ficou rico. Construiu uma mansão no estilo Bauhaus, com quadra de tênis. Vivia em safaris e excursões pelo oceano Índico.

Conta que, em 1923, era um homem rico. Tinha US$ 500 e a inflação na Alemanha era tal que, com esse dinheiro, podia comprar alguns prédios de apartamento em Berlim. Em vez disso, usou-os para uma viajem aos Estados Unidos. Preferiu o prazer às preocupações do ter.

Duas situações muito especiais acompanharam Fritz por toda a sua vida: Freud e Laura.

Sobre Freud, temos (Perls, 1979):

Muitos dos meus amigos me criticam pela minha relação polêmica com Freud. [...] "Por que essa contínua agressividade contra Freud? Deixe-o em paz e cuide de suas coisas".

Não posso fazer isso. Freud, suas teorias, sua influência são importantes demais para mim. A minha admiração, perplexidade e vingatividade são muito fortes. Fico profundamente comovido pelo seu sofrimento e pela coragem dele. [...] Sou profundamente grato pelo tanto que evoluí levantando-me contra ele. (p. 51)

Meu rompimento com os freudianos veio alguns anos depois, mas o fantasma nunca me abandonou.
Descanse em paz, Freud, seu gênio-santo-demônio cabeçudo. (p. 61)

[...] Freud foi um cientista sincero, um escritor brilhante e descobridor de muitos segredos da "mente". (p. 127)

Freud foi um "colocador de coisas no lugar". Ou seja, tinha orientação topológica. Ele mexia com as coisas em volta, colocadas no lugar. [...]
"Você não acha que já chega de criticar Freud?"
Não chega, porque não estou criticando. Estou tentando justamente chegar a ele. Pode-se dizer que o estou usando para minha própria compreensão. (p. 220)

A penúltima ilustração do seu livro é Freud e ele sentados, tranquilamente, enfumaçando a sala com seus charutos e cigarros, numa conversa descontraída.

Só resta dizer: "Freud explica" ou "Fritz explica".

A segunda situação é sua relação com Lore, Laura Perls.

Lore, assim como Goethe, tem uma memória eidética. Pessoas eidéticas bastam fechar os olhos e olhar suas imagens que contam a história com exatidão fotográfica. [...] (p. 128)

Acima de tudo, eu me sentia cada vez menos à vontade com Lore, que sempre me colocava em desvantagem, e naquela época nunca dizia nenhuma palavra boa a meu respeito.
Isso, por sua vez, aumentava a minha tendência de ter casos amorosos, sem qualquer envolvimento emocional. (p. 169)

Meus amigos gostavam de voar comigo, embora Lore nunca confiasse em mim. (p. 48-49)

Eu tinha conhecido Lore naquele ano [...] Era hora de escapar dos tentáculos do ameaçador polvo do casamento. Nunca me ocorreu que Lore me pegaria onde quer que estivesse. (p. 57)

> Teddy é uma mulher fina. [...] Não posso dizer o mesmo de Lore. Depois de todos estes anos, ainda estou confuso. Nós nos conhecemos há mais de quarenta anos. [...] Eu gostava de sua irmã Liesel. Quando nos encontramos novamente em 1936, na Holanda, tivemos alguns encontros adoráveis. Comparada com o peso, envolvimento intelectual e artístico de Lore, ela era simples, linda e namoradeira. [...] Diversas vezes, tentei fugir de Lore, mas ela sempre me pegou. [...]
> Não me sinto bem escrevendo sobre Lore. Sempre sinto uma mistura de defensividade e agressividade. Quando nasceu Renate, a nossa filha mais velha, Lore e eu nos achegamos muito, e até comecei a me reconciliar um pouco com o fato de ser um homem casado. Mas quando depois passei a ser culpado por tudo de ruim que acontecia, comecei a me afastar, mais e mais, do meu papel de *pater familias*. (p. 224)

> Lore, como muitos de nossos amigos, se opôs a que eu chamasse minha abordagem de Gestalt-terapia. Pensei então em Terapia de Concentração ou algo parecido, mas rejeitei. (p. 225)

> *Gestalt*! Como posso fazer entender que gestalt não é só mais um conceito inventado pelo homem? Como posso dizer que gestalt é – e não só para a psicologia – algo inerente à natureza? (p. 64)

A verdade é que Perls jamais viveu seu papel de pai, de esposo. Ele passou por esse lugar, como passava por tudo, colocando a si próprio e à sua liberdade como primeira experiência: "Mas estou me apegando ao meu credo: 'Sou responsável apenas por mim mesmo. Vocês são responsáveis por si mesmos. Fico ressentido com aquilo que vocês exigem de mim, assim como me ressinto de qualquer intromissão na minha forma de ser'". (Perls, 1979, p. 116)

Stephen Perls, segundo filho de Fritz, na abertura da 15ª Conferência Anual da Gestalt-terapia (1993), em Montreal, nos deu algumas informações sobre seu pai que quero dividir com vocês.

Fritz não queria o segundo filho. Laura estava grávida e Fritz sugeriu um aborto. Ela não aceitou, e ele disse: "Se é assim que você quer, ele é todo seu." "E assim foi por toda a vida", contou Stephen. Vejamos mais alguns comentários dele a respeito de Fritz: "Muito do que soube do meu pai, até os 10 anos de idade, li nos livros sobre ele"; "Não me recordo de estarmos juntos às refeições"; "À noite, havia os grupos. Eu só ouvia: 'Psiu! Fique quieto, não nos atrapalhe'"; "Uma das minhas maiores mágoas em relação à minha família é que eles não davam a mínima pra mim"; "Meu pai não me ouviu cantar. Nunca me viu jogar futebol. Não foi à minha formatura no ensino médio"; "Ele só se deu conta de mim quando eu tinha 30 anos".

Apesar dos convites de Fritz para que Stephen o visse trabalhar, ele sempre se negou, uma vez que o pai jamais participara de sua vida: "Não me intitulo Gestalt-terapeuta, embora tenha participado de muitos encontros e cursos com os amigos de Fritz".

Não obstante tantas mágoas, Stephen afirmou sabiamente: "Foi na adolescência que entendi que a ausência de Fritz na minha vida não se devia à guerra ou ao exército, mas ao enfoque que ele dava à própria vida".

Na conclusão de sua palestra, o filho de Perls disse: "Não estou retratando aqui um herói para celebrar seu centenário de nascimento. Estou sugerindo que ele seja homenageado por seus dotes profissionais extraordinários. Mais do que qualquer pessoa que conheci, Fritz gostaria de eliminar qualquer balela a respeito de ter sido um grande homem. Ele fez o que queria fazer e o fez extraordinariamente bem".

Fritz (1979, p. 224) assim se refere a Stephen: [...] ele é real, lento, digno de confiança, bastante fóbico e resistente em pedir ou aceitar qualquer apoio". Sobre seus erros com a família, talvez possamos nos apegar ao seguinte trecho (Perls, 1979, p. 97):

> Amigo, não seja perfeccionista. O perfeccionismo é uma praga e uma prisão. Quanto mais você treme, mais erra o alvo. Você é perfeito, se permitir ser.
> Amigo, não tenha medo de erros. Erros não são pecados. Erros são formas de fazer algo de maneira diferente, talvez, criativamente nova.
> Amigo, não fique aborrecido por seus erros. Alegre-se por eles. Você teve a coragem de dar algo de si.
> São necessários anos para centrar-se em si próprio, e mais algum tempo para entender e ser agora.

E mais: "Nesta vida não se ganha nada sem ter que dar algo em troca. Tive de pagar caro pela minha felicidade" (*ibidem*, p. 170).

* * *

Friedrich Salomon Perls nasceu em um gueto judeu em Berlim, em 8 de julho de 1893. O mais velho de três filhos, nasceu a fórceps.

O pai, Nathan, comerciante de vinhos, viajava muito. Era charmoso, sedutor, irritadiço, violento e orgulhoso – todas qualidades que o filho parece ter herdado. A mãe, Amália, judia praticante, respeitadora e observante do Kasher e do Sabat, era apaixonada pelas artes, pelo teatro, pela música – todas qualidades que o filho também parece ter herdado.

Sua irmã Else, quase cega, era superprotegida pela mãe. "Ela era carente, e sempre me senti desconfortável perto dela". Já Grete era adorada por Perls: "Era muito chegado à minha irmã Grete. Ela era uma moleca, um gato selvagem de cabelos rebeldes e ondulados" (Perls, 1979, p. 159).

O casal vivia um clima de permanente conflito: brigas, confrontos, violência física: "Minha mãe costumava me bater com essas varas de limpar tapetes. Ela não me dobrava, eu dobrava as varas".

Odiava o pai, que o chamava de "monte de merda" e predizia seu futuro: "Esse merdinha vai se dar mal".

Deixou de falar com o pai. Mais tarde cortou completamente relações com ele. Não compareceu ao seu enterro. A mãe e a irmã mais velha morreram em um campo de concentração.

> Eu faço minhas coisas, você faz as suas.
> Não estou neste mundo para viver de acordo com suas expectativas
> E você não está neste mundo para viver de acordo com as minhas
> Você é você, e eu sou eu
> E se por acaso nos encontramos, é lindo.
> Se não, nada há a fazer.
> (Perls, 1977, p. 17)

Descreve sua adolescência como tumultuada, confusa, conflituosa, revoltada, com muitos castigos e punições físicas – e, finalmente, a expulsão da escola, depois de repetir dois anos consecutivos.

O gosto pelo teatro, iniciado sob orientação de Max Reinhardt, o marcou e influenciou a vida inteira. Muito do que nos deixou como técnica tem que ver com sua experiência com o teatro, ocorrida durante sua adolescência.

Em 1914, explodiu a Primeira Guerra Mundial. Fritz tinha 21 anos. Foi convocado, mas após alguns meses, por questões cardíacas, acabou sendo reformado. Então, se inscreveu na Cruz Vermelha. Descreve esse tempo como "Horror de viver e horror de morrer".

Em 1916, participou ativamente da guerra de trincheiras. Viu seus companheiros matarem a golpe de martelo soldados inimigos apenas intoxicados. Foi ferido na testa e guardou, por muito tempo, as sequelas desse tempo de horror.

Em 1923, aos 27 anos, doutorou-se em neuropsiquiatria.

Em Berlim, estava sempre nos cafés de esquerdistas e revolucionários, entre poetas e artistas da contracultura. Mantinha um fascínio pelos marginalizados. Já em Nova York, era encontrado sempre em grupos anarquistas, juntamente com

Paul Goodman. Em Israel, com os *beatniks*. Na Califórnia, consolidou-se como um dos papas da contracultura *hippie*:

> A Gestalt seria marcada por essa hostilidade contra se deixar enclausurar dentro das normas "burguesas", contra se submeter à pressão social do *establishment*, fosse ele mundano, psicanalítico ou político [...]. O individualismo orgulhoso dos gestaltistas seria mesmo um obstáculo, durante décadas, à constituição de associações profissionais nacionais, pelo temor, talvez justificado, de que elas logo viessem a criar normatização esclerosante. (Ginger e Ginger, 1995, p. 49)

Perls (1979) diria ainda:

> [...]
> O ritmo é senhor de tudo.
> A natureza não-pensante
> Possui a sua própria forma.
> Acontecer sem haver jogos,
> Render-se ao uníssono
> Retirar-se para longe do mundo
> Fechar uma gestalt forte. (p. 18)
>
> Preciso escrever sobre mim mesmo.
> Eu sou o meu laboratório
> A privacidade das suas experiências
> Não é minha conhecida.
>
> [...]
> Exceto por revelações
> Não há ponte entre homem e homem.
> Eu adivinho e imagino
> Empatizo e sei lá que mais,
> Pois estranhos somos e estranhos ficamos
> Exceto algumas identidades
> Em que eu e você nos juntamos. (p. 20)
>
> Mas o que é real? Será que alguém sabe?
> Agora estou certo que atolei.
> Aparecem todos os sintomas do *impasse*:
> Confusão, pânico e desespero.

> Não "dá" pra decidir, a "coisa" não flui.
> Prometo tudo, me defendo.
> Quero me mover, na lama atolado.
> Não consigo mexer meus pés para sair. (p. 23)

Entre 1925 e 1933, sua vida foi particularmente agitada. Nesse período, se faz analisar por Karen Horney e Wilhelm Reich. Fez sete anos de análise. Segundo ele, não serviram para nada, embora tivesse grande apreço por seus dois analistas.

Em 1926, conheceu Lore Posner, com quem conviveu três anos para esposá-la em 1929. Ele tinha 36 anos e ela 24. Conviveu com Laura, formalmente, toda a sua vida, embora tivesse, ao mesmo tempo, vivido também com dois grandes amores por longo tempo: Lucy e Marty.

Por volta de 1927, passou a conviver com grandes nomes da psicanálise Fenichel, Deutsch, Hitshwan, Happel, Harnik, tendo supervisão com alguns deles.

Nessa mesma época, tornou-se auxiliar de Kurt Goldstein, um dos iniciadores do movimento holista – a quem Perls chama de gênio em neuropsiquiatria.

Em 1931, nasceu sua primeira filha, Renate, à qual se apegou profundamente até o nascimento indesejado de Stephen, quatro anos depois, para lenta e progressivamente abandonar a ambos ao longo da vida.

Em 1934, fugindo do regime de Hitler, época em que afirmava estar profundamente envolvido com a psicanálise, foi para a África do Sul ensinar, em suas palavras, o "Evangelho segundo Freud".

Em 1936, aos 44, depois de mil fantasias de encontrar Freud, foi a Praga. Esperava encontrar o mestre e submeter seu texto à avaliação dele, mas as coisas se deram de forma completamente diferente:

> Em 1936, eu julgava já tê-lo conquistado. Não era eu a mola-mestra na criação de um de seus institutos, e não tinha eu viajado 6 mil quilômetros para participar de um de seus congressos? [...]
> Marquei a hora, fui recebido por uma senhora idosa (creio que era irmã dele) e esperei. Então uma porta se abriu cerca de 70 centímetros, e ali estava ele, diante de meus olhos. Pareceu-me estranho que não passasse do batente da porta, mas na época eu não sabia nada sobre as fobias dele.
> "Vim da África do Sul para dar uma palestra e para vê-lo".
> "Bem, e quando volta?", disse ele.
> Não me recordo do resto da conversa. (talvez 45 minutos de duração). Fiquei chocado e desapontado. [...]
> Eu esperava uma rápida reação de mágoa, mas fiquei meramente entorpecido. Então, devagarinho, devagarinho, vieram as frases guardadas: "Você vai ver, você não pode

fazer isso comigo. É isto que ganho em troca da minha lealdade nas discussões com Kurt Goldstein?"
Mesmo nos últimos anos, com a mente mais equilibrada, esta continuava sendo uma das quatro principais situações inacabadas da minha vida. Não consigo ficar num tom musical durante muito tempo, embora esteja melhorando. Nunca dei um salto de paraquedas. Nunca fiz pesca submarina (embora tenha descoberto uma escola em Monterrey e ainda possa vir a fazer. E a última, mas não menos importante, ter um encontro de homem para homem com Freud e mostrar-lhe os erros que ele cometeu. (Perls, 1979, p. 60-61)

A partir desse instante, estava decretada sua ruptura com a psicanálise, provocada pela atitude indiferente de Freud ao recebê-lo, pela decepção com Reich, que embora tenha sido seu analista por dois anos mal o reconhecera durante o congresso, e também pela oposição dos outros psicanalistas à sua teoria da oralidade, na qual ele acentuava o modelo da futura relação da pessoa com o mundo.

"Mas eu não estava pronto para desistir da psicanálise" (Perls, p. 54) "Meu rompimento com os freudianos veio algum tempo depois, mas o fantasma nunca me abandonou (*ibidem*, p. 61). Finalmente, em 1940, Perls disse: "Deixei de ser analista. O pensamento mecânico, causal, do século passado deve ceder caminho ao processo, à estrutura, à função, ao pensamento da era eletrônica. O 'como' toma o lugar do 'por quê'. Perspectiva e orientação substituem racionalização e adivinhação".

A vida prossegue, fluxo infinito
de gestalten incompletas!
A vida prossegue e também este livro.
Durante alguns dias nada escrevi.
Levei as páginas anteriores
Aos olhos de alguns amigos,
Estava contente que, a partir do nada,
De repente escrevi com ritmo
Com um forte sentimento
De transcender a descrição seca.
Como o nascer de um novo estilo.
Da menção à música até ficar no ritmo,
Brincar com palavras e, ao mesmo tempo,
Uma imagem se expressando
Uma gestalt total no papel projetada. (p. 20-21)

Não são mentiras, as intenções são boas
E nem tudo são cópias
Mas a orientação é segmentada.
Não se pode mandá-los ao inferno
Por usarem partes tão desligadas
Para crescer e ser inteiro
Mas perdendo passos importantes.
Para a meta terapêutica:
Centrar a própria existência.

Sem um centro há desespero
De nunca chegar a ser real. [...] (p. 40)

Em 1942, surgiu seu primeiro livro: *Eu, fome e agressão*, dedicado a Max Wertheimer, um dos pioneiros da psicologia da Gestalt. Perls afirma que esse livro marcava a transição entre a psicanálise ortodoxa e a abordagem gestáltica. Desenvolve amplamente os novos conceitos de: *aqui-agora e realidade*; *organismo como um todo*; *emergência das necessidades urgentes*; *agressão como uma força biológica*; *unidade da relação organismo-ambiente*. Essas ideias se solidificam ao longo de nove anos, até o surgimento formal da Gestalt-terapia, em 1951, com seu livro, escrito em coautoria com Paul Goodman e Ralph Hefferline, *Gestalt therapy*. Sua última edição apareceu em 1994, com uma longa introdução de Isadore From e Michael Vincent Miller.

Em 1942, alistou-se novamente como médico e serviu na guerra, durante quatro anos, tendo o posto de capitão. Foi condecorado por um ato de bravura em que salvou vários soldados de uma estação em chamas.

Serge e Anne Ginger (1995, p. 54) descrevem esse período: "[...] Estava sempre ausente, multiplicava suas aventuras sexuais, desinteressava-se cada vez mais da mulher e dos filhos, enfurecia-se com frequência e não hesitava em bater neles – reproduzindo assim o comportamento de seu próprio pai".

Chore de dor, chorar é respirar
Para superar o seu impasse.
O crescimento continua.
Mais autoapoio, mais autoapoio
Substitui a ajuda vinda de fora.
Apoio de fora é afastado.
Você aprende a caminhar
E já não é mais carregado

Você brinca com os sons, palavras então
Você se comunica e expressa.
Você procura a sua comida.
Procura amigos, se há falta de amor
Ganha seu pão, tem as suas ideias
E assume o lugar entre os colegas. [...] (Perls, 1979, p. 27)

Nascimento doloroso, tremenda mudança
Acabou-se o abrigo, calor e oxigênio,
Agora é preciso respirar
Pois a vida é respiração. [...]
E surge a primeira necessidade
De se autossustentar
Você quer viver, então respire [...]
Pois haverá morte se você não se arriscar
Começando a respirar sozinho. (*ibidem*)

Entre 1950-1951, a Gestalt se estabeleceu. Recebe esse nome depois de outras tentativas. Com a publicação de *Gestalt therapy*, constitui-se o Grupo dos Sete (Isadore From, Paul Goodman, Paul Weisz, Elliot Shapiro, Sylvester Eastman, Fritz e Laura Perls e, mais tarde, Ralph Hefferline).

Em 1952, Laura e Perls criam o primeiro instituto em Nova York e, em 1954, o de Cleveland. Em seguida, Perls deixou esses dois institutos nas mãos de Laura, Goodman e Weiz e partiu em peregrinação, espalhando sua doutrina e seu novo método, fundando os institutos de Chicago, Detroit, Toronto, Miami e Los Angeles. Nessa época, esteve 18 meses com Charlotte Silver em um curso regular sobre *sensorial awareness* – "tomada de consciência sensorial do corpo" –, tema que impregnou suas ideias e seu próprio corpo.

Em 1957, aos 63 anos, depois de um período de indiferença geral, encontrou Marty Fromm, de 32 anos, que se tornou, em suas palavras, a pessoa mais importante de sua vida – e com quem viveu todas as suas fantasias mais ousadas.

Dizem os Ginger (1995, p. 58):

> Depois disso, à procura de experiências novas, entregou-se às drogas psicodélicas e "viajava" a cada dois dias, com LSD ou psilocibina (extrato de cogumelos sagrados mexicanos).
> Sua paranoia crônica latente então eclodiu abertamente. Queria viver "sua loucura até o fim", e a droga lhe dava uma "consciência cósmica". De qualquer maneira, ele se considerava "acabado" e vivia sem limites.

Foi James Simkin, um de seus primeiros clientes, que conseguiu convencê-lo a renunciar às drogas.

Entre 1959 e 1960, "foi várias vezes à Califórnia, a São Francisco [...] e a Los Angeles. Viveu ali como vagabundo instável, sem endereço fixo, vagando de um lado para o outro, dia e noite" (Ginger e Ginger, 1995, p. 58).

> Vazio fértil, fale *através* de mim,
> Em estado de graça quero ver
> Bênção e verdade sobre mim
> Face a face com você.
>
> Escreva páginas aos milhares
> Milhões de palavras no caminho
> Voe livre pelos ares,
> Gaiola é para passarinho!
>
> Vendo a pena deslizar
> Sangrando dor e satisfação
> Já não posso tolerar
> Ter vivido em vão.
>
> Finalmente percebi
> Que tenho muito pra falar!
> As coisas que eu descobri
> Aqui-agora estão para ficar. (Perls, 1979, p. 173)

> Mas é demais: pensamentos, emoções, figuras, julgamentos. Excitamento demais. Formação de gestalt em perigo. O fracionalismo esquizofrênico, manifestando caoticamente seu direito de existir, me esmaga.
> Fique em contato, use o cansaço para amortecer a histeria de muitas vozes gritando e pedindo atenção. Acalme-se. Fique com o princípio de Heisenberg: fatos observados se transformam ao ser observados! (*ibidem*, p. 172-73)

Entre 1962 e 1963, aos 70 anos, passou 18 meses girando ao redor do mundo. Em Israel, hospedou-se numa pequena aldeia de jovens *beatniks*. Ficou fascinado com a vida deles: "Nada fazer e não se sentir culpado".

Em Quioto, no Japão, permaneceu dois meses em um templo Daitokuji, um mosteiro zen. Ali esperava experienciar o *satori*, o que não aconteceu, embora tenha ocorrido em outro momento, quando ele menos esperava.

Assim relata sua experiência de *satori* – de êxtase, como se diz no Ocidente:

> Eu estava caminhando pela rua Alton, quando senti uma transformação tomando conta de mim. Naquela época eu nunca tinha tomado e nem sabia nada a respeito de drogas psicodélicas. Senti meu lado direito comprimido e quase paralisado. Comecei a mancar, meu rosto ficou mole, senti-me como um idiota, meu intelecto ficou entorpecido e parou totalmente de funcionar. Como um raio, o mundo entrou em existência, tridimensional, cheio de cor e vida – decididamente não uma despersonalização (uma clareza sem vida) –, mas com uma completa sensação de: "*É isso aí, isso é real*". Foi um despertar completo, uma tomada de sentimentos, ou os sentidos vindo a mim, ou meus sentidos tomando sentido". (Perls, 1979, p. 101)

Quanto à influência do zen em sua vida, afirmou (*ibidem*, p. 103): "O zen havia me atraído como possibilidade de religião sem Deus. Fiquei surpreso ao ver que antes de cada sessão tínhamos que invocar e nos curvar diante de uma estátua de Buda. Simbolismo ou não, para mim tratava-se mais uma vez de reificação conduzindo a deificação".

Não obstante essa afirmação, observou e praticou o zen com Paul Weiss, diante de quem, confessou ele, se sentia muitas vezes pequeno. "Você [Paul] foi uma das poucas pessoas na minha vida a quem escutei. Mesmo que o que você dissesse soasse absurdo na época, eu sempre guardava sua afirmação e a deixava amadurecer. Quase sempre ela dava frutos" (*ibidem*, p. 104).

Perls (1979) afirma:

> Daí por diante, fiquei cada vez mais fascinado pelo zen, sua sabedoria, seu potencial e sua atitude não moral. Paul tentou integrar Gestalt e zen. Eu me empenhava mais em criar um método viável de abrir este tipo de autotranscendência humana para o homem ocidental. [...]" (p. 105)

> Eu fiz da tomada de consciência o ponto central de minha abordagem, reconhecendo que a fenomenologia é o passo básico e indispensável no sentido de sabermos tudo o que é possível saber.
> Sem consciência nada há.
> Sem consciência há vazio. (*ibidem*, p. 70)

Fritz reconhecia três gurus em sua vida. O primeiro deles foi o neokantiano Sigmund Friedlander.

> Como personalidade, ele foi o primeiro homem em cuja presença me senti humilde, cheio de veneração. Não havia lugar para a minha arrogância crônica. Se tento racionalizar e

> determinar o que me atraía em Friedlander e sua filosofia, experiencio um redemoinho de ideias, sentimentos e recordações.
> [...] Friedlander trouxe um modo simples de orientação primária. Qualquer coisa se diferencia em opostos. Se somos capturados por uma dessas forças opostas, estamos numa cilada, ou, pelo menos, desequilibrados. Se ficamos no *nada* do centro zero, estamos equilibrados e temos perspectivas. (Perls, 1979, p. 76)

O segundo guru de Fritz foi Selig Morgenroth,

> o nosso escultor e arquiteto do Instituto Esalen. [...] Observá-lo e perceber seu envolvimento com seres humanos, animais e plantas, comparar sua abertura e confiança com minha excitabilidade e exibicionismo, até enfim sentir a presença de um homem perante o qual me sinto inferior, e, finalmente, o sentimento de respeito mútuo e amizade que surgiu – tudo isso me ajudou a superar a maior parte da pomposidade e falsidade. (*ibidem*, p. 71)

Quanto ao terceiro guru, "foi Mitzie, uma linda gata branca. Ela me ensinou a sabedoria do animal" (*ibidem*, p. 71).

Em 1968, o grande momento do protesto jovem, quando todos os movimentos mundiais gritavam pela liberdade, pela queda dos tabus, pelo prazer dos corpos, pelo direito à nudez, pelo amor e contra a guerra, Perls apareceu nos grandes semanários americanos. Tema de uma edição da revista *Life*, foi eleito "rei dos hippies". Era a glória.

Tinha 75 anos.

Algumas palavras do mestre sobre essa fase da vida: "Interessante, nos últimos anos já não sinto que estou condenado à vida, e sim que sou abençoado com ela" (Perls, 1979, p. 104). E ainda:

> Eu sou abençoado com vida
> Eu sou abençoado com uma vida cheia e útil. Eu sou vivo
> Eu sou. (p. 202)

> Mil flores de plástico
> Não fazem um deserto florescer
> Mil rostos vazios
> Não podem uma sala vazia preencher. (p. 105)

De 1963 a 1969, Fritz viveu em Esalen, Big Sur, costa leste da Califórnia. Esalen, cujo nome deriva de uma tribo indígena que viveu ali, é descrita como um lugar paradisíaco. Está sobre uma rocha e conta com uma vista belíssima para o mar, com muitas piscinas naturais de água quente. Foi criado para ser um "centro de desenvolvimento do potencial humano":

> Há um lugar igual ao Éden
> Miscelânea de prazer
> Donzelas, banhos, sol também
> Além dos grupos de saber,
> É realmente Esalen.
>
> Um demônio chega e se aventura
> "Também quero me envolver
> Escrevi ótimas peças de tortura
> Pra fomentar o meu prazer".
>
> "Não ache ruim comigo, não
> Com as tolices que pergunto
> Responder é sua obrigação
> Esclarecendo bem o assunto".
>
> A voz de um anjo então ressoa:
> "Ó Deus, não fique tão furioso,
> A intenção do demônio até que é boa!
> Ele apenas está... Um pouco curioso".
>
> Espero que você goste tanto quanto eu. (Perls, 1979, p. 59)

Em 1964, instalou-se definitivamente em Esalen, começando um programa de formação profissional em Gestalt-terapia.

Apesar dos seus 71 anos, Perls continuava sob suspeita. Seu sucesso foi lento. Os primeiros *workshops* atraíam pouca gente, embora, como dizem Ginger e Ginger (1995, p. 59), seja preciso "reconhecer que, em grande parte, foi *Perls que despertou Esalen para a celebridade* – e Esalen retribuiu-lhe, transformando o 'velho crocodilo que esperava a morte' num brilhante e badalado terapeuta". Os autores continuam (*ibidem*, p. 60):

> Todos os fins de semana ele apresentava o que chamou de "seu circo". Várias centenas de pessoas se aglomeravam para ver seu "número": ele chamava alguns voluntários na multidão e os fazia sentar, pela ordem, no "lugar quente", diante de uma "cadeira

vazia" e, em alguns minutos, acabava com seus problemas existenciais latentes, por intermédio de suas atitudes ou de seus sonhos. Problemas que tinham resistido a anos de psicanálise desapareciam, ao que parece, para sempre, como por encanto... Mas não se tratava de *terapias profundas*, mas de *demonstrações espetaculares*!

Por que não, pergunto eu? Quem pode responder?
Ginger e Ginger (1995, p. 60) complementam:

Especialistas eminentes se deslocavam de todas as partes para Esalen: ali podiam ser vistos, por exemplo, Gregory Bateson ("ecologia do espírito" e *double bind*), Alexander Lowen (bioenergética), Eric Berne (análise transacional), John Lilly (caixa de isolamento sensorial), Allan Watts (orientalismo), Stanislav Grof (psicologia transpessoal), John Grinder e Richard Bandler (programação neurolinguística) etc.

O velho guerreiro caminhou, então, para sua última batalha: "Lancei-me numa nova aventura – uma comunidade terapêutica. O *kibutz* ainda não se materializou como tal" (Perls, 1979, p. 249). Sobre o assunto, assim se exprimiu o mestre:

O que quero dizer quando me refiro a um *kibutz* Gestalt? Assim como anteriormente considerei obsoleta a terapia individual, agora considero fora de época a reunião esporádica de grupo e os *workshops*. As maratonas são muito forçadas.
[No *kibutz*], a maior ênfase recai sobre o desenvolvimento de maturação e espírito comunitário. [...]
O primeiro *kibutz* destina-se a ser um lugar criador de líderes. Já tenho diversos terapeutas profissionais inscritos.
Se este experimento funcionar, haverá lugar para famílias, solteiros não profissionais, adolescentes, pretos ou brancos, fascistas e *hippies*. (*ibidem*, p. 243-44)

Em junho de 1969, Fritz se mudou para Vancouver, no Canadá. Segundo Ginger e Ginger (1995, p. 61), ali ele comprou um velho hotel de pescadores no lago Cowichan: "[...] Todos viviam em comunidade, participavam do trabalho coletivo, assim como das sessões de terapia ou de formação. Fritz viveu, enfim, feliz e descontraído 'como uma criança'. [...] Ele declarou: "Pela primeira vez na vida, estou em paz. Não preciso brigar com os outros".

Oito meses depois de iniciado seu sonho, em 14 de março de 1970, aos 77 anos, o mestre partiu, fulminado por um enfarte do miocárdio. A autópsia revelou também um câncer no pâncreas.

Escarafunchando Fritz – Dentro e fora da lata de lixo foi o seu testamento, escrito em apenas três meses, pouco antes de seu falecimento.

Sua morte também provocou divisão e confusão entre seus amigos, não obstante a clareza última de seus pensamentos:

> Em sua "elegia" fúnebre, Paul Goodman criticou-o, dizendo que ele tinha "traído a Gestalt" – isso atiçou ainda mais a querela latente entre seus antigos amigos da costa leste e os da Califórnia, que desaprovaram esses "sórdidos acertos de contas"; a tal ponto que Abraham Levitzky organizou pouco depois uma segunda cerimônia fúnebre de "reparação"! (Ginger e Ginger, 1995, p. 61)

E assim foi.

Vejamos mais algumas ideias de Perls (1979):

> A fronteira do ego é como a cama de Procrustes. (p. 231)

> Amor e beleza são quase idênticos. (p. 245)

> O herói se opõe ao monge. (p. 13)

> A tomada de consciência é uma experiência de máxima privacidade. (p. 83)

> Para mim, mais importante era a ideia da situação inacabada, a gestalt incompleta. Os gestaltistas acadêmicos obviamente nunca me aceitaram. *Eu não era certamente um gestaltista puro*. (p. 66, grifos meus)

> Uma gestalt é um fenômeno irredutível. É uma essência que está aí e que desaparece se o todo for fragmentado em seus componentes. (p. 66)

> Eu não seria fenomenologista se não conseguisse enxergar o óbvio, ou seja, a experiência do atoleiro. Eu não seria gestaltista se não conseguisse entrar nessa experiência de estar atolado tendo confiança de que alguma figura emergirá do fundo caótico. (p. 45)

> [...] Acredito que sou o melhor terapeuta para qualquer tipo de neurose nos Estados Unidos, talvez no mundo. Qual é essa de megalomania? O fato é que estou desejoso e disposto a colocar o meu trabalho sob qualquer teste ou pesquisa. [...]
> Quando trabalho não sou Fritz Perls. Torno-me nada, coisa alguma, um catalizador, e aprecio o meu trabalho. Esqueço de mim mesmo e me rendo a você e à sua angústia. [...] (p. 197)

Tentando fechar...

Deixa, agora, velho guerreiro, que o transcendental, talvez até o sagrado, invada este lugar com tuas próprias palavras, tu que te dizias ateu.

> Sem consciência não há nada,
> Nem mesmo conhecimento do nada.
> Não há encontro casual
> De nada com nada.
> Os sentidos não têm lugar
> Para formar o conteúdo.
> O subjetivo e o objetivo
> Não podem se juntar num todo.
> [...]
> A onipresença de Deus
> É consciência que se espelha.
> Experiência é fenômeno
> Aparecendo sempre no *agora*
> Isto é lei para mim.
> Um presente que apresenta a presença
> Uma certeza que significa
> Realmente a realidade.
>
> Realidade nada mais é
> Do que a soma das consciências
> Experienciadas aqui e agora.
> Aparece então a última ciência
> Como a unidade do fenômeno
> Que Husserl descreveu
> E a descoberta
> Que Ehrenfels realizou:
> O fenômeno irredutível
> De toda consciência,
> O nome que ele deu
> Ainda hoje nós usamos:
> GESTALT. (p. 38-39)

Não como o carvão, que reflete a luz
E sim como âmbar iridescente

Que brilha com seu brilho próprio
Queimando e morrendo na transformação.

Assim, aos meus olhos a matéria
Tem conotações divinas
Você e eu, Eu e Tu
Somos mais do que matéria morta;
Participando, existimos
Na real natureza do Buda

O Deus triplo é a máxima instância.
Ele é o poder criativo
De toda a matéria universal.
A *prima causa* deste mundo.
Ele se estende na eternidade
E se expande, é infinito;
É onisciente, consciente
De tudo que há para saber.

E também a matéria é infinita,
O espaço de todos os espaços.
O nome do tempo é eternidade –
Se não cortarmos em pedaços
Sua parte restrita pelo relógio
Para medir sua duração. (p. 36)

Caro Fritz, encontro-me novamente, diante de ti, ao terminar esta fala, como o viandante boquiaberto ante o mistério da esfinge. Tentei seguir teus passos ligeiros na esperança de descobrir teus atalhos e teus caminhos.

Tentei descer às profundezas de teu ser à sombra de tuas palavras. A tua luz intensa ofuscou meu pensamento e, muitas vezes, ao ler os teus relatos, a emoção perturbou minha procura.

Profeta e vagabundo, na expressão de Laura, anjo e demônio, maluco, velho sujo, irreverente, mestre e guru, cigano e andarilho, eu te saúdo emocionado.

Curvo-me ante tua clareza, tua força, tua obstinação, tua coragem ante a busca desesperada de tua verdade.

Saúdo-te pela coragem de afirmar que Freud diria que eras um pervertido polimorfo; pela tua coragem de dizer que pouco sofreste ao saber que tua mãe e irmã morreram em um campo de concentração; pela tua coragem de dizer que tinhas uma má reputação a ser mantida; pela tua coragem de dizer que preferias morrer a deixar de fumar.

Saúdo-te também por chorares, como disseste, até partir teu coração ante a beleza da ópera Fígaro, pensando no sofrimento das trincheiras.

Saúdo-te por arriscares tua vida entrando numa estação em chamas, explodindo, para salvar a vida de teus soldados.

Saúdo-te por sentires a presença de Deus, em uma manhã ensolarada.

Saúdo-te pela sensação do sagrado que pareces ter encontrado ao final de tua vida.

Saúdo-te, enfim, pelo homem que foste e pela herança teórica que nos deixaste.

Deixa agora, irrequieto caminhante, que eu termine esta fala com tuas próprias palavras:

"Fritz, descanse,
Você fez demais.
Achou seu zen, achou seu tao
Descobriu a sua verdade.
E também para os outro você deixou claro –
O crescimento sem fim, na honestidade
O que mais você quer?
Ainda não basta?"

Não anseie mais do que um repouso tranquilo
Que não seja inerte como cubos de gelo.
Um repouso que vá de dentro pra fora
E de fora pra dentro, sempre no ritmo.

Um pêndulo que seja como as horas,
Coração batendo, contraindo e soltando.
Contato – recuo, mundo e *self*
Em complemento e harmonia. (p. 21-22)

Já basta de caos e de sujeira!
Em vez de confusão sentida,
Que se forme uma Gestalt inteira
Na conclusão da minha vida. (p. 10)

Referências

Ginger, S.; Ginger, A. *Gestalt – Uma terapia do contato*. 5. ed. São Paulo: Summus, 1995.

Perls, F. S. *In and out the garbage pail*. Lafayette: Real People Press, 1969.

______. *Gestalt-terapia explicada*. São Paulo: Summus, 1977.

______. *Escarafunchando Fritz – Dentro e fora da lata de lixo*. São Paulo: Summus, 1979.

______. *Ego, fome e agressão*. São Paulo: Summus, 2002.

Perls, S. "Frederick Perls: a son's reflections". 15ª Conferência Anual de Teoria e Prática da Gestalt-terapia, 23 abr. 1993, Montreal, Canadá. Disponível em: <gestalt.org/Stephen.htm>. Acesso em: 27 dez. 2021.

2. Meu corpo, minha morada

Sou meu corpo, vivo e próprio.
Meu corpo sou eu.
Não tenho um corpo, você também não.
Moro aqui, nele.
Não moro na minha casa,
Nem você na sua.
Meu corpo vivo, meu único bem.
Tudo mais é emprestado.
Não curo ninguém, nem você também.
Apenas cuido.
Você se cura quando se sente cuidado.
Sou meu corpo, você o seu.
Cuido do seu, você do meu.
Somos um, não dois.
Cuido de você, você de mim.
Sem cuidado, morremos.
Com cuidado, somos Fênix,
Nossas cinzas transcendem
E o instante se eterniza.

3. Gestalt-terapia: um estudo epistemológico de suas bases teórico-vivenciais

Introdução

Este trabalho me remete a dois profundos sentimentos. Um de alegria, por estar compartilhando com vocês um tema fruto de diversas das minhas preocupações acadêmicas; e outro de responsabilidade diante de um assunto que concentra muito de uma tendência atual da literatura: a legitimidade teórica de qualquer postura que tenha o ser humano como sujeito de observação, como, por exemplo, a psicoterapia.

Escolhi uma metodologia que me permitisse, sem ter de me aprofundar muito nos vários conteúdos do tema, fazer um caminho que pudesse demonstrar, quanto possível, a Gestalt-terapia como um campo teórico solidificado.

Ao falar da natureza de um objeto, eu poderia partir de diversos ângulos. Acredito até que, em tese, chegaria sempre ao mesmo lugar, à semelhança do célebre ditado de que todos os caminhos levam a Roma.

Este é o meu desafio: mais do que falar da essência da Gestalt-terapia, do que ela é, falar de sua natureza, de como se organiza e funciona e das manifestações por meio das quais sua essência se revela.

Falar da natureza de algo é penetrar no mais íntimo de sua existência, no seu modo mais característico de funcionar. É apontar suas propriedades, de tal maneira que, ao final da caminhada, teremos chegado ao lugar de onde tudo parte, onde tudo começa: paradoxalmente, um monte de incertezas nos apontando horizontes que nos indicam possíveis certezas, conduzidos pela vivência que a natureza do objeto nos proporciona.

Nosso instrumento de trabalho são nossas teorias e filosofias de base, capitaneadas pelo método fenomenológico, lembrando que a Gestalt-terapia, tendo nascido dessas diversas teorias, tem, hoje, um corpo teórico consolidado, que fala por ele mesmo. Posso, entretanto, permitir-me perder-me ou encontrar-me com a periferia das coisas. Ela me diz que o caminho se faz caminhando, que não existem territórios prefixados, mas apenas mapas, nos quais nossa criatividade vai descobrindo, a cada momento, pedaços do caminho.

Para nós, Gestalt-terapeutas, o que dá sentido ao mundo é nosso olhar, que, através da consciência – entendida como fonte de sentido e de significado –, permite-nos uma relação direta com a realidade das coisas.

Esse sujeito é sujeito do mundo, um ser-aí ao qual a consciência dá sentido, não de maneira absoluta e autoritária, mas por intermédio de uma eterna e dinâmica *epoché*, pela qual o sujeito suspende provisoriamente seu juízo, seus preconceitos, para captar a realidade como ela é.

Isso ocorre por um processo chamado de redução fenomenológica, que divido em três momentos:

- *Redução histórica ou teorética*, que trata da redução das hipóteses, da tentativa de lançar um olhar ingênuo para o fenômeno, despido de história, de ideias pré-concebidas.
- *Redução eidética*, por meio da qual se chega à essência universal, àquele invariante presente em todos os seres, àquele universal despido de qualquer particularidade. Essa redução me conduz à essência, ao mapa da realidade.
- *Redução transcendental*, pela qual se chega a esse indivíduo, a esse dado, pela observação e descrição particularizadas de tudo que foi observado no que diz respeito aos seus dados significativos.

A redução fenomenológica me conduz à natureza, ao território, ao "como" que me permite visualizar a realidade sob observação.

A filosofia não tem que ver com certezas, e sim com o rigor epistemológico. E, embora o filosofar seja sempre uma procura inacabada, o pedaço do caminho a ser percorrido deve ser feito com rigor de pensamento, de método.

Para nós, Gestalt-terapeutas, a fenomenologia é uma filosofia enquanto ciência eidética, e um método que, através do rigor epistemológico, permite-nos chegar ao indivíduo aqui-agora presente.

Enquanto filosofia, a fenomenologia busca a essência das coisas, o ser das coisas, seu fundamento último. A ela interessa menos o fato em si do que o que ele significa para o observador, significado este que parte da relação com o vivido, aqui-agora. O significado e o sentido das coisas são únicos, irrepetíveis, e a eles se chega através da redução fenomenológica.

Na verdade, não temos acesso absoluto a nada, estamos sempre na periferia das coisas, sempre nos abrindo à realidade e nunca totalmente dentro dela, pois a essência última das coisas é inatingível. Aproximamo-nos dela através da natureza do ser que contém o ente, o qual funda essa realidade.

Na minha perspectiva, a essência precede ontologicamente a existência. Ela é um ser e, como tal, precede o ente, concretude das coisas. Essa antecipação permite à essência lançar-se em busca da existência, de se tornar um ser-aí – e, nesse caso, ela se constitui constituindo-se na existência, pois "a dimensão existencial do homem não pode ser dissociada de sua profunda e fundamental historicidade" (Bornheim, 1978, p. 7).

Enquanto método, a fenomenologia é um caminho indutivo, uma perspectiva, uma prática de descrição e compreensão da realidade. Processo que se realiza por meio do que chamo *regra básica de fenomenologia: ver, observar, descrever, interpretar o vivido, aqui-agora.* A união, a operacionalização desses quatro momentos, vivida na *epoché*, permite que nos abeiremos da realidade, evitando a interferência ativa de nossos preconceitos e de nossos *pré-juízos*.

Estudar a natureza da Gestalt-terapia como processo é tentar aprofundar aquilo que a constitui, é ver em que ela se distingue de outras formas de cuidar do outro, é entrar no conceito central do que significa uma psicoterapia fenomenológico-existencial. Em uma palavra, é descobrir sua real natureza.

Feitas essas considerações introdutórias e básicas, temos o desafio de aprofundar o conceito de natureza da Gestalt-terapia e o modo como ela se manifesta, a partir do qual a realidade psicoterapêutica se torna operacionalmente constituída. A isso chamamos de epistemologia.

Gestalt-terapia nasce e flui de um tripé teórico fundante de sua natureza:

1. Das *teorias de base constituintes de sua essência*: psicologia da Gestalt, teoria do campo e teoria organísmica holística, de onde nasce seu conceito de mundo.
2. Das *filosofias de base constituintes operacionais de sua existência:* humanismo, fenomenologia e existencialismo, de onde nasce seu conceito de pessoa.
3. Das *teorias da experiência pessoal de Fritz Perls*: psicanálise, teoria reichiana e zen-budismo, de onde nasce o jeito humano de a Gestlat-terapia funcionar.

Com base em uma prática alicerçada nessas teorias, nas quais sua essência e sua existência se fundam, teórica e operacionalmente, como um todo e não como uma fragmentação teórica, a Gestalt-terapia se torna epistemologicamente constituída e, por conseguinte, operacional.

É a partir desse campo teórico, composto por essas nove teorias, de cujos conceitos a Gestalt-terapia se constitui como uma psicoterapia e um método de ação, que ela pode ser olhada em sua epistemologicidade como um dado de realidade absolutamente válido.

Apresento, a seguir, alguns pressupostos a partir dos quais vemos mais claramente a caminhada feita pela Gestalt-terapia e, em consequência, sua postura e ação no mundo, o que, de outro lado, nos dá uma visão mais inteira dos critérios em que ela se fundamenta.

Pressuposto organísmico/holístico

Um processo psicoterapêutico ocorre sempre que duas ou mais pessoas se encontram amorosamente e trocam, emocionalmente e com cumplicidade, fatos de sua vida. Não é necessário um *setting* terapêutico para que uma mudança restauradora ou transformadora aconteça.

O processo psicoterapêutico, portanto, tem validade em si mesmo. Existem gestos que são, por natureza, terapêuticos. Uma relação eu-tu, por exemplo, pode ocorrer da pessoa para com ela mesma, da pessoa para com a natureza, da pessoa para com outra pessoa de modo totalmente informal, casual. Não precisa, portanto, estar acoplada a um conceito de pessoa, a uma teoria de personalidade, psicopatológica ou psicoterápica.

O ser humano é, terapeuticamente, relacional. Uma ideologia da natureza humana que parte de uma visão crítica da realidade ajuda no mapeamento daquilo que um encontro pode precisar para atingir seu objetivo maior e ter visibilidade científica.

Por outro lado, do ponto de vista epistemológico, devemos encontrar aquelas dimensões a partir das quais um processo psicoterapêutico possa ser entendido e visualizado.

A Gestalt-terapia se fundamenta nestas reflexões e tira delas seu sentido e significado:

> Gestalt-terapia começa com a natureza. Sua inspiração e seus princípios básicos são tirados a partir de um olhar sobre o livre funcionamento na natureza, no nosso corpo e no nosso comportamento saudável e espontâneo. As dinâmicas da natureza e do homem são uma coisa só, tanto que podemos usar o que nós observamos para construir uma teoria do comportamento humano. A Gestalt-terapia é organizada a partir de princípios de nossa estrutura biológica e do nosso funcionamento que pode ser visto no comportamento natural. "Gestalt é tão antiga, como antigo é o próprio universo" (Perls, 1969, p. 16), pois ela é baseada nos princípios da organização que sustentam a vida. (Latner, 1973, p. 10)
>
> A base dos primeiros princípios da Gestalt-terapia é o holismo. A essência da concepção holística da realidade é que toda a natureza é um todo unificado e coerente. Os elementos orgânicos e não orgânicos do universo coexistem em um contínuo processo de mudança de coordenar essa atividade. (*ibidem*, p. 4)

Vejamos agora algumas dimensões do ser humano.

Dimensão biológica: sou um corpo que nasce do mundo

O ser humano é um ser vivo por excelência. A dimensão biológica é o próprio fenômeno que, por primeiro, nos salta aos olhos. Somos vivos, e viver obedece ao primeiro e mais importante de todos os processos, o ajustamento criativo e a autoecorregulação organísmica.

Esses fenômenos se manifestam através:

- *da vida – existo e sei que existo*. Sentimos, pensamos, nos movemos, falamos. Qualquer desequilíbrio em um desses sistemas implica uma diminuição do processo de ajustamento criativo e da autoecorregulação organísmica – e, talvez, doença. Tudo que nasceu, nasceu para continuar vivendo, tendo em si aquilo de que precisa para estar no planeta de maneira adequada e independente.
- *da relação espaço-tempo – um campo de presença*. Somos um com o universo e no universo. Tudo depende de tudo. Tudo influencia tudo. Tudo é efeito de tudo. Sou a natureza, a natureza sou eu. Tudo está em inter e intracoexistência cósmica – e nessa troca se encerra o sentido de toda e qualquer relação. O nosso consultório não é a nossa sala, mas o universo. Toda psicoterapia acontece na "pólis". Nossa espacialidade coexiste com nossa temporalidade.
- *da unidade orgânica – concepção holística da realidade*. Somos um corpo-alma-espírito. Um inclui o outro, coexistem na mais perfeita e metafísica confluência. Somos nosso coração, somos nossos pulmões. Nada em nós é isolado. Cada órgão é miniatura e síntese de todos os outros. Corpo-alma-espírito são, consubstancialmente, fundantes de nossa estrutura de personalidade.
- *da continuidade/mudança – princípio da pregnância à procura da melhor forma*. Mudo todos os dias sem deixar de ser eu mesmo. Continuo eu mesmo no mais sutil e dinâmico movimento. A criação e a criatividade moram entre a continuidade e a mudança. A saúde consiste em poder mudar a todo momento sem deixar de me sentir eu mesmo.

Essas dimensões provocativas e básicas dão orientação e solidez ao processo psicoterapêutico. Assim como a vida é o princípio de tudo, tais dimensões, reflexos da existência, deverão informar a compreensão e a dinâmica de toda e qualquer busca humana. A psicoterapia gestáltica acontece através da consciência operacionalizada de cada um desses processos.

Dimensão Eu-Tu

Somos no mundo, do mundo, para o mundo. Somos mundo. Nascemos da barriga do universo. Somos, como tudo no universo, ar, fogo, terra, água. Daqui nasce o sentido do nosso existir, cuja essência consiste no contato, no relacionar-se, no encontro. Corpo-mente, corpo-alma, pessoa-mundo são dimensões bioexistenciais nas quais se fundamenta qualquer processo de mudança. A experiência vivida deste processo cósmico é o que eu tenho chamado de ambientalidade, uma das três dimensões fundantes de nossa personalidade. Isso envolve os seguintes aspectos:

- *Crença absoluta experienciada de que o Outro, de fato, existe.* O grande Outro é o Universo. É ele que, por primeiro, me revela minha existência. Nele todos os Outros se escondem e se revelam. Assim, o outro, meu cliente, me faz face e nele eu me descubro, existindo nele.
- *Aceitação clara da subjetividade do Outro.* Sentir o Outro é um permanente encontro com o outro que existe em mim. E, nessa relação, descubro o outro se redefinindo cotidianamente, lá e cá, num transcendental movimento de confluência. Eu sei eu, ele sabe ele, saber que nasce de uma subjetivação objetiva e de uma objetivação subjetiva, ou seja, estou diante de uma profunda complexidade humana. Sou psicoterapeuta, não curo ninguém, apenas cuido – cuidar que exige de mim uma inclusão existencial na realidade do outro, não obstante sermos clandestinos um com relação ao outro.
- *Aceitação da alteridade do outro.* Talvez aqui tenhamos uma pista, uma estrada se abre. Ele não é eu. Eu não sou ele. No entanto, eu e ele somos universo e, de algum modo, em relação nos revelamos por meio do olhar significativo de nossas diferenças, através das quais o encontro se faz possível. *A porta do outro se abre quando encontra a minha aberta.* Aprendi que tudo começa em mim e comigo; o outro permanece o outro enquanto eu for um desconhecido para ele.
- *Todo viver verdadeiro é um encontro.* Encontro comigo mesmo, o mais difícil; encontro com o outro, o mais desafiador; encontro de igualdades, o mais nutritivo; encontro de diferenças, o mais criativo; encontro de almas em busca de um nós, o mais transcendente.

Tanto a dimensão biológica quanto a dimensão Eu-Tu compõem essa totalidade operativa na qual se baseia o jeito de funcionar da Gestalt-terapia, trabalhando no interior de cada ser e tornando sua vida presente e significativa.

Tais dimensões dão sustentação ao trabalho psicoterapêutico, que encontra, na dimensão pessoal de cada um, os sinais ou a sinalização de por onde deve andar.

É função do processo psicoterapêutico traduzir, por meio da fala e de técnicas adequadas, esses movimentos ocultos, escondidos, trazendo-os para o âmbito da consciência.

Campo teórico específico: teorias que compõem a estrutura da Gestalt-terapia

As teorias são estradas que mapeiam nossas caminhadas. Existem para nos localizar nas nossas correlações eu-mundo. É a partir de um campo teórico bem delimitado que podemos construir nossas hipóteses e as bases de uma metodologia de trabalho. *Uma teoria é um instrumento de trabalho.* Seus conceitos, quando operacionalizados, formam a caixa básica de nossas atividades clínicas, a partir das quais sabemos que podemos responder às demandas, muitas vezes carregadas de ansiedade e dor, de nossos clientes. Precisaríamos falar, mais longa e profundamente, sobre cada uma das teorias que compõem, no meu entender, a natureza funcional da Gestalt-terapia. Nosso objetivo, entretanto, será fornecer pinceladas, mapas que nos permitam nos localizar dentro de um campo teórico sólido que nos aponte um horizonte a partir do qual nossas colocações façam sentido.

Costumo dizer que os clínicos não estão nas universidades e os teóricos não estão nos consultórios, salvo poucas exceções. É dentro dessa dimensão que apenas apontaremos, sem nos aprofundarmos, alguns dos nossos principais instrumentos de trabalho.

Uma psicoterapia consolidada resulta de um campo teórico consolidado, ao qual faremos aqui referência como suporte para nossa compreensão de como a Gestalt-terapia foi se constituindo em uma psicoterapia que traz no seu bojo originalidade, competência e, sobretudo, atualidade.

> É verdade que agimos através de dois sistemas, o sensorial e o motor, mas o organismo se conecta com o mundo através de ambos. Seu sistema sensorial lhe provê uma orientação, seu sistema motor lhe dá um sentido de *manipulação.* Um não é função do outro, nenhum é temporal ou logicamente anterior ao outro, ambos são função do ser humano total. Com essa nova perspectiva, organismo e meio se mantêm numa relação de reciprocidade. Um não é vítima do outro. Seu relacionamento é realmente o de opostos dialéticos. Para satisfazer suas necessidades, o organismo tem que achar os suplementos necessários no meio. O sistema de orientação descobre o que é procurado; todos os seres vivos são capazes de sentir quais são os objetos externos que satisfarão suas necessidades. (Latner, 1973, p. 14-15)

Psicologia da Gestalt

Os fundadores da psicologia da Gestalt – a qual, inicialmente, era voltada para a questão filosófica da psicologia como ciência – foram na direção de estudos e pesquisas nas áreas da percepção, aprendizagem e solução de problemas.

Embora não seja o principal instrumento de nosso trabalho, daqui nascem alguns conceitos da maior aplicação na prática clínica, como comportamento molar e molecular, figura-fundo, parte-todo, aqui-agora, para mencionar apenas alguns.

Teoria do campo

Trata-se de um dos mais adequados instrumentos de trabalho de nossa abordagem. Seus conceitos, extremamente trabalhados por Lewin, dão-nos segurança epistemológica e nos permitem avançar na construção do conhecimento. Eis alguns desses conceitos: ecologia psicológica, espaço vital, estrutura, campo, causalidade e tempo, realidade, topologia (relações espaciais/geometria humana), espaço hodológico (distâncias físicas), força, valência, equilíbrio, tensão, parte-todo, totalidade (pessoa-ambiente).

Um conceito é um instrumento de trabalho. Quando um conceito permanece no campo da abstração, estamos diante de uma visão filosófica, que nos ajuda no sentido de que tudo parte de uma visão ontológica da realidade, mas não nos auxilia operacionalmente, porque um conceito precisa ser visto fenomenologicamente – ou seja, na sua relação com o campo no qual ele se insere naquele aqui-agora.

Teoria organísmica holística

Enquanto a teoria do campo dá visibilidade teórica ao corpo da Gestalt-terapia, a teoria holística dá visibilidade à sua alma, tornando-a humana, concreta, criadora, visível.

Holismo, diz Smuts, *é a força sintética do universo, criadora e mantenedora de "todos"*. Essa força é como um instinto do cosmos que transforma as partes, quando em inter e intra-harmonia relacional, em "todos" complexos e criadores. Nada, no universo, escapa a ela. Conceitos como tempo, espaço, movimento, causa e efeito, evolução e transformação estão no coração do holismo de Smuts.

Operacionalizando a teoria holística por meio de conceitos ou processos – simplicidade-complexidade; instintos: relaxamento de tensão, autopreservação, autoatualização; sintomas: diretos e indiretos ou dependentes; processos básicos: equalização (intraorganismo) e centragem (extraorganismo) –, Kurt Goldstein criou sua teoria organísmica-holística, através da qual o corpo se faz presente e se torna funcionalmente compreensível na Gestalt-terapia.

Teorias que compõem a forma da Gestalt-terapia

Precisaríamos falar também, mais detalhada e profundamente, sobre cada uma dessas teorias que estou chamando de teorias da alma da Gestalt-terapia e de *como* elas funcionam. Entre as teorias de *como* a Gestalt-terapia funciona ou teorias da existência, apresentaremos, de maneira representativa:

Humanismo existencialista
Trata-se do vento que sopra suave a alma do Gestalt-terapeuta e lhe permite olhar seu cliente com amor, descobrir seu sentido e significado, enxergar seu sofrimento. É a partir daqui que ele se encontra com o resgate do positivo, do sagrado, do divino – vivenciado seja através de categorias como a fé, a esperança, o amor e o cuidado, que vão além do tempo, seja através de categorias como corporeidade, subjetividade e presença, que se enquadram no espaço.

A experiência humana de encontro a dois, em qualquer situação, acha sua plenitude quando ambos, superando os próprios limites, se deixam levar pelo apelo de uma *epoché* que tudo sabe, porque nada sabe e porque resgata o humano perdido na nossa corporalidade.

Estamos falando de um dom, de uma entrega que culmina na presença, no cuidado, na inclusão e na confirmação que sacraliza o encontro humano.

Fenomenologia
Além de constituir uma ontologia do fenômeno, um fator universal, uma abstração que habita nossa consciência, a fenomenologia nos apresenta um método para lidar com o vivido através de uma hermenêutica existencial, enquanto interpreta aqui-agora, descreve e desdobra as possibilidades de ser. A fenomenologia é descritiva, vivida, fundada na compreensão da existência e no resgate da experiência imediata. Conta com uma visão experiencial-existencial da relação. Como experiência do vivido, aqui-agora, descobre também toda possibilidade de ser. Não interpreta o cliente, mas o ajuda a interpretar a si mesmo por meio de categorias como temporalidade, espacialidade, responsabilidade, liberdade, subjetividade, intersubjetividade, escolha, cuidado e intencionalidade – que são autênticos conceitos-instrumentos de trabalho, pois sinalizam o caminho percorrido pelo cliente e nos apontam o horizonte para onde caminhar.

Essas teorias, aqui apresentadas de maneira extremamente sintetizada, nos fornecem instrumentos conceituais que dão visibilidade à Gestalt-terapia, fazem sua metodologia consistente e nos permitem trabalhar de maneira adequada e competente e estar com a realidade de nossos clientes através de ajustamentos criativos.

Epistemologia do processo psicoterapêutico

Considerações de fundo alicerçam nosso caminho para pensarmos fenomenologicamente o surgimento de qualquer forma de psicoterapia, que é o fim e o resultado de uma longa e complexa caminhada epistemológica.

A psicoterapia nasce de uma visão de mundo e de pessoa, de teorias ou complexos teóricos, finalizando com um encontro inter e intraprocessual de suas teorias de base, as quais dialogam com alguns princípios epistemologicamente distintos, cuja lógica torna uma teoria psicoterápica inteligível, viável e tecnicamente funcional.

São eles:

Conceito claro de mundo e de pessoa

É desse lugar que tudo parte; aí começa a caminhada epistemológica que vai desaguar na formação de uma psicoterapia. A Gestalt-terapia se define como uma abordagem fenomenológico-existencial. Assim, está comprometida com resgatar o sentido da experiência de mundo e de pessoa lidando com o positivo e não com o negativo; está mais atenta à energia que domina a pessoa do que ao sintoma; e se mostra, em essência, compromissada com a temporalidade, a espacialidade, a liberdade, a responsabilidade, a subjetividade, a dor, a procura, o cuidado – enfim, com o sentido que atravessa todo o constituir-se de nossa personalidade.

Enquanto proposta de experiência mundana/humana, a Gestalt-terapia faz eco a toda uma ideologia humanista como teoria e como prática.

Uma teoria da personalidade diferenciada

Uma teoria da personalidade expressa – indistintamente, para todos, como um todo – o que significa nascer, evoluir, crescer, excitar, viver e morrer. Trata-se de uma proposta que universaliza tudo, e que, no fundo, se expressa como uma abstração que modela, enquadra quem quer que seja em um padrão que cria individualidades, mas não singularidades que fogem do esperado e que especificam cada ser humano. É uma visão linear que afirma que o ser humano é assim e assim, sem exceção, sendo todos colocados dentro de um só conceito, de uma só visão, de um único padrão existencial. Afirma-se que viemos de um só formato, e todo e qualquer desvio dessa estrutura implica um sintoma, porque se fugiu de uma regra geral de funcionamento à qual todos estão sujeitos.

A Gestalt-terapia, entretanto, solidificada nas suas teorias de base, dispensa o mapa de uma teoria da personalidade tradicional. Ela tenta conhecer as pessoas por intermédio de um olhar clínico, e concentra-se em sua experiência imediata. Não se transforma em uma teoria de personalidade, mas se coloca como um método psicoterapêutico, como uma teoria da pessoa, que acontece aqui-agora numa relação espaço-tempo e ambiente-organismo.

Desse modo, sendo uma proposta existencialista e não essencialista, nossa abordagem trabalha com as formas do existir e não com a rigidez do ser. Por estar no fluxo da impermanência e da interdependência, vivendo apenas a experiência incomum do aqui-agora, a Gestalt-terapia ultrapassa o conceito da necessidade de uma teoria da personalidade e se solidifica como uma metodologia, apoiada num conjunto de teorias que lhe dá rosto, face, cara e a torna um instrumento extremamente versátil para lidar com a pessoa humana e seus problemas.

Proposta diferenciada de psicopatologia

A psicopatologia decorre, criticamente, dos desvios de uma teoria da personalidade. Ela registra os desvios das normas do processo de evolução e crescimento do ser humano a partir de uma dada teoria. Devemos lembrar que uma teoria de personalidade deseja, pretensamente, indicar a essência do que é o ser humano no que se refere à normalidade, ao passo que uma teoria psicopatológica se propõe, pretensamente, a mostrar a existência dos desencontros que o organismo faz na sua procura, na sua caminhada na direção de um ajustamento criativo, de uma autoecorregulação organísmica.

A Gestalt-terapia, como expressão de uma fenomenologia existencial de mundo e de pessoa, não tem uma teoria concreta, definida, da personalidade – portanto, não tem uma visão estática psicopatológica do ser humano. Ela busca suas linhas de trabalho e seu mapa nas suas teorias de base, através das quais elabora o conceito de pessoa como processo, como realidade se fazendo e se refazendo a cada instante. Não trabalha com desvios psicológicos, mas sim com caminhos que surgem da inter e intra relação dos elementos básicos que compõem o próprio universo: pessoa-mundo-psicoterapeuta. É daqui que a Gestalt-terapia colhe, na riqueza e frescor do momento, o sentido das coisas, da pessoa humana – sentido que nos é dado, construído, e nunca está pronto, feito.

Fenomenologia do processo

Esse trabalho se desenvolve metodologicamente como um processo descritivo de indução, do singular para o universal, da existência para a essência, do território para o mapa, da redução eidética para a transcendental, à procura de, partindo de possibilidades, chegar ao aqui-agora do que é a Gestalt-terapia.

Tal processo exige uma definição clara dos elementos a seguir.

Reconhecimento de uma relação psicoterapêutica

Trata-se de um tipo especial de relação, o qual, sem perder sua natureza específica de processo de mudança, talvez até de cura, precisa, no entanto, se transformar numa relação humana.

Quando a relação psicoterapêutica se humaniza, a psicoterapia acontece. A vivência da sensação de experienciar entre si a humanidade de duas pessoas em ação se transforma em elemento de mudança/cura.

A operacionalização de certos conceitos do humanismo existencialista nos ajuda a enquadrar o processo psicoterapêutico. Eis alguns deles:

- Abertura – acolhimento, confiança de que o outro é bem-vindo, de que ele pode dialogar com a alma do cliente e vice-versa e de que o psicoterapeuta é um companheiro real e leal de viagem.
- Maturidade – sensação de que o encontro com o cliente e consigo mesmo é viável, de que um pode se entregar ao outro sem medo, de que o ciclo do encontro pode se fechar com esperança. A sensação de inacabado desaparece, fica a certeza do horizonte.
- Presença – sensação da própria totalidade, de estar inteiro e de que se pode ver e ser visto dinamicamente. Sensação de que se tem cara, de que se é gente, de que se pode existir por conta própria, sem precisar negociar o dom da própria vida.
- Comunicação direta – linguagem de coração para coração, de olho para olho, sem intermediário, sem metáfora, sem medo de ser percebido, conhecido.
- Inclusão – encontro do dentro e do fora, do eu e do tu sem reservas, eu nele e ele em mim sem *a priori*, um encontro amoroso e espontâneo de processos e/ou situações diferentes.
- Confirmação do psicoterapeuta – supõe não só encontrar-se com as diferenças do outro, mas também investir nelas. Confirmar é ausência total de um *a priori*, é colocar-se entre parênteses para que o outro apareça no ritmo do seu próprio movimento.

Procedimentos psicoterapêuticos

O psicoterapeuta deve ter em mente questões e princípios de vital importância para a boa evolução do caso, os quais decorrem naturalmente dos conceitos e princípios que dão sustentação à Gestalt-terapia. Tais princípios se dão em função do tipo de sintoma, do tipo de teoria em que se baseia a prática, do tipo de personalidade do psicoterapeuta, do tipo de cliente e de como essas quatro variáveis se interligam.

A regra básica do método fenomenológico é ver, observar, descrever, interpretar o vivido aqui-agora, ou seja, é viver a experiência de lidar com: de onde vim, onde estou, para onde vou, o que espero encontrar. Estamos falando de uma hermenêutica existencial. É preciso observar, cuidadosamente, num processo inter e intra relacional, seja do cliente ou do psicoterapeuta, alguns passos metodológicos.

Dessa caminhada de observar o dentro e o fora da relação cliente-psicoterapeuta--mundo nascem atalhos que nos ajudam nessa síntese humana chamada psicodiagnóstico e que só termina quando a psicoterapia termina, pois todos os dias de psicoterapia são dias de psicodiagnóstico. Este proceder vale também para uma psicoterapia em andamento. Eis alguns desses atalhos.

- Analisar os sistemas internos, ou seja, observar o que proponho como regra básica no que tange aos sistemas afetivo-emocional, cognitivo e motor, além da fala (linguagem), e qual desses sistemas é figura na experiência do cliente.
- Examinar, cuidadosamente, as funções boas e não boas, o lado positivo de tudo, começando pelo sistema mais preservado.
- Examinar o comportamento, como expressão de uma totalidade interna, e as atitudes (partes) que emergem desse todo indiferenciado como expressão de suas necessidades.
- Examinar a dinâmica do funcionamento dos campos geobiológico, psicoemocional, socioambiental e sacrotranscendental (transpessoal), e também possíveis relações deturpadas entre eles.
- Considerar o sintoma, embora disfuncional, um ajustamento criativo, o que significa ter cuidado e respeito pela autopreservação e autorregulação do cliente.
- Considerar sempre a relação pessoa-meio, organismo-ambiente, pois só por abstração se podem separar esses elementos.
- Considerar o tipo de energia que o cliente usa para manter o sintoma: se este tem valência positiva, calcado mais na autonutrição e na autorregulação, a complexidade é uma; se a valência é negativa, ela tenderá a se fixar mais rígida e apressadamente, pois, como vai contra a orientação natural do organismo, tenderá a solidificar-se mais fortemente.
- Considerar, em síntese, três elementos básicos de comprometimento: a) *o sujeito*, que pode ter os mais variados níveis de motivação e, consequentemente, de necessidade; b) *o psicoterapeuta*, que, a partir de uma visão teórica de mundo, entende que o objetivo do processo possa ser este e não aquele; c) *o mundo*, que, silenciosa, mas, vigorosamente, cobra das pessoas respostas imediatas a situações práticas e inadiáveis.

Dependendo de como essas variáveis se interconectam, a psicoterapia adquire sentidos e necessidades diferentes, podendo se transformar num processo:

- de cura, que envolve níveis transpessoais e de mais difícil definição;
- de mudança, que implica a refocalização existencial, um novo jeito de estar nas coisas;

- de reconstrução, que envolve uma alteração estrutural da pessoa, objetivo esse que transcende a capacidade transformadora de um processo psicoterapêutico;
- de atitude reparativa, que implica consertos/remendos existenciais que permitam à pessoa viver com mais tranquilidade;
- de consolidação, que envolve a reafirmação do bem-estar pela experiência vivida de uma psicoterapia de prevenção primária.

Níveis de comprometimento

A proposta da Gestalt-terapia é compreender a situação humana na sua relação mundana. A psicoterapia acontece no mundo, e é dele que nasce o significado que determina as fases do encontro terapêutico.

O modelo de psicoterapia passa por fases claramente verificáveis:

- Fase "quê" – expressa com clareza qual é o sintoma e de que forma ele sobrevive na pessoa como processo.
- Fase "como" – expressa claramente *como* o cliente sustenta o *que* está acontecendo com ele.
- Fase "inter" – expressa a dinâmica das relações do cliente com o mundo e revela a tentativa da pessoa de se colocar no mundo. É uma tentativa do "entre-para-fora". Expressa-se na experiência do campo geobiológico.
- Fase "intra" – expressa o movimento do cliente para dentro dele. Nessa etapa, a figura são as emoções, os desencontros, a dor, a culpa. Enfim, aquilo sobre o qual o cliente não tem controle. Terminado o período introjetivo-projetivo, o cliente passa ao reparativo, através do olhar "dentro". Coincide com o campo psicoemocional.
- Fase "com": expressa o movimento do cliente de unir o inter ao intra. Ele precisa viver, e viver é sentir-se junto, inteiro. É o patamar do encontro difícil com a autorregulação. Trata-se de uma fase demorada e de ressignificações. Coincide com o campo socioambiental.
- Fase "para que": expressa o final da psicoterapia, no qual a pessoa aprendeu ao longo do processo a amar e a respeitar a si mesma. Ela descobriu os próprios valores e consegue vivê-los sem pedir licença. Sua existência agora é um dado, não uma metáfora. Daqui todos os voos são possíveis. Coincide com o campo sacrotranscendental.

Essas fases estão ligadas aos conceitos de espaço-tempo e de movimento-mudança, categorias que influenciam dinamicamente qualquer processo de mudança.

Didaticamente, podemos expressar essa reflexão sobre o processo gestáltico de psicoterapia no seguinte modelo: a Gestalt-terapia é, ao mesmo tempo, *experimental*, quando trabalha o *quê* da situação; *experiencial*, quando trabalha o *como* da situação; *existencial*, quando trabalha o *para quê* da situação; *transcendental*, quando trabalha *al di la* do sintoma, trabalha processos de valores, de significação, de subjetivação. Esses são também níveis do existir humano cuja qualidade vai depender de como eles se harmonizam operacionalmente, seja em nível consciente ou não consciente.

Natureza do psicodiagnóstico

A Gestalt-terapia é um método de pesquisa humano-existencial. Não é possível descobrir e descrever sua essência/existência de maneira abstrata, universal, dissociada da pessoa humana, sujeito primeiro de suas investigações. *Tudo tem sentido, quando tem a pessoa como centro*. Esse trabalho cairia no vazio se não desembocasse na pessoa humana, no seu processo existencial – assim como o rio, depois de viver seu processo individual, desemboca no oceano.

O psicodiagnóstico é o mar no qual desembocam todas as nossas hipóteses e em que navegamos mais tranquilamente à procura do mistério que habita a singularidade de cada pessoa.

Costuma-se dizer que o Gestalt-terapeuta não faz psicodiagnóstico, dado o caráter fenomenológico-existencial que caracteriza a Gestalt-terapia. Isso é verdade, se pensarmos num psicodiagnóstico classificatório, mecanicista, estrutural, num mapa sem território, estático, pretensioso de uma totalidade que, por essência, não pode ser atingida.

Para o Gestalt-terapeuta, o psicodiagnóstico é o resultado final da convergência de variáveis pela qual pretendemos uma leitura momentânea do comportamento da pessoa, tanto no aspecto do sintoma como do processo que o mantém. Fenomenologicamente, é o encontro com a totalidade da pessoa por meio de uma visão relacional do que é doença e do que é saúde ou bem-estar. Envolve, necessariamente, os conceitos de sintoma e de processo.

Na visão da Gestalt-terapia, o psicodiagnóstico nada tem de estático. Ele reflete a estrutura momentânea da pessoa, sempre passível de atualização, vista pelo olhar fenomenológico do psicoterapeuta a partir do vivido pelo cliente.

O psicodiagnóstico envolve processos de fora e de dentro da pessoa na busca operativa do que lhe causa dor e sofrimento.

Assim, trata-se de um processo:

- Descritivo – descrever o cliente significa vê-lo, observá-lo e interpretá-lo como um todo, aqui-agora, como um processo em andamento, procurando se autorregular. É a descoberta e a revelação do campo geobiológico a dois.
- Dinâmico – examina as relações de figura-fundo na produção do sintoma. Estamos atentos à questão da história sem cair no determinismo existencial que afeta a compreensão do dado. Os processos afetivo-emocionais são cuidados, vistos e revistos a partir do interesse e da necessidade do cliente. Estamos, nessa fase, lidando com o campo psicoemocional.
- Processual – aqui descrevemos o que é de dentro, o que é de fora, o que é figura, o que é fundo, como funcionam os existenciais liberdade e responsabilidade, as categorias do tempo e do espaço. Procuramos visualizar a pessoa como um todo que tem sentido existencial, como ser-no-mundo. Nesta fase, estamos lidando com o campo socioambiental.
- Intencional – o psicodiagnóstico é fruto de duas subjetividades, processo que termina na intersubjetividade, sendo a síntese do encontro dos significados de duas pessoas como final de uma procura, de uma caminhada. É, ao mesmo tempo, a chegada do sentido e do significado de uma vida comparticipada com outra pessoa. Talvez estejamos falando do campo sacrotranscendental, que tem tudo que ver com valores, com o sentido último das coisas.

Conclusão

Esta caminhada foi um desejo, uma tentativa de organizar uma parcela de conhecimento no que se refere ao campo teórico da Gestalt-terapia. Na verdade, ainda são poucos os teóricos que manuseiam com facilidade e desenvoltura as imensas riquezas oferecidas pelas teorias que compõem a Gestalt-terapia.

A questão epistemológica deixa ainda muito a desejar. Temos de deixar as generalizações, os lugares-comuns, as tentativas de justificar e explicar a Gestalt-terapia com métodos e teorias já consagrados, mas que não dialogam com nossa prática e métodos, e buscar na psicologia da Gestalt, na teoria do campo, na teoria holística e na fenomenologia existencial uma visão epistemológica que valide nossa abordagem – embora a Gestalt-terapia se apresente hoje com um campo teórico de alta complexidade que a coloca, como as teorias das quais procede, pronta para responder com qualidade e competência às demandas teóricas do mundo atual.

Esta foi uma complexa e ousada caminhada. Uma proposta de dar, em algumas pinceladas, o rosto, quanto possível verdadeiro, da Gestalt-terapia. Nosso grande encontro é entender a abordagem como uma proposta que tem, nos conceitos de ajustamento criativo, autoecorregulação organísmica, pregnância e homeostase sua essência e sua existência paradigmáticas. Estamos falando da busca incansável de nossa identidade como pessoas e como profissionais, síntese harmoniosa do universo e de cada um de nós – e isso só é possível por meio do contato, em que pessoa e universo, no mais profundo e dinâmico respeito, se encaram em busca da descoberta um do outro.

Referências

Bornheim, G. A. *Introdução ao filosofar – O pensamento filosófico em bases existenciais.* Porto Alegre: Globo, 1978.

Latner, J. *The Gestalt therapy book.* Nova York: The Gestalt Journal, 1973.

4. Gestalt-terapia: configuração teórico-experiencial que nasce no caos da pós-modernidade

Introdução

A pós-modernidade e a Gestalt-terapia surgiram na metade do século passado, no pós-Segunda Guerra, com diferentes configurações, mas uma complexa identidade operacional: o ímpeto criativo de produzir mudanças que fizessem o ser humano pós-moderno ter novas esperanças em um velho mundo despedaçado pelo medo, pelas incertezas.

As pessoas procuravam soluções reais que pudessem responder às suas necessidades e tinham pressa. O encontro de soluções reais era talvez o grande fator estimulador de mudanças. De certo modo, tudo era velho e também tudo era novo. Estava surgindo um novo mundo, uma nova terra.

A rotina, lugar de conforto e segurança, fora destruída, dava lugar ao diferente, e o homem deparava com urgências e emergências que gritavam por soluções. O mundo experimentava uma mudança radical, a fragmentação do indivíduo moderno, um impasse: o que eles tinham não servia mais e aquilo de que precisavam não estava disponível. Olhavam o horizonte em busca de novas esperanças. De certo modo, qualquer resposta era válida, bem-vinda. Fazia-se necessário preencher o vazio existencial das pessoas. A modernidade envelhecera, operando a desconstrução de toda uma cultura política, social, artística e, sobretudo, religiosa. Um novo mundo surgia de suas cinzas. Caíam as barreiras religiosas e, com elas, as morais, éticas e estéticas. O mundo se tornou um grande campo de experimentação, de ideias, gestos, valores.

Filósofos e pensadores modernos, como Habermas, Lyotard, Bauman, Vatino e Weber entram em campo e demonstram suas preocupações com os rumos que o mundo e a cultura estavam tomando.

Nesse contexto nasce a Gestalt-terapia, fruto da reflexão e do senso profético de oito pensadores – incluímos Laura Perls – que compunham uma totalidade feita de seres humanos totalmente diferenciados. Esse fato permitiu o surgimento de uma teoria e de um método de psicoterapia que caminham alinhados, paralelos com a pós-modernidade. Uma psicoterapia reflexo dos "sintomas" dessa mesma pós-modernidade e filha da mente fecunda, engajada e universalizada do Grupo dos Oito. A Gestalt-terapia é um início de resposta a algumas das mais significativas demandas e inquietações geradas nessa época.

Pós-modernidade: características estruturais

Deixando de lado possíveis discordâncias sobre o significado de estrutura, o *Dicionário Houaiss da língua portuguesa* (2001) assim a define: "Organização, disposição e ordem dos elementos essenciais que compõem um corpo (concreto ou abstrato)". Não é fácil, portanto, falar sobre a estrutura do que constitui a pós-modernidade, sobretudo pela amplidão deste conceito, que não pode ser definido apenas pelo negativo, como praticamente se constitui hoje seu perfil. Ela não destruiu as características positivas da modernidade nem teve tempo de mostrar sua cara no que se refere a possíveis construções de um tempo que ainda está por vir.

Feita essa ressalva, apresento pinceladas de como pode ser um dos olhares sobre a pós-modernidade. Em primeiro lugar, ela não se apega a nada, não tem certezas absolutas, nada a surpreende, suas opiniões são suscetíveis a rápidas modificações.

> Todos os discursos são válidos. O resultado é que não há mais padrões limitados para representar a realidade, resultando numa crise ética e estética. [...] A entropia que se prega na pós-modernidade diz respeito ao fim da proibição, à admissão de todo e qualquer produto, pois, se o regulamento cabe ao mercado, toda produção é considerada mercadoria. (Pós-modernidade ..., 2022)

O que dizem alguns filósofos

> A pós-modernidade representa o momento histórico em que todos os freios institucionais que se opunham à emancipação individual desmoronaram e desapareceram. As grandes estruturas socializantes perdem sua autoridade, as grandes ideologias já não trazem nada de novo, os projetos históricos já não mobilizam, o campo social é apenas o prolongamento da esfera privada: a era do vazio instala-se. (Lipovestky e Charles, 2011, p. 25)

> A liberdade individual, outrora uma responsabilidade e um (talvez o) problema para todos os edificadores da ordem, tornou-se o maior dos predicados e recursos na perpétua autocriação do universo humano (Bauman, 2001, p. 9)

> O saber pós-moderno não é somente o instrumento dos poderes. Ele aguça nossa sensibilidade para as diferenças e reforça nossa capacidade de suportar o incomensurável.

> Ele mesmo não encontra sua razão de ser na homologia dos experts, mas na paralogia dos inventores. (Lyotard, 2015, p. XVII)

Max Weber dizia que o resultado da pós-modernidade seria uma sociedade inflexível, opressiva, cientificamente programada – uma "jaula de ferro", talvez acompanhada de uma ruptura cultural e da morte de todo sonho humano. Estamos falando de um apocalipse sem esperança de ressurreição: a pós-modernidade como doença autoimune, cuja deterioração seria constante até sua plena consumação.

Gestalt-terapia: características estruturais

Diferentemente do que aconteceu com a pós-modernidade, a Gestalt-terapia nasceu com um rumo, com um horizonte visualizado por oito pessoas que passaram por guerras, viviam um pós-guerra e se uniram para pensar uma forma de psicoterapia que constituísse um contraponto à pós-modernidade nascente.

Epistemologia gestáltica

Natureza

Oriunda do conceito de Gestalt.

> Uma gestalt é uma forma, uma configuração, o modo particular de organização das partes individuais que entram na sua composição. A premissa básica da psicologia da Gestalt é que a natureza humana é organizada em partes ou todos, que é vivenciada pelo individuo nestes termos e que só pode ser entendida como uma função das partes ou todos dos quais é feita. (Perls, 1973, p. 19)

Trabalha a partir de *reduções fenomenológicas*, da busca das essências, do que é a realidade em si mesma, mas não para na abstração, na universalidade das ideias. Ao contrário, introduz a essência na existência através dos existenciais que lhe dão visibilidade operacional.

Motivos

Fazer do contato – o qual inclui presença, encontro, cuidado, inclusão e confirmação – uma proposta de compreensão da realidade. Psicoterapeuta e cliente se colocam numa postura inter e intrarrelacional, no sentido de que a subjetividade caminhe para a intersubjetividade. A *intencionalidade*, ou seja, o ato de atribuir sentido, retira psicoterapeuta e cliente da clandestinidade, como afirma Merleau-Ponty, e os coloca, através da busca do sentido último, diretamente no campo da experiência imediata.

Meios
Ir às coisas mesmas é um dos tripés do método fenomenológico. Colocar-se em estado de *epoché*, agir como se experienciasse um vazio fértil para que o cliente se sinta existindo de fato, livre de qualquer pré-julgamento ou de qualquer conhecimento antecipado por parte do psicoterapeuta, a fim de se aprofundar na busca de sua verdade sem medo. Ter uma visão libertadora da realidade utilizando os princípios heraclitianos – tudo muda, tudo está ligado a tudo, tudo é um – e tendo como base o processo de ampliação da consciência, através da vivência da *awareness* que brota da nossa experiência no mundo.

Assim, Gestalt-terapia é:

- *Uma postura prática* originária de *visão de mundo* que nasce da psicologia da Gestalt, da teoria do campo e da teoria organísmica holística.
- *Uma postura teórica* originária de uma *visão de pessoa* que nasce do humanismo, da fenomenologia e do existencialismo.

Com base nessa dupla entrada teórica, a Gestalt-terapia encontra um caminho próprio, constitui um campo teórico-prático e cria um jeito de ser Gestalt-terapeuta através de uma síntese epistemológica que chamo de interconexão teórico-prática e que sintetizo a seguir.

A interconexão das seis teorias que estão na base da abordagem – *fenomenologia, existencialismo, teoria do campo, psicologia da Gestalt, humanismo* e *teoria holística* – nos permite formular ou pensar uma *teoria da pessoa*, que está além de uma *teoria de personalidade* e faz da Gestalt-terapia um método de psicoterapia com os seguintes princípios:

1. É uma teoria baseada na experiência e na observação.
2. Requer sentimento e sensibilidade, mais que entendimento intelectual.
3. Observa a organização dos fatos e não os aspectos individuais de que são compostos.
4. Organiza o processo perceptivo como um todo significativo.
5. Vê a vida como um jogo contínuo de estabilidade e desequilíbrio no organismo.
6. Entende que a necessidade dominante do organismo, em qualquer momento, se torna figura de primeiro plano e as outras necessidades recuam.
7. Crê que o homem é um organismo, um campo unificado, não estando preso às relações de causa e efeito.
8. Entende que o indivíduo só pode existir num campo circundante – ele e o meio – e que essa relação determina o campo do comportamento humano.
9. Postula que agimos sempre por meio de dois sistemas, o sensório e o motor, e que o organismo se conecta com o mundo através de ambos.

10. Afirma: organização mais meio é igual a campo. E ainda: o organismo e o meio mantêm uma relação de reciprocidade e todos os seres vivos são capazes de sentir os objetos externos que satisfarão suas necessidades (cf. Perls, 1973, p. 18-38).

Saídas para viver na pós-modernidade

A Gestalt-terapia propõe um tipo diferente de ruptura em relação à pós-modernidade: conviver com ela valendo-se da fenomenologia existencial para abordar os problemas humanos.

Tal ruptura gera um novo pensar; introduz o sentimento, a emoção, como parte fundamental da experiência humana; conduz a uma maneira nova de agir; cria um cenário pós-moderno em que a Gestalt-terapia produz um contraponto à situação. A partir deste ponto do capítulo explicito, de um lado, questões ou pontos fundamentais da pós-modernidade; e, de outro, respondo a cada ponto pós-moderno apresentando um caminho teórico que poderia se contrapor a essa etapa.

Grandes temas da pós-modernidade

Desconstrução dos grandes saberes.
A pós-modernidade supera a concepção da temporalidade clássica, caracterizada pelo sentido do limite, pelo "isso pode, isso, não, isso é certo, isso, não". Amplia não só a noção de limite, mas a vivência consciencial do sujeito. Dá espaço ao tempo emocional.

A gênese
Vivemos, durante séculos, uma fase de certezas morais, solidificadas nas doutrinas religiosas e na vivência de um tempo "sagrado", em que o passado era mais importante que o presente e o futuro. As certezas nasciam da cultura circundante e da convicção emocional de que ser perfeito era uma necessidade e não uma opção. A ciência estava, quase sempre, sob suspeita. Qualquer posição da ciência que não nascesse de "verdades" religiosas era malvista. A consciência religiosa não emanava da relação pessoa-mundo, mas de uma relação direta pessoa-Deus; nesse caso, não havia lugar para a liberdade, restando apenas o cumprimento de normas e princípios que emanavam de uma intuição mística em que se vivia plugado, indissoluvelmente – isto é, na ideia ou experiência de Deus.

A pós-modernidade

A pós-modernidade introduz a experiência do risco diante da vivência do perfeito, a intencionalidade como expressão e forma de opção, a liberdade não como oposição a Deus, mas como expressão simples e direta de que ser pessoa é ser um corpo-vivo-e-próprio. Nesse caso, viver, atualizar-se na e através da experiência é, pura e simplesmente, deixar a pessoa se autorregular em um mundo que acontece aqui-agora. A pessoa se torna senhora de si mesma. A ética é pessoal e o sentido das coisas passa a ser um horizonte, fruto da subjetividade. Desconstrói saberes vigentes e decreta a falência de metanarrativas que apontaram horizontes diferentes para a humanidade. A história se transforma em estórias. Vivencia a trama da pluralidade, da interdisciplinaridade, da circunstancialidade e introduz uma lógica baseada no relativismo, que conduz à sensação cultural e emocional de inexistência do tempo como garantia de uma ordem possível. O pensamento complexo ganha total espaço e desmistifica saberes isolados já constituídos.

A proposta

Sem deixar de lado saberes até então vigentes, a Gestalt-terapia faz da realidade sua fonte primária de informações. Descreve a verdade não como sintoma, mas como processo de ir às coisas mesmas, e busca na *fenomenologia* seu método de trabalho.

A Gestalt-terapia, assim como a fenomenologia, se coloca diante do dado como ele é, se abre para acolher o diferente e tem uma tendência natural para o processo criativo, em oposição à ilusão da imortalidade criada pela negação pós-moderna da facticidade humana.

Ambas as teorias, como explica von Zuben (1984), têm como método de trabalho "[...] retornar a um ponto de partida que seja verdadeiramente o primeiro, voltar-se para o mundo prévio a todo conhecimento [...] É a volta ao mundo anterior, à reflexão, volta ao irrefletido, ao mundo do vivido [...] É a recuperação do nascimento do sentido".

Além disso, ambas as teorias adotam uma atitude de espera diante da realidade, e propõem uma "atitude que se define aos poucos em sua realização e que devemos sempre redefinir. A fenomenologia não se liga a nenhuma teoria acabada. A teoria é um certo sistema de motivações nas quais uma é sustentada pela outra e uma fundamenta a outra" (Martins e Dichtchekenian, 1984, p. 75).

Nesse aqui-agora, o sentido das coisas não é imposto: é um encontro. Como a pós-modernidade, a Gestalt-terapia abandona o já sabido, o já refletido. Esta última, porém, faz uma *epoché*, mergulha num estado de procura e confia à liberdade da pessoa a escolha de parar nessa ou naquela estação, como se não se pudesse ir além dela, mas ambas sabem que é no além que moram as possibilidades.

Hedonismo

A pós-modernidade seculariza a concepção cristã do tempo, isto é, a quantidade supera a qualidade, o espaço se separa do tempo e é priorizado. O ter substitui o ser. O sujeito de separa do objeto, que se torna função do sujeito. O prazer individual e imediato torna-se o único bem possível, a exigência, o princípio e o fim da vida moral.

A gênese

No passado, para a maioria absoluta das pessoas, viver foi um eterno fazer – não no sentido de se experimentar, mas de agir no mundo. Tempo se confunde com espaço. Devia-se dar tempo ao espaço e não espaço ao tempo. Quando o tempo urgia, não se dava espaço a ele, pois o tempo é o espaço se esvaindo e, nesse caso, a regra era fazer, fazer, fazer. A vida é curta, é breve, por isso é preciso preenchê-la com o maior número de obras possíveis. Frases como "pelas obras se conhece uma pessoa" e "tendo vivido pouco, percorreu uma longa caminhada" remetiam à ideia de que as obras podem ser boas por si sós, independentemente de sua articulação com a realidade, e que se a pessoa é boa suas obras também o são. Tempo e espaço desaparecem diante da facticidade do dado, do feito. Não importa a intenção, mas o produto. As razões do fazer eram privilégio de quem podia mandar.

A pós-modernidade

Na pós-modernidade, como vimos, o *qualis* não importa. Introduz-se o *quantum*, a indiferença criativa diante do fato, que é o prazer pelo prazer. Fazer, pura e simplesmente. O efeito nem sempre está incluído na causa. Quando ele surgir, se verá. Introduz-se uma intencionalidade emocional. O sentido das coisas deixa de ser uma atribuição do sujeito e passa a ser um direito inerente à coisa, ao objeto, que se transforma em figura enquanto o sujeito se torna fundo. É como se a intencionalidade fosse um processo de subjetivação, e, na razão em que a realidade serve ao sujeito, não importa qual seja ela do ponto de vista da norma, ela é boa e está qualificada. Passa-se, assim, do dever à qualidade ao direito à quantidade. O tempo é uma propriedade do sujeito e não um espaço a serviço do outro. O homem vive subjetivamente como senhor do tempo e do espaço.

Perde-se a noção do outro e da cumplicidade. O outro é coisificado, utilizado como fonte de prazer, perdendo-se a dimensão da alteridade emocional. A dimensão ser-com-o-outro é substituída pela de ser para o outro, o outro como fundo, visto do ponto de vista do objeto a ser servido. O princípio do prazer se confunde com o princípio da realidade, o princípio da ética se torna a ética do prazer. Instala-se uma postura descomprometida e independente em face das transformações de ordem socioeconômica.

A proposta
A Gestalt-terapia substitui um aqui-agora emocional, baseado no prazer imediato da pós-modernidade, por um aqui-agora psicológico; assim, substitui a experiência do prazer hedonista pelo prazer da experiência da consciência emocionada e apresenta o *existencialismo* como proposta de sentido à existência humana.

Existencialismo
A Gestalt-terapia, que tem no existencialismo uma de suas raízes, se preocupa com o bem-estar da pessoa em oposição a uma experiência de massificação e inautenticidade como expressão da pós-modernidade. Ela é uma *pre-sença*, um ser-aí, responsável, nesse contexto, pelo sentir, pensar, fazer e falar existenciais através dos quais a pessoa se coloca no mundo como um ser que cuida.

Essas teorias afirmam que "o homem é o único ser que tem a capacidade de cuidar do próprio ser, de se projetar, é o único ser que existe permanentemente à procura de sua essência, de seu completar-se. Somos ontologicamente mutantes". (Ribeiro, 1985, p. 37).

Ao lidar com temas fundamentais da existência humana – como a morte, a liberdade, o tempo, a singularidade, a angústia, o desespero e o desamparo –, o existencialismo e a Gestalt-terapia nos remetem a um conceito e a sentido específicos de ser pessoa. O prazer não está excluído, mas incluído, não como uma atitude solitária e inquestionável, mas como possível experiência de ser-com-o-outro-no-mundo.

Ambas as teorias nos convidam a uma caminhada na direção do ser em oposição ao ter, na direção da qualidade em oposição à quantidade. Estamos lançados no mundo, situados entre o ser e o ter, entre o prazer e a dor, como campos de opção que nos *con-vocam*, enquanto consciência que humaniza, a revisar o sentido da existência, como algo que emana de nossa essência.

A ciência como figura e a pessoa em estado de espera
A pós-modernidade, com base em uma concepção específica de ciência, reestruturou a temporalidade humana com a tese do processo como forma da constância histórica do homem. Desaparece a estrutura como elemento constitutivo do ser. Vive-se uma experiência de desconstrução: tudo está ligado a tudo, tudo muda. Não existem verdades, existe o dado, aqui-agora, em ação. A ciência fala, o homem escuta.

A gênese
Durante séculos, a verdade era ditada pelas pessoas de poder, sobretudo no âmbito religioso. *Roma locuta, causa finita* (Roma fala, a causa termina). A certeza das

pessoas nascia de verdades impostas nos mais variados assuntos, por exemplo, "o sol gira em torno da Terra". A ciência estava submetida às crenças e à cultura da época. As pessoas não podiam nem deviam pensar, alguém pensava por elas. Obedecer era garantia de felicidade e de ausência de problemas.

O mundo era dividido entre duas classes: os que mandavam e os que obedeciam. Duvidar, afirmar o contrário poderia ser – como muitas vezes foi – motivo de condenação, de pena de morte. Bastam dois nomes: Galileu Galilei e Giordano Bruno. As pessoas viviam ou se acostumavam a viver uma imensa identidade intelectual, moral, espiritual e até emocional. Estava tudo certo, a ciência era o fundo, a natureza, uma mestra obrigatória; viver da natureza era o normal, do resto Deus cuidava.

A pós-modernidade

Na pós-modernidade, viver é estar em processo, em movimento, através do qual tudo se liga a tudo – por isso, tudo muda. Nada é definitivo. Abandona-se a essência e apropria-se da existência, abandona-se o é pelo está, desconstroem-se comportamentos emocionais de seculares certezas, troca-se o "tem de" pelo "quero". Tudo é processo. A última palavra compete à ciência. Introduzem-se a possibilidade do risco e o risco da possibilidade como mestres silenciosos da conduta humana. O cosmos como um todo é, essencialmente, mudança. Viver é movimentar-se, movimentar-se é mudança, é fazer da experiência do diferente a razão primeira de um convívio humano criativo e criador.

O avanço da ciência e as tecnologias de ponta causam um deslumbramento no estilo de vida das pessoas. Existe uma deflexão generalizada, como se a morte estivesse sendo banida. Instala-se uma ilusão de imortalidade proporcional a uma negação da facticidade humana. A angústia, a dor, a tristeza e o morrer passam pelo mais rigoroso controle. A medicalização da vida substitui a potencialidade humana de experimentar a existência assim como ela é. O racionalismo extremo, próprio de um mundo pseudocientífico e herdeiro de uma visão cartesiana da realidade, mutila o sujeito ao propor a dicotomia mente e corpo como caminho a ser seguido pela ciência. Modelos de atenção à saúde surgem de todos os lados, muitas vezes mais preocupados com o estilo do que com a ética humana da valorização da vida.

A proposta

A Gestalt-terapia faz do resgate da experiência imediata a única vivência livre e responsável, realmente humana (tecnologia *versus* humanismo). O ser humano é um ser em processo. Sem deixar de ser ele mesmo, atende o apelo à mudança, muda todos os dias, é novo sempre. A *teoria do campo* surge como um chamado à constituição do espaço de vida pela experiência do aqui-agora.

A Gestalt-terapia, que tem na teoria do campo uma de suas raízes, resgata o significado real da vivência imediata do aqui-agora propondo um processo de ampliação da consciência, de *awareness* através do contato, que se atualiza com a presença, o encontro, o cuidado, a inclusão e a confirmação. Afinal, "o sistema de orientação descobre o que é procurado; todos os seres vivos são capazes de sentir quais são os objetos externos que satisfarão suas necessidades", uma vez que "organização mais meio é igual a campo" (Perls, 1973, p. 32-33). Trata-se de processos existenciais que atualizam a essência humana e constituem o ser como um ente de possibilidades.

Tanto a Gestalt-terapia quanto a teoria do campo consideram antigos e novos saberes pela experiência e vivência explícitas da *animalidade, racionalidade e ambientalidade*, existenciais que definem a essência humana e tornam o campo humano uma explicitação da experiência imediata como fonte legítima de informação. A tecnologia, por mais avançada que seja, é fruto do campo fenomenológico-existencial da pessoa humana. Não é uma abstração, mas um procedimento humano, no qual o homem é necessariamente figura.

Ambas as teorias afirmam que o mundo é um campo de presença, que a relação organismo-ambiente é constituinte, fundante de nosso ser no mundo em ação, que somos um subcampo nesse campo maior, vivendo em permanente troca/intrarrelação campo-organismo-meio.

Partindo do conceito de mundo, que nasce da teoria do campo, ambas veem a realidade como incluída na situação, no aqui-agora, de tal modo que passado e futuro constituem uma unidade no presente, único lugar cuja visibilidade permite à pessoa humana se olhar e se reconhecer exatamente como é. A ciência está, necessariamente, incluída no campo humano.

Hiperconsumo

A pós-modernidade provoca uma nova configuração de experiências, de acontecimentos e de uma nova ética de ação. Rompe a relação entre ser e ter, entre motivação, necessidade e emoções. A vontade é soberana, livre; limites praticamente deixam de existir. Suspendem-se o certo e o errado e se introduzem o desejo, a curiosidade e o prazer. O mundo é para ser usufruído, simplesmente. Sem censura.

A gênese

A história do mundo, de certo modo, esteve ligada ao sistema de poder das diversas religiões que dominaram nosso planeta, sobretudo nos últimos dois mil anos. A presença da Igreja Católica, sobretudo no Ocidente, foi decisiva na questão de uma cultura que praticamente negava qualquer exercício de liberdade que pudesse contrariar princípios religiosos. Os chamados pecados capitais – *soberba, avareza, luxúria, ira, gula, inveja e preguiça* – nos levavam indiretamente a ser guardiões da proibição de qualquer tipo de consumo. O mundo moderno era monolítico, tudo parecia sem fim. Ciência, comportamento, vida econômica, sexualidade e livros estavam sob controle do poder religioso. Mesmo terminada a Idade Média, o mundo continuou a viver sob a égide de uma teocracia clara, pública, não disfarçada. Até certo ponto, a política, a economia e a história eram reflexos das culturas religiosas. A pós-modernidade, com sua prática descontrolada de consumo, rompeu essa lógica.

A pós-modernidade

A pós-modernidade provoca uma nova configuração de experiências, de acontecimentos, do sentido da ética, a qual deixa de ser uma ação moral entre pessoas e/ou acontecimentos para se tornar um produto da intencionalidade humana. O sentido das coisas é pessoal, sobretudo para quem tem o poder do poder, não é intuído a partir da consciência do fenômeno. A pós-modernidade introduz no mundo o direito à opção, o direito de pensar, de sentir, de fazer e de falar diferentemente. O conceito de limite é revisto e, em comparação com o passado, desconstruído. A ética como doadora de sentido ao certo e ao errado passa a ser ética de ação, a qual se sobrepõe a ela. A relatividade passa a ser norma e, até certo ponto, o fim passa a justificar os meios, sobretudo quando a comunidade ou o social é figura com relação ao individual, que passa a ser fundo.

Vive-se um momento emocional de diálogo entre o certo e o errado, e parece que passamos do "na dúvida, não ultrapasse" para "na dúvida, ultrapasse". O azar é azar, não é norma. As pessoas perdem autenticidade. O mercado dita as normas. O preço da compra revela a posição socioeconômica da pessoa. As "promoções" massificam os indivíduos. O prazer da compra substitui a necessidade da realidade vivida. A pessoa conta pouco, contam os móveis e a decoração da casa. O objeto substitui o sujeito. O consumo revela e descontrola o mercado e o poder pessoal. O fascínio do ter obscurece a simplicidade de ser. O consumo torna a pessoa invisível, dando presença ao objeto.

A proposta

A Gestalt-terapia faz do contato humano seu principal instrumento de comunicação (necessidades *versus* hiperconsumismo). Sem perder o horizonte do princípio do prazer e da lógica do consumo, propõe o princípio da realidade através dos conceitos de necessidade, limite, fronteira e contato, apresentando a *psicologia da Gestalt* como um instrumento pedagógico de ampliação da percepção, da aprendizagem e da solução adequada de problemas.

A Gestalt-terapia, apoiada na psicologia da Gestalt, promove a capacidade do ser humano de se autorregular por meio da ampliação de consciência, de uma constante aprendizagem e da solução adequada de problemas humanos – em oposição ao convite à explosão de sentimentos através do consumo e, consequentemente, ao crepúsculo da razão, experienciados muitas vezes, na pós-modernidade, como um imenso vazio existencial.

Ambas as teorias entendem "que uma gestalt é um produto de organização; e que a organização é o processo que leva a uma gestalt [...] a organização, como categoria é, diametralmente, oposta à mera justaposição ou distribuição ao acaso" (Koffka, 1975, p. 691). Nesse sentido, o consumismo é um ajustamento criativo disfuncional no qual a pessoa se experiencia como fundo, fruto da própria história passada e da cultura que a cerca, em oposição ao consumo que se transforma em figura, fruto das necessidades do ser desconectado de suas legítimas motivações e emoções.

Ambas as teorias entendem que o mundo é um mundo-cosmo, parte-todo, figura-fundo, aqui-agora de uma realidade maior, de uma configuração, uma gestalt, o que significa que a pessoa humana não vem do caos nem pode ser explicada por ele; não é fruto da mera combinação cega de partes essencialmente desconexas, mas de um todo organizado, articulado e indivisível, formando uma unidade de sentido.

Assim, no consumismo, a pessoa estabelece com o mundo uma relação complementar disfuncional, pois perde a percepção da relação motivação-necessidade, desaprende a olhar para si como senhora das coisas, desconstrói a experiência de solucionar seus problemas ou necessidades a partir da objetividade criativa.

Vazio existencial

A pós-modernidade evoca uma nova maneira de entender a história. Desencadeia uma ruptura com os grandes relatos, com verdades até então incontestes. Verdades que geravam certezas humanas tropeçam, agora, em novas evidências. Não existe história, tradição ético-moral. O desejo e a liberdade são senhores da história. Aparentemente sem raízes, em busca de horizontes que não se definem, o ser humano se encontra diante do nada existencial.

A gênese

O homem é filho da história, seu servo e, até certo ponto, produto seu. A história era soberana, se fazia independentemente do homem, tinha vida própria, se constituía se constituindo. O homem se curvava diante dela, sob pena de, muitas vezes, perecer. Construída a história, ela era como um espelho: quem a contemplasse não enxergava a si mesmo, mas a ela, à qual nos submetemos, humilde e silenciosamente. A história era produtora de significados, de certezas, de verdades. Poder-se-ia questioná-la, mas não negá-la. Existiam grandes histórias, grandes relatos – por exemplo, a fundamentação histórica das maiores religiões –, fatos universais dos quais emanavam princípios, normas, certezas que, dada sua ressonância, soavam como verdades e assim foram vividas sem questionamento.

Existiam, também, histórias particulares sem a força do convencimento, mas com a energia de complexas emoções, como a história das filosofias, da evolução humana, da sexualidade – que, dada sua especificidade, tornaram-se verdades e certezas incontestes. O peso da história, pesando mais que a percepção e a inteligência humana, tornou-se dogma irrefutável, guardião das certezas do homem de todas as épocas. Clandestino de si mesmo, o homem caminhava na solidão do silêncio das grandes verdades. Só, acompanhado de incertezas, procurava, no seu vazio, vislumbrar uma saída na direção do ter.

A pós-modernidade

A pós-modernidade evoca maneiras novas de entender a vida e a história, desencadeando a ruptura com os grandes relatos, isto é, com verdades até então incontestes, mas que agora tropeçam em novas evidências.

Tropeça-se nessas verdades, nesses grandes relatos, porque a pós-modernidade entende que novas evidências geram evidências diferentes, que interessam ao exame de certezas geradas por verdades não fundamentadas – ou que, embora fundamentadas, não revelam a totalidade das possibilidades humanas.

O erro é tão possível quanto as certezas, filhas de verdades oriundas, por vezes, de simples tradições orais. O homem se encontra perante o fenômeno da pós-modernidade como o viandante perante as pirâmides do Egito: à espera da próxima pergunta que também não terá resposta. Sem história, os vínculos não se formam, produz-se o fenômeno "cada um por si". O medo invade as relações íntimas, que são substituídas por altas fantasias à busca de horizontes possíveis. Sem história o amanhã não aparece, o projeto submerge na desesperança, a linguagem se transforma em um grande equívoco. Perde-se o elo de uma possível analogia. O vazio se transforma em figura, a razão entra em colapso, sentimentos e emoções perdem a força.

A proposta

A Gestalt-terapia resgata a ideia de que o possível é possível, e a resgata como um processo relacional. Experiencia o contato através da presença como antídoto ao vazio existencial, acredita no resgate da experiência imediata como legítima fonte de nutrição, entende que nossa humanidade está lançada no mundo como um ser de possibilidades e apresenta o *humanismo* como retomada do positivo e da consciência emocionada, instrumento de nossa relação com o mundo.

A Gestalt-terapia e o humanismo professam um ideal de liberdade como expressão ontológica do contato, enquanto proposta concreta de ação pela vivência de um processo de transcendência no que diz respeito a possíveis horizontes, fazendo da fluidez o caminho de certezas futuras. Já a pós-modernidade prega a não viabilidade de projetos como programação do futuro.

Ambos os sistemas não concebem o ser humano como um ente condenado a ser livre, pois a escolha não nos tira a liberdade; ao contrário, abre-nos novos caminhos. Assim, na nossa possibilidade de subjetivação, surge o ponto de indiferença criativa, o qual nos permite ser senhores do caminho que construímos; tornamo-nos o centro de toda uma constituição de nós mesmos a partir de uma perspectiva relacional, pessoa-mundo.

A Gestalt-terapia e o humanismo concebem o ser humano como aberto à plenitude de ser ele mesmo – de ser, sem limites impostos de fora, sujeito de uma consciência autônoma e singular. Embora lançado no mundo, não perde a condição de senhor do seu querer, o que lhe permite viver uma sensação de abundância emocional. O vazio estéril se transforma em vazio fértil. Ele vê a vida como um caminho para a frente e para cima. Viver é transcender.

Ambas as teorias exaltam a dignidade e a liberdade do ser humano, reconhecem seu lugar central na natureza e sua função de guardião desta. O vazio existencial, fruto da ausência de projetos reais, da perda de sentido de si mesmo, da mágoa de um mundo que não se mostrou cooperativo, passa, através de um ajustamento criativo, a ser vivenciado como um campo fértil a partir do qual a probabilidade de sucessos enche a vida de esperança e de alegria.

Religiões leigas

A história das religiões se confunde com a história da humanidade. Os povos antigos desconheciam a origem do universo e desenvolveram sistemas de percepção além da realidade para explicar os fenômenos da natureza, sua força e ação sobre eles. O fenômeno se repete hoje e, porque o ser humano é naturalmente religioso, cria situações que, de modo diferente, lhe aquecem o coração com a multiplicação das novas religiões.

A gênese

Daqui nasceram os mitos, as mais diversas culturas religiosas, as doutrinas espiritualistas/esotéricas. Os povos da Antiguidade precisavam de certezas, que, com o passar do tempo, se transformaram em verdades pelas quais eles viviam, lutavam e morriam. As religiões tornaram-se um bem maior a ser cuidado, guardado como um estado, um processo de autoprevenção emocional e espiritual. Não queriam correr qualquer tipo de risco. Vivendo sob o império da dúvida, e sendo a experiência da dúvida insuportável diante da magnitude do universo e da pequenez de suas soluções, tentavam banir toda e qualquer espécie de incerteza ameaçadora. Assim, aquelas "verdades" se tornaram para eles guardiãs de seu conforto e de sua segurança.

Pesquisas recentes apontam que cerca de 90% da população mundial acredita num ser superior. Daí para o surgir das religiões é um passo, e estas, por sua vez, criaram um sistema de poder e controle tal que se tornaram senhoras não só das verdades, mas das próprias pessoas. Hoje, diferentemente do passado, as pessoas sabem das coisas, mas é esse mesmo saber que introduz nelas o medo daquilo que não pode ser controlado – daí a necessidade de se remeter a espaços e energias que estão além do cotidiano. As religiões entram como elemento apaziguador de suas dúvidas.

A pós-modernidade

A pós-modernidade grita: mudar quantidades e qualidades é preciso. Tudo no universo está em movimento e mudança. Saltamos de Parmênides de Eleia (515 a.C.-470 a.C.), que afirmava ser a realidade imutável, para Heráclito de Éfeso (540 a.C.-470 a.C.), que afirmava que tudo se move e flui. É preciso experimentar, correr o risco da opção pelo diferente. No passado, os antigos recorreram aos mitos, às explicações fantasiosas, que para eles eram verdades indiscutíveis. Hoje se recorre aos mais variados mitos, religiões e formas de doutrina na tentativa de calar as dúvidas e o vazio que se apoderaram do ser humano moderno. Fala-se de um coquetel religioso a partir das múltiplas lógicas da pós-modernidade. Estamos diante de um "vale-tudo religioso e espiritual", desde que se resolva. Deus está morto. A experiência religiosa é pessoal. Um materialismo prático comanda as crenças modernas, mas, na dúvida (e nada mais humano que a dúvida), existe a possibilidade de experimentar algo que cheire à transcendência. Por que não? Ser livre é caminhar no estado de experimentação.

A proposta

Enquanto visão de mundo e de pessoa, a Gestalt-terapia acredita e investe no ser humano, fazendo da transcendência um movimento natural da vida. Sua proposta baseia-se na crença de que a pessoa humana tem a potencialidade de se atualizar e de superar seus limites. Apresenta a *teoria holística*, que vejo como uma estética da espiritualidade, como elemento sintetizador do "tudo muda, tudo está ligado a tudo e tudo é Um" e como um processo natural e organizador do universo.

O holismo compõe uma das teorias de base da Gestalt-terapia. Serve como fator de síntese e guardião de suas partes. A dor e o sofrimento, as certezas e as dúvidas, a verdade e a ciência são totalidades humanas, emocionais, fenômenos do e no universo que se abrem à apreciação de nossa consciência como expressão de uma realidade objetiva, e não como espectros ou sombras inatingíveis. Assim, precisam ser colocadas sob a égide de religiões para ser experienciadas como partes, como rituais de um mistério inatingível.

Na verdade, esse *boom* de religiões baseia-se na crença ou no medo das consequências de uma lei de causa e efeito. O homem moderno, em princípio, tem aquilo que quer ter, experimenta o que quer experimentar, crê no que quer crer, duvida do que quer duvidar e substitui o princípio do prazer pelo da realidade. Ele pensa ser soberano, vive um eterno pódio. Porém, *como não somos o que pensamos ser, mas o que sentimos, e os sentidos não se enganam*, essa falsa abundância – falsa porque não corresponde às verdadeiras necessidades do ser humano – termina por nos introduzir a dúvida quanto à validade ou segurança emocional do experienciar essas coisas. Desse modo, adquirimos a necessidade de nos colocarmos sob a guarda energética/espiritual de algo ou de alguém que possa nos livrar da dúvida. Então, encontramos nas religiões essa egrégora como lugar de segurança.

A abordagem gestáltica propõe como contraponto uma das principais características do processo de evolução humana, o qual é regido por três princípios herdados de Heráclito: 1) tudo muda; 2) tudo está relacionado com tudo; 3) tudo é UM – provavelmente uma das características mais centrais tanto da psicologia da Gestalt quanto da Gestalt-terapia (Clarkson, 1993). Esses princípios rompem com nossa fragmentação humana e espiritual, colocam-nos como partes de um todo humano, permitem-nos, via contato, saber que não estamos sós e, numa verdadeira egrégora, sentir que nossa irmandade evolutiva e espiritual nos garante a certeza de que, juntos, somos mais poderosos que isoladamente. Essa consciência ético-religiosa transforma a religião em uma opção para nossa vida.

Ambas as doutrinas trabalham a realidade por intermédio do conceito de contato e de mudança. Vivemos em campos das mais diversas naturezas – físicas, emocionais, espirituais. Essa experiência ocorre através de nossa subjetividade e intersubjetividade, o que equivale a dizer que, sendo seres relacionais, vivemos em permanente estado de relação. Nossos gestos ocorrem no mundo, não somos solitários em nada; ao contrário, mesmo sem o querer somos cúmplices uns dos outros. O apelo religioso é natural ao ser humano, que de algum modo tem em si o instinto do divino, embora em geral não viva essa experiência em virtude de uma visão realista do seu jeito de ser no mundo. A experiência de um contato real consigo mesmo poderá reconfigurar sua relação com o mundo sem o escrúpulo ou a exigência de uma prática religiosa desconectada de sua real necessidade.

Conclusão

Nenhuma cultura surge por acaso. Todos somos fruto de matrizes que contêm as mais complexas variáveis que nascem de um campo em ação. Às vezes, elas demandam décadas, séculos para se consolidar, para que possamos ver com clareza sua face. Nós, que vivemos em Brasília (DF), sentimos isso na pele. A cidade, depois de meio século de fundação, ainda não tem um rosto próprio. Somos personagens, ainda não temos o *status* de pessoas. A cultura surge de um fundo cujas necessidades obedecem às motivações daquele tempo, naquele espaço; por conseguinte, não são aberrações e têm de ser vistas dentro daquele contexto, sob pena de provocar mal-entendidos de proporções incalculáveis.

A pós-modernidade não apareceu com data marcada; não é fruto de Paris 1968 nem da queda do muro de Berlim, mas de causas gerais que a humanidade vem elaborando e produzindo ao longo dos tempos. Todo comportamento tem consequências; querer associar, apoditicamente, a pós-modernidade a uma data ou a um acontecimento preciso é deixar de lado as funções do espaço e do tempo na produção do comportamento humano.

A humanidade vem, há séculos, se preparando para essa mudança religiosa, política, econômica e, sobretudo, existencial. Não estamos apenas diante de uma mudança de coisas, mas de uma mudança de paradigma, de sentido, e isso faz toda diferença. Ainda buscamos esse sentido, e, enquanto ele não chega como fenômeno à consciência das pessoas, viveremos no caos do que se está chamando de pós-modernidade.

A velocidade das informações, hoje, talvez seja o elemento que mais caracteriza nossa era, mas esse produto é apenas fruto do espaço, da quantidade; a verdadeira transformação é feita pelo tempo, senhor da qualidade, e esse tempo ainda não chegou.

E, enquanto isso, como nos afirma González-Carvajal Santabárbara (2000), "o tempo nos dirá se a cultura moderna sucumbirá diante da força das ideias e crenças pós-modernas, ou se serão essas últimas que desaparecerão como uma moda efêmera".

Ter nascido na e da pós-modernidade permitiu à Gestalt-terapia e à abordagem gestáltica conviver com algumas de suas mais importantes dimensões e, a partir delas, desenvolver sistemas de uma melhor compreensão da problemática humana. A pós-modernidade não veio para ficar, mas para mudar o passado e preparar o terreno para um novo mundo. É como uma ponte: de um lado o passado, do outro, o futuro. E ela nos diz: "Olhem de onde eu vim, onde estou agora, para onde estou indo, o que vocês esperam encontrar e o que pretendem fazer com o que encontrarem".

Gestalt-terapia é uma metodologia do instante, do presente transiente concreto, onde termina o passado e começa o presente. Ela é como uma flecha no tempo. Conhece o passado e se lança no futuro através do instante, que se eterniza a cada momento. Burlamos o instante quando, estando nele, olhamos o passado com olhos de futuro. A Gestalt-terapia veio para ficar. Ela mora no momento. Tem o instinto de eternidade.

Referências

Bauman, Z. *Modernidade líquida*. Rio de Janeiro: Zahar, 2001.

Clarkson, P. *Gestalt counselling in action*. Londres: Sage, 1989.

"Estrutura". In: Houaiss, A.; Villar, M de S. *Dicionário Houaiss da língua portuguesa*. Rio de Janeiro: Civilização Brasileira, 2001 (versão *online*).

González-Carjaval Santabárbara, L. Verbete "Pós-modernidade". In: Dicionário do pensamento contemporâneo. São Paulo: Paulus, 2000, p. 608-612.

Koffka, K. *Princípios de psicologia da Gestalt*. São Paulo: Cultrix, 1975.

Lipovestky, G; Charles, S. *Os tempos hipermodernos*. Lisboa: Edições 70, 2011.

Lyotard, J. F. *A condição pós-moderna*. Rio de Janeiro: José Olympio, 2008.

Martins, J.; Dichtchekenian, M. F. S. F. B. (orgs.). *Temas fundamentais de fenomenologia*. São Paulo: Moraes, 1984.

"Pós-modernidade". In: *Wikipédia, a enciclopédia livre*. Flórida: Wikimedia Foundation, 2022. Disponível em: <https://pt.wikipedia.org/wiki/P%C3%B3s-modernidade>. Acesso em: 3 jan. 2022.

Ribeiro, J. P. *Gestalt-terapia – Refazendo um caminho*. São Paulo: Summus, 1985.

Von Zuben, N. A. *Fenomenologia e existência – Uma leitura de Merleau-Ponty*. São Paulo: Moraes, 1984.

5. Gestalt-terapia: a busca de ir às coisas mesmas

Somos como uma galáxia humana, bilhões de estrelas cuja contemplação e poder nos atraem e, ao mesmo tempo, nos espantam. Visíveis, cintilantes em noites escuras, invisíveis em noites nubladas, sumidas à luz do dia, estão lá, à espera de um olhar humano que as deseje descobrir e encontrar.

Quando aprendemos a olhar as coisas para além delas mesmas, quando intuímos que a realidade transcende nossas percepções, começamos a caminhar e a perceber que uma galáxia é muito mais que um céu estrelado.

Gosto da palavra *configuração*, que é um conjunto de partes organizadas, articuladas e que se apresentam como indivisíveis, constituindo uma totalidade humana e não humana de sentido. A esse processo podemos também chamar Gestalt.

Totalidade é diferente da soma de suas partes; antes, é sua guardiã. Quando uma parte começa a destoar do todo, as outras entram em estado de alerta, porque cada parte é fundante, junto com as demais, dessa totalidade. A solidariedade, o sentido de inclusão, o cuidado de uma com relação à outra são a força restauradora do todo. Esse processo e esse movimento são inatos à natureza, cujas partes, através de um processo natural de ajustamento criativo, caminham necessariamente uma na direção da outra, buscando a melhor forma que lhes for possível, atentas a uma pronta restauração sempre que a totalidade parecer ameaçada.

A desestruturação do todo ocorre tanto entre humanos quanto entre não humanos. Uma célula ou um vírus pode colocar em estado de suprema atenção essa dupla realidade.

Somos uma totalidade humana, bilhões de indivíduos com suas singularidades formando uma cultura, um tempo, um espaço, uma Gestalt, e esse conjunto forma a força de nossa humanidade – que é incalculável, dado que desconhecemos o poder restaurador que nos habita e nos sacraliza.

Somos uma unidade feita de naturezas diferentes. Minerais-vegetais-animais-eu-você somos a estrutura constituinte do universo. Somos mundo, o mundo somos nós, somos natureza, a natureza somos nós. A fragmentação, o dualismo que se estabeleceu entre nós e o mundo criou a presunção e – para muitos – a certeza de que somos dois: nós e o mundo, como se fôssemos donos, senhores, capatazes da Mãe Terra, podendo queimá-la, sujá-la, destruí-la sem notar que estamos cometendo um ecocídio e que qualquer dano que lhe fizermos se nos reverterá em dobro.

Temos sido definidos de maneira inadequada como *animais-racionais*. Falta-nos o terceiro existencial, uma dimensão humana: a *ambiental*. O ser humano é, substancial e ontologicamente, ambiental-animal-racional, e qualquer uma dessas dimensões que lhe for retirada destruirá imediatamente sua unidade estrutural, nossa essência humana. O fato de sermos, necessariamente, um campo de relação organismo-ambiente provoca em nossa constituição como totalidades/pessoas a necessidade de conhecer e experienciar nossa ambientalidade, como dimensão constituinte de nossa essência humana.

Somos potencialmente sagrados, divinos, o que nos leva, às vezes, a experimentar uma profundidade desconcertante. Afinal, na nossa objetividade existencial, não percebemos que tudo no universo deveria nos provocar a viver nossa subjetividade como um caminho de força, de poder, e não como algo que nos separa da objetividade das coisas.

Na verdade, somos seres em crescimento, pois tudo que nasceu nasceu para continuar crescendo, vivendo, tendo à sua disposição o que necessita para tal. *Somos seres de cuidado*, que é a força velada que nos aproxima do outro e de nós mesmos; *somos espaciais*, movem-nos o visível, o tocável, o quantificável, embora a aparência das coisas seja apenas o início do caminho para lidarmos com o diferente; *somos temporais*, buscamos as qualidades das coisas invisíveis, que nos movem na direção dos melhores resultados; *somos um para o outro*, o que nos faz face, nos permite saber, sentir que existimos com e através dele; *somos transcendentais*, dotados de um olhar que nos ajuda a ver além de nossa pequenez sempre que olhamos para nós a partir do que de fato somos, e não a partir de nossas limitações; *somos mundo*, do e para o mundo.

Tudo isso supõe um olhar para além da materialidade de nossa objetividade, pois a realidade dos fatos está além deles, dado que subjetivamente nosso olhar modifica a realidade das coisas e esta perde sua dimensão real e própria. *Somos campo*, do campo, vivemos um permanente campo de presença na nossa imutável relação organismo-ambiente, e nada que nos aconteça é estranho aos outros elementos e fatores do campo – e vice-versa. Nada, em verdade, nos é estranho: somos um na multiplicidade das coisas, somos fios de uma teia que nos une a todos existencialmente.

A esse mundo pensado e passado, aparentemente tranquilo, chamado modernidade, no qual a verdade das coisas e as coisas da verdade de fato não se encaixavam, mas eram vividas como um grande "se", a esse período sucede a pós-modernidade, um tempo marcado pela globalização e, consequentemente, pela dificuldade de se viver a individualidade como característica de nossa humanidade livre e operante. A pós-modernidade se caracteriza por um mundo em movimento, idealmente real, subjetivamente imaginário, onde o pensar e o agir superam a emoção ou a desconhecem, dada a velocidade com que o espaço "vence" o tempo. Nela, a quantidade de informações deixa passar batido a qualidade que a realidade pede. Vivemos um mundo turbinado pelo pensamento, em que o sentir fica à espera de uma maturidade à qual nosso organismo em estado de evolução não pode responder.

Estamos perdidos em um mundo à procura de si mesmo. A modernidade não resistiu, mudamos a cara e o espírito do mundo e a pós-modernidade está ocupando seu lugar.

O universo é movimento, a vida é movimento, somos movimento. Viver é isto: estar em movimento. Não estamos perdidos, apesar das ameaças. Somos governados por um instinto cósmico, por um permanente ajustamento criativo e criador, por uma autoecorregulação organísmica que nos coloca, o tempo todo, à procura das melhores soluções para nosso tempo. Ambiente e organismo coexistem em um campo de presença, no qual tudo está ligado a tudo. Passado, presente e futuro, na realidade, coexistem, são fundantes do cósmico aqui-agora que vivemos. Nós somos o último segundo do espaço-tempo de nossa evolução, somos descendentes das montanhas, dos oceanos, das florestas, dos animais, dos homens e mulheres de ontem. O passado é tão presente quanto o presente presentifica o passado. Somos um e essa unidade é mãe, é a matriz de toda a esperança que nos habita, não obstante a desesperança que o planeta vive.

Podemos dizer, com Harbermas, que a modernidade é "um projeto inacabado". Precisamos passar por ela para que a síntese de um amanhã comece a brilhar a partir desta antítese que vivemos: uma contemporaneidade que esconde nas entranhas a certeza de um mundo novo, porque tudo que nasceu nasceu para continuar vivendo. Esse é o princípio, o meio e o fim da ordem que faz o universo caminhar do alfa ao ômega, embora não saibamos em que parte do alfabeto estamos neste momento.

Assim como uma árvore não produz um fruto estranho à sua natureza, também as psicoterapias, obedecendo ao mesmo princípio de causalidade, nascem filhas de seu tempo. A Gestalt-terapia não poderia fugir a essa norma.

Concomitantemente, e com olhos de quem aprendeu a enxergar através da dor e do sofrimento, os fundadores da Gestalt-terapia viram, no lusco-fusco da história contemporânea, sinais de um novo tempo, uma polaridade entre o caos e a ordem, entre a desilusão e um horizonte diferente.

Fazendo um contraponto histórico, a Gestalt-terapia nasce na e da pós-modernidade. É filha da contemporaneidade, cujas relações são marcadas por uma profunda semelhança, por uma sistemática analogia – no sentido de que, embora o filho tenha o DNA dos pais, a natureza providenciou para que ele, na linha do processo evolutivo, transcendesse sua fonte geradora, indo em diferentes direções, orientadas a outras possíveis relações.

O Grupo dos Oito – incluo nele Laura Perls – viu um ideal de liberdade apenas bruxuleando, uma preocupação com o bem-estar mais do que com o problema, o feminino como uma forma criativa de busca de soluções, o respeito à igualdade como um caminho para novos tempos, a sexualidade como uma forma sagrada de integrar as pessoas, o surgimento de posturas religiosas libertadoras e menos dogmáticas, os meios de comunicação como uma nova psicopedagogia a serviço do novo, um deslocamento da história – ou seja, a história não fazendo história –, a tecnologia, a engenharia e o próprio mercado como possíveis parceiros da produção de um saber, de um estilo de vida, de um bem-estar possível. E, então, criaram um sistema, uma forma de psicoterapia que contemplasse toda essa reflexão: a Gestalt-terapia.

Assim, diante de um mundo marcado pela complexidade, isto é, pela ordem e pela desordem, pela determinação e pelo acaso, pela informação e pela ignorância, como bem apontou Morin, a Gestalt-terapia buscou um caminho novo, ancorando-se em teorias já sistematicamente consolidadas para lidar com um novo mundo, surgido das cinzas de um apavorante pós-guerra, adoecido e com poucas esperanças. Eles anteviram a cara da esperança, um horizonte além do aqui-agora.

Assim, a Gestalt-terapia é filha da esperança, e, embora seus fundadores tenham conhecido o deserto da descrença, sobreviveram à travessia do desânimo, do desamparo, e plantaram os alicerces de uma nova abordagem, *alicerçada em um conceito específico de mundo e de pessoa*.

Em princípio, *didática, epistemológica e pedagogicamente*, a Gestalt-terapia se baseia numa postura teórica que se fundamenta numa *visão de mundo*, permeada pela psicologia da Gestalt, pela teoria do campo e pela teoria organísmica holística, e numa *visão de pessoa* ancorada no humanismo, na fenomenologia e no existencialismo. Ali a abordagem buscou conceitos, princípios e valores que, juntos, formaram uma totalidade, uma configuração, uma Gestalt teórica, coerente, sólida. Ao mesmo tempo, seus criadores fundamentaram uma teoria da personalidade centrada no aqui-agora e no resgate da experiência imediata das pessoas, constituindo-se assim num método e numa psicoterapia eficiente e atualizada.

O mundo antecede à pessoa, uma antecedência ontológica e cronológica. Mundo e pessoa convivem espacial e temporalmente na constituição do indivíduo, aqui-agora. Não estou falando de um mundo espaço, marcado pela quantidade, nem da pessoa temporal, marcada pela qualidade, mas de um mundo e de uma pessoa enquanto eles "são". Eles são e, porque são, existem na estrutura e na forma que nos permite individualizá-los, vê-los, tocá-los. Não estou falando no nível da abstração; refiro-me ao mundo da realidade, do fenômeno que nos salta aos olhos, que fecunda nossa consciência e nos permite gerar em nós a possibilidade de um contato real e verdadeiro.

Uma visão de mundo e de pessoa nos dá um chão, um suporte, um rumo. É um texto, um contexto, um modelo pelo qual me leio no mundo. É, de certo modo, um instrumento de trabalho. Tal visão forma uma matriz teórica, um sistema, um paradigma. Precisamos de um ponto de partida para saber de onde viemos, onde estamos, para onde vamos e o que pretendemos encontrar. Não se trata de um enquadramento teórico, mas de um chão para saber onde se está. Esse é um modelo teórico dentro do qual o Gestalt-terapeuta mora e se locomove.

Estou falando de mundo e de pessoa enquanto sentidos, experimentados, vividos pela nossa subjetividade e, enquanto tais, capazes de produzir em nós possibilidades de um encontro com o outro. Mundo e pessoa, embora entidades distintas, convivem estruturalmente como unidade de relação ambiente-organismo. O mundo é aquilo que ele é, a pessoa é aquilo que ela é. Esse mundo e essa pessoa estão interligados, formando uma configuração, uma Gestalt a partir da qual (e somente a partir dela) pessoa e mundo podem ser reconhecidos. É desse mundo/pessoa que estamos falando e é por ele que acessamos o verdadeiro contato com o outro-não-eu.

Cliente e psicoterapeuta perfazem a mesma estrada, embora a partir de posições diferentes.

Penso, então, a pessoa/cliente como figura e a teoria como fundo.

Nesse momento, "esqueço" tudo, abandono meus *a prioris* acadêmicos e, atento à fala e à experiência do meu cliente, tento entendê-lo e ao seu mundo a partir de sua experiência como chega até mim. Estou diante de uma intuição que nasce do aqui-agora vivido em comum com ele. Na verdade, embora não me livre de mim mesmo – pois sou eu e as minhas circunstâncias –, devo caminhar na direção do meu cliente, pois ele é meu começo, meio e fim. Percorro a estrada dele percorrendo, paralelamente, a minha, pois não chegaríamos a nenhum lugar se nosso ponto de partida não fosse a mesma estação de embarque e nosso ponto de chegada não fosse o horizonte que nos guiou o tempo todo.

Assim, por ser centrada na relação cliente-psicoterapeuta, a natureza do processo psicoterapêutico não se baseia na teoria enquanto teoria. Estamos falando de uma totalidade existencial, fruto de uma profunda conexão de dois mundos e de duas pessoas – ou seja, desaparece a fragmentação cliente e psicoterapeuta e temos cliente-psicoterapeuta. Eis aí uma experiência de *epoché*, uma transcendência personificada na relação mundo-pessoa, na qual a possibilidade de mudança e até de cura é proporcional à entrega um do outro. Isso é Gestalt-terapia.

Sabiá
sabia
que
é sábia.
Sabiá
canta
o próprio canto.
Outro
desafina.

Quando estamos diante de nós mesmos e/ou de nosso cliente, somos conduzidos por um movimento interior da consciência, quase sempre despercebido, que nos leva a nos acomodarmos às diversas posições que o campo nos apresenta.

Para nos tirar dessa estrada e de uma possível ambiguidade a dois, procuro outro caminho que nos liberte de nós mesmos, embora consciente dos meus valores e dos de meu cliente. Estou falando do *método fenomenológico*, uma estrada sem destino definido que não nos leva a lugar nenhum. Ele apenas está ali à nossa disposição. Quando sabemos usá-lo, encontramos nosso cliente, caminhamos com ele, chegamos ao destino desejado.

Merleau-Ponty (2006, p. 5), com sua habitual clareza, assim define o método fenomenológico:

> Trata-se apenas de entrar em contato com os fatos, de compreendê-los em si mesmos, de os ler e decifrar de uma maneira que lhes dê sentido. Será preciso fazer o fenômeno variar, a fim de depreender dessas variações uma significação comum. E o critério deste método não será a multiplicidade dos fatos que servem de prova para as hipóteses avançadas: o que servirá de prova será a fidelidade aos fenômenos, o domínio estrito que obtenhamos sobre os materiais empregados e, de algum modo, a "proximidade" da descrição.

Nessa citação, encontramos os passos de que precisamos para trabalhar com o método:

1. entrar em contato com o fato;
2. compreendê-lo em si mesmo;
3. ler o fato e apenas ele;
4. decifrá-lo de maneira que nos faça sentido;
5. deixar que o fenômeno se mostre por si mesmo;
6. depreender do fenômeno sua significação natural, ou seja, que ele encerra algo que é observável para todos, sem forçar uma compreensão paralela;

7. saber que a multiplicidade das circunstâncias não nos dá a verdade dos fatos;
8. saber que a verdade do fenômeno vem da sua fidelidade ao fato;
9. saber que o resultado será tanto mais fiel quanto mais tivermos domínio/percepção do conjunto de informações;
10. saber que nossa descrição dos fatos está próxima da realidade.

Merleau-Ponty (*ibidem*, p. 6) continua: "A novidade deste método consiste no fato de ele estabelecer que o saber efetivo não é apenas o saber mensurável, mas também a descrição qualitativa. E este saber qualitativo, intersubjetivo, descreve o que é observável para todos".

A riqueza e a validade operacional do método é tal que Holanda (2009, p. 89) afirma: "O método fenomenológico, levado à sua radicalidade, se torna, inevitavelmente, uma ética da subjetividade, uma filosofia da existência".

Encontrar a raiz de um fenômeno não vem da percepção da multiplicidade de informações, mas da fidelidade de encontrar no dado, e só nele, as razões de sua existência. Não se abandonam as circunstâncias do dado, mas elas não são a causa do fenômeno/dado em questão. São pistas que apontam o caminho e para o caminho, mas não chegam até lá. Esse "abandono" das circunstâncias que envolvem a situação, o problema, para ir em busca do dado e se concentrar no que se mostra à nossa consciência – ou seja, o sintoma enquanto sintoma – exige uma postura radical, uma certeza quase ontológica de que só a experiência imediata do sujeito, que nasce da descrição do dado, é capaz de conduzir o observador até ele. Afinal, como diz Merleau-Ponty, *as certezas são uma ilusão.*

Fazer isso supõe um jeito de ser, de estar no mundo, "uma ética da subjetividade", no sentido de que ficando-se atento ao dado enquanto dado não se precisa de outras informações para chegar até ele. A vivência da experiência imediata do dado produz a certeza do caminho e a chegada até o dado. Viver assim, sentir assim, entender que a observação rigorosa do fenômeno é o caminho da totalidade que mora nas coisas é uma "filosofia da existência", como diz Lévinas.

Entendemos, assim, que o método fenomenológico é um contraponto à modernidade líquida que se instalou na experiência das pessoas e na busca da verdade, em um mundo *online*, onde o espaço e o tempo se confundem com a liberdade de escolha. Somos arrastados pela multiplicidade da técnica e levados a ficar num eterno movimento de escolha. Não sabemos o que escolher, tudo é possível, corremos atrás do possível como se ele fosse um horizonte de fácil acesso.

> [...]
> A gente bem quisera escutar o silêncio
> do orvalho sobre as pedras.

Tu bem quisera também saber o que os passarinhos
sabem sobre os ventos.
A gente só gostava de usar palavras de aves
porque eram palavras abençoadas pela inocência.
[...]
(Barros, 2015, p. 19)

A Gestalt-terapia funciona na ordem da inocência, porque ela bem "quisera saber o que os passarinhos sabem sobre os ventos". Então, a abordagem se propôs à linguagem da *epoché*, da voz intermediária, que nos diz: esquece o passado, se enraíze no presente, não avance no futuro. A Gestalt-terapia nasceu calejada de um tempo de muita dor, de lágrimas desesperadas pela esperança de um sorriso, num pós-guerra cuja única opção era ressuscitar das cinzas – e assim ela se propôs algumas medidas de ajustamento criativo para um novo tempo.

Embora estejamos falando de uma coisa só, parece que estamos falando de coisas diferentes, porque tudo está ligado a tudo e tudo concorre para a formação de uma única gestalt: *a pessoa se sente pessoa na razão em que ela se percebe realmente cuidada, porque quando alguém se sente cuidado vive uma sensação de presença, de existir para si e para o outro. A essa experiência chamamos caminho de cura.*

Estamos falando de uma ética cuja estética revela a face da Gestalt-terapia; percorramos alguns passos para tentar ver mais de perto seu rosto teórico-operacional.

A Gestalt-terapia é uma abordagem fenomenológico-existencial

Aqui é onde quase tudo começa. Sem dar voltas, sem subterfúgios, o Gestalt-terapeuta vai ao encontro do "que" está acontecendo, do que a pessoa sente, pensa, faz e fala, do fenômeno que se revela à sua consciência. Num segundo momento, ele mergulha no "como" ele e o cliente estão vivendo o que está acontecendo, na tentativa de resgatar, de encontrar o "para quê" do sentido vivido por ambos, o qual se esconde na experiência imediata do cliente.

Cliente e psicoterapeuta não estão presos a nada, exceto ao cuidado que os une

Eles fluem, confluem, navegando na singularidade um do outro. Não têm medo, pois Gestalt-terapia é permissão para criar; o limite é a ética, a não violência, sendo proibido improvisar. O cuidado é o guardião de toda experiência humana à procura de se encontrar, visitando os meandros a que o jogo da vida nos conduz.

Tudo que nasceu nasceu para continuar vivendo

Temos tudo de que precisamos para darmos conta da caminhada que a vida nos prepara, pois somos guiados por um processo natural: o *ajustamento criativo*, pelo qual me encontro comigo como ser em movimento, ser de procura. Ele me leva ao processo seguinte, *autoecorregulação* organísmica, que me coloca em contato direto com a natureza, numa relação ontológica de relação ambiente-organismo. Este, por sua vez, me coloca, via processo de *pregnância*, em busca das melhores formas para satisfazer às minhas necessidades. A vida supõe um passo a passo com o diferente, porque é na experiência do diferente que reside a mudança que cria o excitamento e o desenvolvimento reais de nosso ser no mundo.

A relação de contato ambiente-organismo ocorre no aqui-agora

Como vimos, trata-se de uma relação ontológica, porque o ambiente, enquanto ser, precede o organismo enquanto ente. Isso significa que um não pode ser pensado separado do outro. Não desprezamos o passado e muito menos o futuro, pois o tempo flui nos dois sentidos, mas centramos a atenção e o cuidado na relação de espaço-tempo – na qual, de fato, nós acontecemos. Temos na espacialidade e na temporalidade a dinâmica do instante e o aqui-agora como lugares de mudança e de possibilidades.

O espaço, como o tempo, é um lócus existencial

E, enquanto tal, aberto à visibilidade do real, a quantidades não mensuráveis. Somos espaço e, enquanto espaço, constituímos uma realidade fenomenológica que nos permite, através de nossa facticidade e visibilidade no jogo da vida, andar por caminhos que nos conduzem à possibilidade da certeza da chegada.

De acordo com Merleau-Ponty (2000, p. 41), "o espaço é, em primeiro lugar, a maneira como somos afetados, um dado bruto de nossa constituição humana [...] Possui, então, uma significação ontológica, visto que sem ele não há Ser".

O espaço, então, nos constitui como seres de possibilidades: sem ele não somos: "O nosso corpo é o instrumento de trabalho pelo qual ordenamos o horizonte de nossa vida e permanece o centro de referência em relação ao qual se determinam as dimensões fundamentais do espaço". (Brunschvicg *apud* Merleau-Ponty, 2000, p. 42).

Meu corpo-pessoa é espelho, síntese da minha história, sou a minha história contada pelo meu corpo, sendo meu espaço existencial do tamanho de meu corpo. Duas palavras para meu corpo-pessoa: *corporalidade* é *o que* penso do meu corpo, como o defino – uma experiência, até certo ponto abstrata, de minha materialidade ou de minha natureza material. *Corporeidade* é *como* sinto o meu corpo, como experiencio meu estar no mundo, um corpo enraizado na relação espaço-tempo e no meu cotidiano.

"O espaço é relativo ao nosso corpo e, relativamente a este corpo, é um dado [...] O espaço não é finito nem infinito. Ele é indefinido, porque está posto diante de um sujeito espacial" (Merleau Ponty, 2006, p. 43).

Somos nosso corpo. Habitamos nosso corpo, e a *awareness* do que sentimos, pensamos e fazemos com ele nos remete a uma profunda consciência de sua dimensão ontológica, a partir da qual o corpo que habitamos passa a ser a casa, a morada de toda a nossa possibilidade existencial.

O tempo não pode ser representado como um conceito

O tempo não cabe em nenhum conceito, embora possamos falar de tempo psicológico/emocional, de tempo vivido, de um tempo pensado, medido, de um tempo sem tempo, do tempo no tempo certo – como Kairós –, no sentido de uma oportunidade adequada para que algo aconteça.

Diz Merleau-Ponty (2000, p. 42): "O nosso pensamento vive de uma experiência do tempo que não é redutível a uma evidência intelectual: não há possibilidade de apreender o tempo". E, citando Brunschvicg, afirma: "Ela [a ciência] tem uma verdade que nasce do tempo ainda não domado e captado, entregue à espontaneidade de seu curso natural" (*ibidem*).

"Amanhã irei à sua casa." Sei o que é amanhã, estou falando de uma experiência de tempo entregue a um saber de controlar algo entre o hoje e o depois, mas, não obstante esse saber, não apreendo o tempo. Este é indomável, não capturável, embora eu tenha uma evidência intelectual do tempo quando estou dirigindo um carro ou comendo uma fruta. Existe um tempo *inatingível* pelo *quando,* existe um tempo *sem quando.* Isto é, a experiência vivida do tempo escapa a qualquer noção de temporalidade, pois Cronos não encurrala Kairós, que é o momento oportuno ou supremo em que o instante, o presente, nos faz seres de possibilidades.

O tempo é simplesmente uma presença em minha consciência; *não tenho um conhecimento imediato do que ele significa,* porque o tempo inicia nossa insustentável relação com a eternidade.

Estou falando de um jeito de ser, de estar no mundo como pessoa, aqui-agora. Espaço-tempo são inseparáveis, não se pode pensar um sem o outro; no entanto, ambos têm naturezas totalmente diferentes. Ora somos espaço, ora tempo, ora espaço-tempo – unidade ontológica, metafísica, da qual decorre nosso jeito de ser-no-mundo. Somos filhos do espaço-tempo, de um espaço e de um tempo sem espaço nem tempo determinado. Espaço-tempo, eles simplesmente são, existem, e de sua cósmica interrelação nascemos nós, sem rosto, apenas pessoa. E, na busca da melhor forma, construímo-nos na relação espaço-tempo, a qual se constitui dentro de nós até que essa fragmentação, essa dualidade, se torne espaço-tempo vivos, pessoa-corpos, sujeitos, corporeidade-subjetividade. Eu, você, nós.

A vida acontece agora – Agora é agora

Sem explicação. Nesse agora existem lembranças, emoções, filhas do passado, e desejos, esperanças, filhos do futuro. Há, portanto, um agora ontológico, conceitual, que se mantém abstratamente. É um agora sem tempo, *des-encarnado*. Tudo que é é agora. Deus É. Esse é seu nome. Ele é Agora, uma totalidade ontológica, uma Gestalt que se define por si mesma, sem atributos, sem adjetivos. Adjetivar o agora é empobrecê-lo, é torná-lo incompreensível. Não compreendemos o agora, podemos apenas pensá-lo. Aí temos uma relação de campo espaço-tempo em que acontecemos através de todas as nossas circunstâncias e temporalidades. E, novamente, temos um campo de presença, uma relação ambiente-corpo pela qual nos expressamos como pessoas aqui-agora.

Psicoterapia é cuidado, é cuidar de uma totalidade humana que perdeu ou começa a perder seu semblante e, enganosamente, busca cirurgias plásticas emocionais e/ou psicológicas, num processo doído de autoenganação. Aqui entra o processo cuidadoso de ajustamento criativo funcional – que, sem prejudicar a liberdade humana que nos habita, nos indica caminhos que nos levam a um profundo e eficaz processo de sustentabilidade humana.

Resgate da experiência imediata – Experiência como encontro com a realidade

Chegamos, agora, ao estágio de entender e experienciar um dos processos que mais caracterizam e definem a natureza da fenomenologia existencial: aquilo que chamamos de mistério que nossos sintomas sabiamente encerram. Sintomas são tentativas desesperadas de nos fazer entender o que eles escondem, e quanto mais corremos deles mais eles se exaltam e gritam. Então, a questão é resgatar seu sentido como uma expressão dolorosa do nosso jeito-de-ser-no-mundo. Resgatar é dar um nome novo, encontrar um sentido novo para algo velho, é tirar o sujeito de uma situação impossível, difícil, é ajudá-lo a se ver a partir de um outro referencial que não virou rotina na sua vida. Acho que é um pouco de tudo isso. Resgatar é caminhar na direção do diferente, que nos provoca como uma legitimação do que constitui nossa natureza humana. É a gente encontrar a gente e se encontrar de verdade, deixando de lado movimentos de autoenganação, não obstante possíveis perdas às quais já nos apegamos.

Esta é a sublime, estética e ética função da psicoterapia: mostrar-nos o caminho, ajudar-nos a crer no nosso potencial de mudança, mostrar que o diferente é o verdadeiro caminho da mudança, que não importa o que temos sido, mas o que somos e como nos maravilhamos com a vida que habita nosso corpo-pessoa.

Uma caminhada na direção de nós mesmos

Tudo isso significa uma caminhada na direção de nós mesmos, meter a cara na estrada em busca de sentimentos abandonados, de possíveis futuros que perderam sua beleza, de passados que nos ensinaram a ser gente de verdade, de um agora que faz o nosso coração bater e gritar: "Estamos vivos, acorda!"

A isso denominamos *psicodiagnóstico processual*, isto é, um aqui-agora sentido, pensado, e que se exprime como uma totalidade que contém a vida em ação da pessoa em psicoterapia.

Que bom, chegamos até aqui, vamos parar um pouco para descansar, massagear nossos pés, respirar, tomar um copo d'água, comer alguma coisa, olhar a estrada.

Saber me encurta
Voar baixo machuca.
Caminho nas asas do amanhã.
Chegar é proibido.
Passarinho voa,
Galhos sorriem,
Copas acolhem,
Batem palmas.
Nunca
sei
se cheguei.

* * *

Ainda podemos fazer algumas reflexões sobre a natureza da Gestalt-terapia com um olhar mais amplo, o qual se junta ao exposto até agora e o completa, dando a estas reflexões um caráter de uma totalidade teórica mais plena.

A Gestalt-terapia é uma psicoterapia e um método de trabalho. Trata-se de uma reflexão moderna, atual, pois, sendo também um método, nos dá a oportunidade de operacionalizar mais claramente o que é psicoterapia, sua natureza, seus avanços e limites. Nesse sentido, quero pontuar determinados posicionamentos que considero importantes, necessários talvez, sobre a Gestalt-terapia:

Propor uma ética como reflexão corajosa diante das necessidades do mundo moderno

Estar centrado no aqui-agora, propor resgatar o sentido de nossa experiência imediata, buscar a melhor forma de ser, criar uma necessidade imperiosa de equilíbrio da relação mundo-pessoa, ambiente-organismo, viver uma autoecorregulação organísmica, buscar sempre qualidade mais que quantidade: isto é ética. Somente uma postura inocente, um olhar que transcende toda e qualquer forma de julgamento, moral ou acadêmico, pode fundamentar essa ética como resposta clara às necessidades que invadem o ser humano, muitas vezes sem deixá-lo perceber o caminho de volta para casa.

Ética não é uma palavra, mas um estado, um modo de ser no mundo. A relação psicoterapêutica nasce de uma visão de mundo e de pessoa, ancorada em uma posição e uma postura éticas. Existe uma ética interior, você com você mesmo, e uma ética com o outro. Ambas formam o processo de crescimento e excitamento, raízes de uma saúde que brota da própria natureza da psicoterapia.

Pesquisar, estudar, entender a pessoa-como-um-todo

É proibido improvisar. O cliente é sempre figura; é preciso olhar para ele com o mesmo amor com que o psicoterapeuta se olha. Somente uma visão de totalidade, não fragmentada, não dualista nos permitirá um psicodiagnóstico processual, isto é, ver a pessoa como ela é, muito além de como ela se apresenta. Somente a busca e a percepção de nossas totalidades como tais nos permitirão estar diante da realidade assim como ela se apresenta e faz sentido para nossa consciência. Nossa curiosidade e nossa impotência nos levam frequentemente às partes, porque é mais fácil conectá-las, controlá-las; com isso perdemos a visão da totalidade – lugar em que a realidade se revela, embora, muitas vezes, de maneira sutil e de difícil acesso.

Trabalhar holisticamente e não perder essa dimensão

Devemos trabalhar o holismo e sua operacionalização como uma tendência saudável de totalização, de globalização, paradoxalmente a partir de três princípios básicos do pensamento de Heráclito:

- *Tudo muda* – trata-se da *impermanência* que a realidade vive como *conditio sine qua non* de evolução e mudança. É o lembrete cósmico de que mudar é a arte de crescer saudável.
- *Tudo está ligado a tudo* – trata-se de um mágico processo de *interdependência*; não somos ilhas, somos conexão, relação, contato. Essa é a fraternidade cósmica, a comunidade existencial de significados, a condenação ontológica da solidão, do egoísmo; a interdependência que, através de um complexo ajustamento criador, permite que as coisas sejam e se constituam na existência.
- *Tudo é UM* – A *impermanência* nos leva à interdependência, a qual nos conduz à *transcendência*, que só o ser, na sua ontológica existência, possui.

A fragmentação e a dualidade são fruto de nossa constitucional impotência. O absoluto total não nos pertence, não é propriedade de nossa humana fragilidade.

O holismo inicia uma compreensão da realidade ao olhar o fato em si. É quase um olhar estrutural, no sentido de que está atento a cada parte que constitui algo, a como se organizam, priorizando uma compreensão integral do fenômeno. Essa unidade nos permite olhar para o outro e nos reconhecer nele; e permite a ele olhar para si e nos reconhecer nele. Somos, assim, uma Gestalt cujas partes estão organizadas, articuladas, apresentando-se de maneira indivisível, formando uma unidade de sentido: ser isto ou aquilo.

Trabalhar a ecologia como sustentabilidade humana e não-humana

Diz Pena-Vega (2006, p. 25):

> É, portanto, a consciência de uma degradação crescente do meio ambiente que nos leva a pensar sobre a emergência de uma "nova ecologia", particularmente por meio de uma visão paradigmática que associa num todo único e sob a forma de múltiplas curvas os elementos organização viva/natureza/homem/sociedade/consciência ética.

E ainda: "[...] a complexidade, a irreversibilidade, a desordem e a autoeco-organização constituem as categorias de um novo paradigma na ecologia" (*ibidem*, p. 42).

A ecologia vai longe, parte de onde o holismo para para perguntar que relação esse objeto tem com o universo, com este lugar, com esta pessoa; ambos estão ligados aos sistemas vivos, ecossistemas, sistemas sociais.

> A ecologia profunda não separa seres humanos – ou qualquer outra coisa – do seu meio ambiente natural. Ela vê o mundo não como uma coleção de objetos isolados, mas como uma série de fenômenos que estão fundamentalmente interconectados e são interdependentes. [...] *Quando a concepção de espírito humano é entendida como o modo de consciência no qual o indivíduo tem uma sensação de pertinência, de conexidade com o cosmos, como um todo, torna-se claro que a percepção ecológica é espiritual na sua essência mais profunda.* (Capra, 1996, p. 25-26, grifos meus)

A psicologia tem andado distante da ecologia e das ciências da terra, embora faça parte das ciências humanas. Perls, Hefferline e Goodman (1998) insistem à exaustão na relação organismo-ambiente, mas não sei se nós, Gestalt-terapeutas, introduzimos o ambiente nas nossas sessões ou ficamos fixados e defletindo em cima dos sintomas que os clientes nos trazem.

Estabelecer uma conexão ontológica entre espiritualidade e Gestalt-terapia

Tal conexão pode ser expressa assim: a espiritualidade, dimensão fundante de nossa estrutura humana, e a Gestalt-terapia, método, técnica e arte de lidar com o ser humano, caminham juntos na busca daquela transcendência que constitui o ser humano como um campo de expansão de consciência à procura de seu sentido maior. A Gestalt-terapia, através do princípio do ajustamento criativo, ajuda o ser humano a se descobrir e a se comprometer consigo mesmo na busca do que lhe é necessário para estar neste mundo.

Podemos pensá-las também separadamente, como se uma tivesse prioridade ontológica sobre a outra. Nesse caso, por ser uma dimensão constitutiva de nossa estrutura de personalidade, a espiritualidade viria primeiro para, em seguida, se vestir com as roupas da Gestalt-terapia.

O universo é matéria viva e dele nasce, através de um longo e complexo processo evolutivo, nossa alma-corpo, nossa espiritualidade, que vivificam nossa relação ambiente-organismo, permitindo a essa relação criar e recriar-se a todo instante.

O universo é uma configuração, uma Gestalt, matéria-alma-espírito. No nosso processo evolutivo, herdamos a alma e o corpo do universo.

Nosso corpo é materialidade, nosso espírito é espiritualidade. Portanto, assim como meu corpo-matéria gera a materialidade humana, minha alma-espírito gera nossa espiritualidade. Sou ontológica, estrutural e naturalmente materialidade e espiritualidade. Sou uma matéria que é um corpo/espírito, que é um espírito/corpo, Gestalt perfeita.

A substancialidade desse campo de presença corpo-matéria/alma-espírito conduz a uma Gestalt-terapia como totalidade, como uma configuração, como espiritualidade em ação.

Sou naturalmente espiritual como sou naturalmente matéria. Sou matéria que é espírito, sou espírito que é matéria, sou uma configuração, uma Gestalt, e, quando usufruo, celebro essa conexão, me introduzo naturalmente no mundo da Gestalt-terapia.

Em nossos consultórios, falta-nos a vivência natural de nossa espiritualidade, enquanto encantamento pela obra criada que somos, e, por isso, não experimentamos a vida como uma cosmogonia.

Muitos dos nossos clientes experimentam, durante a sessão, momentos de espiritualidade, verdadeiros caminhos para retornar à casa própria, mas alguns psicoterapeutas não conseguem identificar tais posturas ou momentos por não estarem, eles mesmos, envolvidos com a própria espiritualidade – ou por desconhecerem que materialidade e espiritualidade são dimensões de nossa humanidade.

Talvez eu possa dizer que *sintomas* têm que ver com nossa dimensão de materialidade, assim como *processos de cura* têm que ver com nossa dimensão de espiritualidade. Uma não existe nem funciona sem a outra, porque ambas estão intrinsecamente conectadas.

Pensar criativamente formas contemporâneas da Gestalt-terapia

Estamos mudando o mundo. Vivemos uma realidade virtual, na qual a globalização torna o indivíduo indivíduo para ele mesmo e olha o outro como outro, mantendo-os separados. As psicoterapias são filhas de seu tempo, nascem de uma visão contemporânea de mundo e de pessoa, e isso tem implicações sérias, pois a psicoterapia clínica ocupa grande parte de nosso exercício profissional. A psicoterapia individual está em pé, *mas em um pé só*, pois o mundo da contemporaneidade criou papéis, padrões e dificuldades próprios, que pedem soluções eficazes e rápidas para seus problemas. Desse modo, ou a psicologia olha os horizontes que surgem, pedindo soluções, ou uma multidão de pseudoterapeutas surgirá como oportunidade e exigência de mercado para atender às necessidades de um mundo novo, para o qual eles não estão preparados.

Penso o futuro e no futuro e vejo novas formas de Gestalt-terapia que podem ser operacionalizadas tanto no modelo individual quanto no de grupo. A seguir abordarei psicoterapias contemporâneas que, com nomes diversos, vão lentamente se instalando no mercado emocional e psicológico de nossa sociedade. Penso tais formas de psicoterapia sempre dentro de uma visão da *Gestalt-terapia individual e de grupo* – embora com muita preocupação, talvez tristeza, porque a Gestalt-terapia tem andado pouco nessa direção, embora o mundo se encaminhe rápida e descompassadamente para ela. Na verdade, não estamos preparados, salvo pouquíssimas exceções, para responder às necessidades que hoje preocupam grande parte da humanidade.

1. *Gestalt-terapia de grupo*. O grupo como figura. Miniatura do tempo e do espaço da nossa vida. Forte, poderosa, profunda e mais curta. Em um mundo *online*, onde tudo está conectado, globalizado, esse tipo de grupo é tudo que a atualidade demanda.
2. *Gestalt-terapia de curta duração*. Modalidade de psicoterapia que tem se revelado eficiente, antenada, restauradora. As pessoas não têm mais espaço, tempo e dinheiro, nem necessitam de longos anos de terapia semanal individual.
3. *Gestalt-terapia corporal*. Um eficiente achado da contemporaneidade, corpo-alma no mesmo processo de cura. O corpo como figura, o corpo todo em tudo. Poderosa, englobante, eficiente, menos longa.
4. *Gestalt-terapia online*. Moderna, necessária, abrangente, localizada. Mudamos o mundo. Hábitos e costumes, tempo e espaço, proximidade, contato, sentido de presença, conceito de eficiência, tudo está em questionamento. Poderosos sistemas de comunicação se instalaram. O tempo não é mais vida em mudança, é dinheiro.
5. *Gestalt-terapia de fronteira*. Envolve os sem-terra, os sem-teto, negros, prostitutas, prisioneiros, a população LGBTQIA+, os grupos marginalizados. Por razões diversas, grande parte da população brasileira não tem acesso ao sistema de saúde mental constituído pelas psicoterapias. Aqui, sobretudo, está presente o lado comunitário, social e abrangente da Gestalt-terapia.
6. *Gestalt-terapia de experiência religiosa*. A alma do mundo está adoecida, perdendo o caminho e pedindo ajuda. A espiritualidade vem se tornando um caminho de esperança: se até hoje o mundo tem vivido sua materialidade, é hora de convocarmos nossa dimensão espiritual para alívio, conforto e cura de nossa humanidade vilipendiada e profanada.

7. *Gestalt-ecopsicoterapia*. A natureza como processo de mudança, de cura, como apelo a vivermos uma relação de crescimento e amadurecimento através de nossos recíprocos ajustamentos criativos. Vivemos na natureza e com ela experimentamos uma consciência profunda de que somos ar, fogo, terra, água, elementos que nos constituem como presenças vivas, ativas, numa relação de campo/ambiente.

Terminando...

Fizemos uma longa caminhada. Olhamos a Gestalt-terapia a partir de múltiplos ângulos e, de novo, como no começo deste texto, penso em um céu estrelado, embora saiba que jamais nosso olhar abrangerá a grandiosidade de uma noite iluminada de estrelas. O simples fato de a Gestalt-terapia ser um sistema aberto, vivo, permite que nos acerquemos de todo o seu potencial teórico-prático. A pessoa humana é, por natureza, inatingível; assim, a aproximação em busca de nossa humanidade nos deixará sempre longe da realidade pensada e percebida ou do que/quem quer que seja. Isso significa que temos muito ainda que caminhar, longas estradas a percorrer.

A Gestalt-terapia é um campo teórico grandioso até pelo fato de ser, nas suas raízes, teorias de alta complexidade epistemológica. O caminho foi aberto pelos seus fundadores; outros operários têm trabalhado na mesma videira. Acredito que melhoraram a qualidade do vinho, e você está convidado a experimentar uma taça. Se provou e gostou, tome mais uma; se achou que pode melhorar, pegue seus instrumentos e tente adubar, podar essa videira, porque ela ainda promete safras de altíssima qualidade.

Referências

Barros, M. de. *O menino do mato*. São Paulo: Companhia das Letras, 2015.

Capra, F. *A teia da vida – Uma nova compreensão científica dos sistemas vivos*. São Paulo: Cultrix, 1996.

Holanda, A. Revista da Abordagem Gestáltica, v. XV, n. 2, jul.-dez. 2009, p. 87-92.

Merleau- Ponty, M. *A natureza*. São Paulo: Martins Fontes, 2000.

______. *Psicologia e pedagogia*. São Paulo: Martins Fontes, 2006.

Pena-Vega, A. *O despertar ecológico – Edgar Morin e a ecologia complexa*. Rio de Janeiro: Garamond, 2006.

Perls, F.; Hefferline, R.; Goodman, P. *Gestalt-terapia*. 3. ed. São Paulo: Summus, 1998.

6. "E A PALAVRA TORNOU-SE CARNE": UMA VISÃO HUMANO-EXISTENCIAL DO CONCEITO DE PESSOA

E a Palavra tornou-se carne e viveu entre nós
(João 1, 14)

Buber, na sua capacidade de transportar o significado e o sentido das coisas para uma dimensão temporoespacial, rediz São João: "E a Palavra tornou-se carne" para "a palavra transportadora do ser" (Buber, 2001, p. XLII). A palavra transporta o ser total de quem fala para o ser total de quem ouve. O outro, ao receber minha palavra, a faz sua através de um complexo processo de subjetivação, reencarnando, ao seu modo, a palavra ouvida: minha palavra, carne de mim mesmo, se faz carne no outro, vira o Outro, se encarna nele, e, por um momento, somos uma só carne, dimensão psicológica, comunitária de nós mesmos.

O outro, deixado a ele mesmo, na verdade, não existe, pois o outro sem a palavra que o constitui é mera abstração. É o encontro experienciado de palavras-carne que gera o nós, pai ontológico de nossa individualidade; caso contrário, existirá apenas como uma coisa-em-si, sem um significado relacional. O outro, que chega a mim, é fruto de minha subjetividade; é ela que cria o outro a partir das circunstâncias existenciais do meu campo de presença.

Aqui nasce uma questão ontológica: Quem sou eu e quem é o outro. De um lado, o outro me faz face; logo, ele existe, pois, não fora ele, eu não saberia de minha própria existência. De outro lado, o outro não chega a mim como uma coisa-em-si, mas como um em-si-da-coisa, fruto de minha subjetividade, que me permite ver no outro o que o meu sentido interno me dita.

A consequência deste suposto é imediata: Somos seres de e em relação. Somos relação ambiente-organismo, mundo-pessoa. Estamos, sempre e, necessariamente, em relação com o outro, seja o outro pessoa, estrelas, mares ou uma formiguinha. Não somos ilha, somos península, cercada por todos os lados do outro que nos habita e que em nós faz a sua morada.

Delírio, vã ilusão imaginar-se único no universo, senhor de si mesmo, vivendo um monólogo que será sempre para a presença ausente do outro, um monólogo relacional silencioso, mas nem por isso, menos falante e à procura de sentido. Para que eu exista é necessário que ele exista, pois a presença dele constitui a minha.

Quando entramos em contato conosco, concluímos que somos minúsculos, um quase nada perante a complexidade do que nos cerca e nos move. Cercados de todos os lados e de todos os modos, quando olhamos o universo à nossa volta, independentemente de onde estejamos ou para onde olhemos, salta aos olhos que somos ínfimos, que nenhum poder é real diante da magnitude do universo e que é dele que nasce qualquer forma de poder. No nível cósmico não existe poder pessoal – todo poder é delegado, emprestado. Quando digo universo, estou falando do universo enquanto tal, pois o que seria de nós sem ar, fogo, terra, água, lei da gravidade, que nos mantêm vivos e até nos permitem atos de consciência e inteligência que nos distinguem do não humano? Coisas... é isso que somos. Somos coisas que sentem, pensam, agem e falam.

Nossa básica e complexa questão existencial vai além de estar ou não estar onde estamos, mas trata de ser ou não ser. Estou presente onde estou, sou uma totalidade, uma Gestalt, ou sou um conjunto de partes que, apesar da profunda desconexão entre meu campo de presença e minha relação ambiente-organismo, lutam pela sua autonomia e singularidade? Ou, indo além, lutam por um ajustamento criador, por uma totalidade existencial, por uma integração relacional nesta configuração chamada eu-mundo, feita de gente como a gente, de coisas como a gente.

Somos, portanto, seres de relação, num tríplice sentido: comigo, com os outros e com o mundo. Pode parecer paradoxal, mas é mais difícil estar em relação conosco mesmos do que com os outros, porque, sendo íntimos de nós mesmos, nos escapam nossas singularidades, o que equivale a dizer que é mais fácil lidar com nossas quantidades do que com nossas qualidades.

Lidar com o outro é, sobretudo, uma questão de quantidade, de visibilidade, regida, substancialmente, pelo nosso sentir, pensar, fazer e falar. Lidar conosco é, sobretudo, lidar com o emocional, regido, substancialmente, pelas nossas qualidades. As quantidades saltam aos olhos, são o tamanho, a cor, o peso, o cheiro. As qualidades, ao contrário, fazem parte de nosso mistério, são garantias silenciosas das quantidades que perambulam pelo nosso ser. São sutis, não saltam aos olhos, têm que ser descobertas mais pela nossa sensibilidade do que pela nossa inteligência, que, atenta ao mundo que nos cerca, se cerca de quantidades.

Sendo seres de relação, somos, necessariamente, seres de contato, não obstante ser mais natural entrar em contato com o outro que nos faz face do que conosco mesmos. Quando me olho, não me vejo, não faço face a mim mesmo, porque vejo o já visto, o antigo, o esperado. O outro, entretanto, me faz face, porque busco nele o *não-eu*; seu mistério me perturba, e sou atraído, imediatamente, pela visibilidade que rompe o mistério, que lhe tira a sombra e me mostra quantidades, tamanho, cor, beleza. O diferente.

Na grande maioria das vezes, vivenciando o *show* da vida em suas mais diversas formas, não prestamos atenção a nós mesmos, somos clandestinos, errantes de nós mesmos. Não sabemos entrar em contato conosco. Na nossa procura, nos perdemos de nós mesmos, e, por outro lado, o mundo está, permanente e necessariamente, se mostrando para nós, se exibindo, em contato, sendo ele um fenômeno que se oferece, assim, simplesmente, para ser desvelado pela nossa consciência. Para muitos de nós, o mundo passa desapercebido, porque as coisas só passam a existir quando nossa consciência as apreende, lhes dá sentido e significado como objetos de sua percepção.

Alguns de nós somos apenas virtualmente seres de relação, porque temos olhos e não nos vemos, temos ouvidos e não nos escutamos, temos tato e não nos tocamos. Somos imagens que caminham, sombras que nos revelam. O contato, portanto, não é uma percepção material e objetiva do outro, mas uma percepção de mim mesmo num ato subjetivo de consciência. Através do contato, o fenômeno se resgata e, assim, o outro se torna sujeito de minha apreensão, de minha subjetividade.

Talvez aqui possamos distinguir entre experiência do outro e vivência do outro. Estamos no mundo do contato. *Experimentar o outro*, pessoa ou coisa, é lançar sobre ele um olhar de busca, de apreensão da realidade, que se resume num processo operacional que tenta responder *o que* o outro é. Aqui predomina o resgate de quantidades. *Vivenciar* o outro, pessoa ou coisa, é ir à busca, dentro de si mesmo, de *como* o outro me afeta, é sair da busca da essência do outro para encontrar sua existência, ou seja, que significado, que sentido o outro produz em mim. Estamos constantemente entre experienciar o outro e vivenciá-lo em nós. Cabe aqui uma reflexão feita anteriormente: pessoas muito ligadas no "que" da experiência na sua relação com o outro têm maior dificuldade de perceber "como" as qualidades do outro as afetam.

Fazer contato, estar em contato, portanto, é estar se movimentando entre o "que", o "como" e o "para que" de uma realidade que se oferece à nossa experiência/vivência, através da qual construímos e constituímos o outro dentro de nós.

Nós existimos, e este fato é mais transcendental do que qualquer coisa que possamos dizer. É pelo *ser* que somos, e não pelo *fazer*. Ser e existir, um abismo ontológico os separa. Ser é um milagre; existir, um milagre maior ainda. Somos uma síntese ontológica de ser e de existir. Você é um milagre, um "acontecimento fora do comum, inexplicável pelas leis naturais" (Milagre, 2001). Pensa se você não é um milagre! Você consegue alcançar a complexidade do seu existir? Consegue entender que cada ser é único, singular, individual, com trilhões de células, e que, não obstante, somos muito mais semelhantes que diferentes? Pensar assim exige humildade e reverência pelo que somos, porque temos nos deixado encantar pelo que fazemos e perdemos contato com o fato maior: existimos. A formiga e o elefante também existem. Você merece respeito, eles também, porque é no existir, comunitariamente, gestalticamente, que reside a mais radical igualdade e cumplicidade.

Não importa ou pouco importa o que temos, o que acumulamos, o que fazemos. Importa o *que* somos, *como* somos, e, mais do que isso, importa *para que* somos, a que serve ser o que somos.

Importa o que somos porque estamos num nível além de corpo-pessoa: estamos num nível transpessoal, e não existe experiência e vivência transpessoal sem que o pessoal esteja profundamente conectado. Não entendemos quem somos apenas intelectualmente, pois o cognitivo é apenas uma dimensão de nossa estrutura de personalidade. Então, é preciso ser como se não se fosse, existir como se não se existisse, para que uma totalidade criativa e criadora surja e permita a síntese do dentro e do fora, a saída de uma subjetividade doentia, dominadora e egoísta para uma intencionalidade inteligente, harmoniosa e relacional.

O contato é o instrumento que permite à pessoa humana se olhar e reconhecer no outro seu próprio existir através da *simpatia*, que, cognitivamente, procura o igual no outro; da *empatia*, que, emocionalmente, procura sentir o sentir do outro; da *inclusão*, que permite incluir-se, adentrar-se amorosamente no outro; e da *confirmação*, que não só respeita o ser diferente do outro, como aceita e investe nessa diferença. Esses quatro níveis são inerentes à pessoa humana e cada um de nós está mais ligado a um do que a outro. A inclusão é o momento da superação do gostar para o amar, pois só entra em contato pleno com o outro aquele que se deixa perder amorosamente no outro. Só através da aceitação da diferença do outro é que nos tornamos iguais a ele, pois só assim entramos em contato com sua totalidade, que é onde mora a essência das coisas.

O caminho da aceitação das diferenças é uma estrada sensível e de difícil manejo enquanto via de comunhão existencial entre todos os seres. Vivemos nossas diferenças em muitos níveis, mas, sobretudo, em dois: o da estética ou da aparência observável e o da subjetividade de nossas internalizações negativas, que nos esconde do olhar perturbador do outro. Falo de um tipo de diferença que não aparece aos olhos da exterioridade, mas aos olhos dos nossos pensamentos secretos, sendo captada pela nossa inteligência, intuição e sensibilidade. Aquela que, quando a percebemos, nos faz sentir menos que o outro ou existencialmente diferente dele, sobretudo quando esse outro traz oculta, na aparência de sua aparência, a arrogância de seu jeito de ser. Nossa percepção detecta imediatamente esse tipo de pessoa e temos pavor dela.

Amar de verdade implica encontrar-se com a diferença do outro e honrá-la, e esse movimento é um movimento de transcendência, através do qual damos um passo para frente e para cima à procura de horizontes que nos permitam crescer, que nos instiguem à busca de novas e reais formas de existência.

Amar é, portanto, a lei suprema, e por isso seremos medidos, pesados e contados pelo nosso modo de amar. O egoísmo, o orgulho, a violência, a soberba, a avareza, a luxúria, a ira, a gula, a inveja, a preguiça são ajustamentos criativos disfuncionais, formas confusas de contato, formas de pregnância descendo os degraus de um modo errado de ser, formas errôneas de amar.

Não sem razão, São Paulo, na *Primeira epístola aos Coríntios* (13, 4), diz:

> O amor é paciente, o amor é bondoso. Não inveja, não se vangloria, não se orgulha. Não maltrata, não procura seus interesses, não se ira facilmente, não guarda rancor. O amor não se alegra com a injustiça, mas se alegra com a verdade. Tudo sofre, tudo crê, tudo espera, tudo suporta.

E Jesus diz: "Assim em tudo, façam aos outros o que vocês querem que eles façam a vocês" (Mateus 7, 12) e "Ame o seu próximo como a si mesmo'" (Marcos 12, 31).

Se queremos uma definição de humanismo, aí está. Amar, suprema ética, começa e termina em nós, pois ninguém dá o que não tem.

O amor é também uma forma mágica de lidar com as diferenças, de caminhar para um contato fecundo e criador, pois, quando as partes desaparecem, surge uma totalidade que nos convoca à transcendência. O amor não é e não pode ser "uma conversa fiada", ele é a mais radical opção que um ser humano pode fazer pelo outro, e aqui estão alguns dos que morreram de amor pela justiça: Mahatma Gandhi, Martin Luther King, Chico Mendes, João Paulo I, Dom Hélder Câmara, Irmã Dorothy Aqui estão milhões de pais e mães, que, no silêncio de seu coração, tudo fazem e suportam pelo amor de seus filhos para que possa surgir um mundo melhor, sem violência, sem oprimidos, sem fome, e também milhares de outros que, no anonimato, dão testemunho do seu amor pelo outro.

Não percamos a perspectiva de que estamos tentando responder a duas questões centrais, sendo a segunda decorrência natural da primeira: o que é ser pessoa e quem somos nós, e a uma terceira questão básica, que perpassa, todo o tempo, nosso raciocínio de que somos, por natureza e por definição, ambientais-animais-racionais, seres de relação, conscientes de nossa relação ambiente-organismo, que nos constitui no mundo.

Amar, em síntese, é pertencer, é encontrar-se com o outro e buscar sua beleza, seu jeito de ser. Amar é aprofundar-se no fascínio pelas partes que geram a magia da totalidade, que é o que aquieta o coração humano, pois somos atraídos pelo completo, pelo acabado, pelo perfeito.

Somos partes de uma infinita totalidade que é o que dá sentido às coisas. Somos como as letras de uma palavra: sozinhas não significam nada, mas juntas são as mil possibilidades de ser. Somos como um alfabeto vivo, falante, integrado, transformador, ou como as notas de uma sinfonia, que, juntas, formam totalidades estéticas musicais de estonteante beleza.

Numa falsa, às vezes, aconchegante confluência, não nos damos conta de que estamos imersos no universo, de que somos o universo, de que o universo somos nós. Olhamos sempre à nossa frente, não olhamos ao derredor. Vivemos relações de causa e efeito, de certezas que sutilmente escondem a magnitude dos efeitos que provocamos. Pensamos linearmente. Excluímos as possibilidades de nosso dicionário existencial. Trabalhamos fatos, dizemos.

Independentemente do que os gregos quiseram dizer ao definir o homem como animal racional, hoje, na prática, essa definição se tornou pobre e insuficiente para definir o homem como um ser de relação, um ser de contato. Essa definição, no máximo, contempla o homem em si mesmo, fragmentado, isolado do seu meio, como uma totalidade relativa e que se basta a si mesma. Ela o vê como indivíduo, singular, e perde a dimensão de que o homem é, necessariamente, um ser em contato, um ser de relação no campo ambiente-organismo, em relação com o e no universo, o qual é composto de minerais, vegetais, animais não humanos e humanos. Não existe, portanto, eu *e* o universo. Sou parte constituinte, fundante do universo, assim como também o são os minerais, os vegetais e os animais não humanos. A esse processo de pertencimento, de não dualidade, de não fragmentação eu chamo de ambientalidade, a terceira dimensão essencial, estrutural, constituinte do ser humano. Ele pertence ao universo, ele é do universo. A definição do ser humano como animal racional criou uma dicotomia, uma fragmentação que terminou por privilegiar o homem, ora o animal, ora o racional, conduzindo-o por caminhos inimagináveis do ponto de vista psicológico, social, político, econômico. Basta citar a escravidão, em que o negro não era considerado como tendo direitos, era como um animal, *res domini*, sobre o qual o senhor (o racional) tinha direito de vida e de morte.

Direitos e deveres têm a mesma natureza, são uma unidade de serviço e não de poder sobre quem quer que seja. Ninguém tem direito sobre o outro se o outro não lhe outorga esse direito. O poder constituído não nasce de uma lei, de um diploma, de uma nomeação ou do Estado. Nasce, assim como o direito, da relação que duas pessoas estabelecem entre si; portanto, obedece à lei da proporcionalidade. O poder é uma concessão que alguém faz ao outro para ter o direito de funcionar em seu nome. O direito pessoal é inalienável, o poder não. O direito nunca é maior que os deveres que gera. É um privilégio concedido a alguém, não uma prerrogativa. A lei legitima essa escolha do indivíduo.

Existe, no ser humano, um princípio fundamental: o instinto de autopreservação, isto é, tudo que nasceu nasceu para viver de acordo com sua própria natureza. Exercer um (suposto) direito sobre o outro é tirar dele o que a natureza lhe concedeu, que é viver de acordo com o que ele entende que são suas potências ou potencialidades, prontas para se transformarem em ato quando ele, livremente, assim o desejar. Viver em sociedade significa experimentar, a todo instante, as fronteiras e os limites do próprio poder pessoal. Esta é uma ética natural. A ética nasce da relação respeitosa entre as pessoas e não de uma lei supostamente representante da universalidade das pessoas e que alguém diz ser seu legítimo intérprete.

Muitos acreditam que têm poder pessoal para julgar e que podem julgar como lhes parece – às vezes, à revelia do direito do autor e do réu em questão. No entanto, ninguém tem poder pessoal sobre o outro. O que é nosso é apenas aquilo com que nascemos. Todo o resto nos é concedido para que o administremos em nome do outro.

> "Você se nega a falar comigo?", disse Pilatos. "Não sabe que eu tenho autoridade para libertá-lo e para crucificá-lo?" Jesus respondeu: "Não terias nenhuma autoridade sobre mim se esta não te fosse dada de cima. Por isso, aquele que me entregou a ti é culpado de um pecado maior". (João, 19, 10-12)

> Não julguem, para que vocês não sejam julgados. Pois da mesma forma que julgarem, vocês serão julgados; e a medida que usarem, também será usada para medir vocês. Por que você repara no cisco que está no olho do seu irmão e não se dá conta da viga que está em seu próprio olho? (Mateus 7, 1-4)

Jesus expõe, através dessas afirmações, um claro conceito de pessoa, baseado no conceito de direito, que é o lugar onde todos nós nos refugiamos para estabelecer entre o outro e mim a noção de limite, de presença, de singularidade, de individualidade, em todo o sentido. Se pensarmos bem, a noção do que penso que me é devido permeia, de lado a lado, nossas relações pessoais. O outro é o meu limite, mas eu sou a balança que tem a presunção de decidir tudo. O outro é o meu limite, o outro me faz face, não somos senhores uns dos outros. Na verdade, não somos senhores nem de nós mesmos. Somos seres em relação e o outro é o lugar onde minha liberdade e poder acabam, a não ser que ele, em caráter especial, me conceda a faculdade de falar e agir em seu nome. O outro é o lugar no qual a ética indica que ultrapassar, desrespeitando os sinais, é violência e desrespeito.

Por essas razões, a definição de pessoa, como animal racional, torna-se incompleta, porque ela abre espaço para toda sorte de subjetivismos e relativismos tanto em nível pessoal quanto social. A usurpação do poder do outro, roubando-lhe o direito de ter direitos, nasce de uma falsa concepção da animalidade e da racionalidade que tira de uns o poder, igualando-os a animais, e concede a outros o direito sobre os primeiros, igualando-os a Deus, de quem procede absolutamente todo o poder, privilegiando a racionalidade pelo fato de ser homem, e não pessoa.

Na verdade, de fato, e por natureza, o ser humano é ambiental-animal-racional. A essência humana é, portanto, ambientalidade-animalidade-racionalidade. Colocamos um hífen para fugirmos da tricotomia que esses três construtos isolados causariam à essência humana.

Nossa reflexão sobre a questão do poder e do direito, enquanto propriedades humanas inalienáveis, nasce do fato de que a relação humana transcende a animalidade-racionalidade, tão decantada, para se espelhar na ambientalidade, tão parcamente falada e defendida. Quando afirmamos que ser de relação é uma propriedade essencial e existencial do ser humano, estamos afirmando que todo o poder e direito são relacionais e nascem do existencial ambientalidade, o qual define o ser humano como um ser do mundo, nascido e constituído por ele e permanentemente em contato relacional.

Todo o direito se funda nestas três dimensões humanas, que nos constituem como seres absolutamente iguais: somos ambientais (gerados da barriga da mãe terra, somos ar, fogo, terra, água), somos animais (sujeitos de sensações, sentimentos, afetos, emoções), somos racionais (somos imaginação, memória, vontade, inteligência) e todo abuso de poder nasce da exclusão de uma destas nossas dimensões essenciais. O direito emana de uma delegação, de uma procuração que alguém confere a outrem para falar e agir em seu nome. Sem esta perspectiva, o direito não tem nenhum direito de se dizer humano.

Isso assim posto nos coloca diante de uma totalidade, de uma configuração, de uma Gestalt cujas partes se inter e intrarrelacionam, de tal modo que não se sabe onde começa uma e termina outra. Somos uma totalidade em ação, de tal modo que ora uma, ora outra dimensão assume a característica de figura, a partir da necessidade da pessoa em um dado momento e em um dado campo. Somos metafisicamente em relação, somos constituídos de uma relação psicodinâmica de partes, em ação, em ato.

Olhando a pessoa humana de um ângulo mais operativo e ampliando nossa perspectiva de horizontes à procura de ver melhor a dimensão humana, poderíamos, com absoluta especificidade, defini-la como um ser *biopsicosocioespiritual*.

Ao introduzir uma quarta dimensão à definição que comumente se faz da pessoa, a espiritualidade, damos mais um passo em direção a uma totalidade que, em função de sua própria teleologia, leva o homem a transcender, explicitando toda sua potencialidade de ir além da materialidade das coisas para a imaterialidade que é própria da qualidade presente em todo ser humano.

A dimensão "bio" tem a ver com nossa animalidade, que prioriza a questão do primitivo, do corpo, suas emoções, sentimentos, afetos. Nosso corpo é nosso instrumento visível de contato e de trabalho. É nosso inconsciente visível, através do qual expressamos nossas histórias escritas ao longo dos anos. O corpo, apesar de todas as suas predisposições genéticas, termina sendo uma construção nossa. Ele é o que fazemos ou fizemos dele ao longo da vida. Ele fala o tempo todo – e como fala! – mas nós somos os que menos o ouvimos. Muitas vezes, só quando se quebra sua capacidade de ajustamentos criativos, de autoecorregulação organísmica, é que nos apercebemos de que nossa cabeça se esqueceu totalmente do corpo, e aí aparecem toda sorte de sintomas, que, em última análise, são sempre propostas de ajustamentos criativos, de equilibração organísmica, de busca de pregnância de última hora, tentado produzir uma autoecorregulação provisória no organismo. Mas aí, para usar um jargão popular, já não temos mais peças originais para ele, apenas reparos e peças de segunda linha. Na verdade, nada mais somos que os contatos que fazemos. A escolha é nossa.

A dimensão "psico", como expressão da racionalidade, nos coloca diante de uma consciência reflexa, através da qual intuímos a realidade, experienciando-a nos seus mais sutis modos de operar. Estamos no reino da imaterialidade, do qual o pensamento é a expressão mais clara dessa nossa dimensão espiritual. Quando dizemos que o homem é um animal racional, estamos dizendo que ele é um ser que usa a razão, a mente, de tal modo que os processos cognitivos envolvem argumentação, inferência, indução, dedução, analogia, prova, conclusão. O homem é, portanto, não só racional, no sentido de que usa a razão, mas também racionável, no sentido de que pratica os processos próprios da razão. A razão é, portanto, uma propriedade humana, que especifica o ser, que o distingue dos animais pela complexidade das operações que ele pode fazer. Essas operações, entretanto, não são abstrações ou processos autocognitivos, desconectados do meio ambiente; eles nascem do meio e trabalham em função do meio ambiente, e ressentem, psicologicamente, o meio como um campo de ação e reação. Como nada vai ao intelecto sem passar pelos sentidos, concluímos que todos esses processos têm a chancela do psicológico, e, consequentemente, do emocional.

A dimensão "socioambiental" da essência humana passa ou tem passado quase despercebida. Tudo que é necessário à sobrevivência humana entra, necessariamente, na definição do ser humano. Se precisamos de ar, de água, de calor, de umidade, da lei da gravidade, e tudo isso é o que constitui o meio ambiente, então somos, estruturalmente e por definição, ambientais. A ambientalidade, ou seja, a vivência intrínseca do mundo, do meio ambiente, não são intrusos na definição da pessoa humana, são seu terceiro elemento metafísico, sem o qual o homem não poderia subsistir. Se somos mundanos, isto é, feitos da substância do mundo, somos essencialmente mundanos, feitos do e pelo mundo. Se a matéria corporal sensível constitui nossa animalidade, se a razão constitui nossa racionalidade, o meio ambiente constitui nossa socioambientalidade. A compreensão radical deste terceiro elemento da constituição de nossa essência humana leva a pessoa a um processo autoeducativo extremamente criador e redentor, através do qual o homem compreende que a solução sustentável do planeta é ele sentir que não existe um planeta *e* ele, mas que ele é o cosmos, o cosmos é ele, planeta-*e*-ele, de tal modo que, não sabendo onde começa um e termina o outro, tenhamos plena consciência de que tudo que acontecerá a um acontecerá também, e fatalmente, ao outro.

A salvação ou a destruição de um significa também a salvação ou a destruição do outro. Estamos diante do *princípio do eterno retorno*, do mágico bumerangue que lançamos ao vento e retorna às nossas mãos. Aqui se aplica o termo globalização no seu significado mais radical. Os dois são sujeitos e objetos do que acontecer a um dos dois. A ambientalidade é fundamental para o desenvolvimento de uma teoria e de uma prática da ecologia, sem a qual nosso planeta ficará, cada vez mais, menos viável e sustentável. Será através de uma experiência vivenciada da ecologia, como mestra interior da pessoa humana, que esta dimensão será considerada como o instrumento que faz o homem transcender da animalidade para a racionalidade e desta para uma humanidade fundada, sustentada e mantida na e pela ambientalidade.

A quarta dimensão do conceito de pessoa, "espiritual", passa, necessariamente, pelas anteriores, ambientalidade-animalidade-racionalidade. Estamos falando da dimensão espiritual da essência humana, através da qual a pessoa atinge o ápice de toda forma de fazer contato. A dimensão espiritual permite ao homem entrar no mundo dos valores, a vivenciar a qualidade que existe em todas as coisas, transcendendo a materialidade destas. As operações mentais, cognitivas, de razão acontecem também no nível da imaterialidade – elas são operações *per se*, e não têm, necessariamente, uma destinação para fora. Começam e podem terminar em si mesmas, sem um desdobramento para fora, ao passo que o mundo da espiritualidade é o mundo da *ressignificação* da essência do objeto sob observação. O olhar espiritual recria ontologicamente o objeto observado. Não fosse a dimensão espiritual da essência humana, estaríamos sempre diante da materialidade quantitativa de todas as coisas.

É a dimensão espiritual que descobre na matéria suas mil possibilidades através das qualidades possíveis inerentes a todos os seres. É através da espiritualidade que o possível se torna um acontecimento. Uma rosa, por exemplo, vista cognitivamente é apenas uma rosa, uma *quantitas*, mas em toda *quantitas*, existe uma *qualitas* a mais a ser descoberta, além da pura observação do objeto em questão.

A dimensão espiritual nos permite transcender a coisa-rosa para suas mil possibilidades de ser, isto é, de se tornar um acontecimento, podendo ser o perfume que suaviza, a beleza que encanta, um presente para a pessoa amada, a estética que move o artista. Quanto mais alguém usa sua dimensão espiritual na contemplação da coisa material, mais transcende ante sua experiência estética vivenciada e mais transcende a si mesmo na busca de seu último significado.

Essas dimensões são reais, concretas, existem e nos permitem localizar-nos na relação organismo-ambiente neste campo de presença que é o aqui-agora. Grande parte da humanidade age na função homem ou mulher, perdendo a dimensão homem-pessoa, mulher-pessoa, sendo levados por uma praticidade e por um imediatismo que nos torna profundamente egocentrados. Vivemos uma realidade em que o "salve-se quem puder" parece estar se tornando a regra básica do relacionamento humano, em um completo abandono da dimensão relacional que prioriza a relação pessoa-pessoa.

Quando digo que somos ambientais, uma das três dimensões humanas que nos constituem, além de animais-racionais, estou afirmando que toda a nossa experiência ocorre no campo, em situação, em ação completa, mas não estamos largados de nós mesmos, impotentes e incompetentes para lidar com a situação que nos confronta. Somos naturalmente dotados de criatividade, que nos permite criar, e de intencionalidade, que nos desperta para a realidade como intenção. A realidade é uma provocação permanente à nossa capacidade criadora e de intenção. A realidade pede para ser *recriada* e *reescrita*, a todo instante, e será nossa intenção o instrumento que a irá manipular, *des-cobrindo-a*. *Des-cobrir* significa tirar o pano de cima, abrir a porta e deixar entrar luz. Assim, nossa experiência de campo se transforma, pela nossa subjetividade e poder criador, em um campo permanente de experiência. Assim, criação e intenção são funções de nossa criatividade e intencionalidade. Minha experiência habita o corpo do outro e o corpo do outro habita meu corpo e minha experiência; portanto, existe, necessariamente, em interface, um lugar no qual nos encontramos com o outro. O campo é uma experiência que cada um constrói, mas também não é uma entidade material. Desse modo, o contato – ou estar em contato – é a experiência dominante do campo. O contato não é a experiência ou a vivência da materialidade do outro. O contato é a busca do invisível que mora no visível do outro. Estamos, de uma maneira radical, falando de alma, a parte ou a dimensão mais profunda do ser humano.

Quando falamos a palavra contato, implicitamente, estamos falando de dois – eu e o outro –; portanto, é a relação entre o organismo (eu) e o ambiente (outro) que organiza o campo através do contato. Somos sujeitos e objetos do campo que organizamos. Ao criá-lo, tornamo-nos sujeitos a ele, o tempo todo. Estamos dizendo que o conceito de pessoa se concretiza no campo e que o campo é o lócus onde nossa realidade acontece e se torna significativa.

Não estamos construindo teorias, pois estas são apenas fixações de conceitos; não são necessariamente a verdade sobre algo, mas apenas um modo de organizar a experiência, e não a realidade enquanto tal. Tentamos nos aproximar da verdade através de teorias, mas uma teoria nunca será uma verdade. E, diga-se de passagem, uma teoria, quando vira verdade, frequentemente vira religião e, como é impossível *re-ligar* toda a verdade, as religiões passam a ser extremamente reativas e subjetivas, perdendo, paradoxalmente, sua suposição de expressar a verdade.

A pessoa humana não está em busca da verdade, mas sim em busca de um sentido, do seu sentido, que perdura pela vida afora, pois se a verdade existisse por si só, certamente a encontraríamos com mais facilidade nas curvas e caminhos da existência. Por isso o homem sempre lidou mal com a verdade.

Quando Pilatos pergunta a Jesus, no seu julgamento: "O que é a verdade"? Jesus se cala, prefere o silêncio que o levaria à morte a definir teoricamente a verdade.

A intencionalidade é uma função da consciência. Não existe consciência em si, ela é sempre relacional, é sempre consciência de algo.

Assim, exceto as verdades matemáticas, que já estão prontas ou à espera de ser encontradas, a verdade humana é sempre uma procura, nunca está pronta. Existir, honestamente, é estar permanentemente à procura da própria verdade, do próprio sentido, da própria intencionalidade.

O ato de criar supõe fazer surgir algo do nada, por isso criar é um atributo divino. Quando dizemos que criamos, criamos apenas em sentido lato. Entre os humanos, não criamos do nada, criamos a partir do outro, que sempre faz parte de nosso ato criativo. Jamais saberemos a verdade do outro ou sobre ele, por isso a ideia de que possamos construir plenamente "uma verdade" nos coloca diante de um absurdo, que é a ideia de podermos ser absolutamente coerentes. Uma coerência, supostamente plena, seria, por sua vez, a negação de nossa própria subjetividade. Isso equivaleria à morte de nossa criatividade e a uma proibição cognitiva de evoluir, o que implicaria deixarmos de ser seres de relação, de passagem, vivendo a ilusão da divindade e de uma total ausência de limites. Nossas certezas, no máximo, nos levam até nós mesmos, porque a verdade está na relação, não é uma produção isolada da mente.

Transformo minhas certezas nas minhas verdades, mas a verdade não se transforma em nossas certezas, porque não nasce de nossas operações mentais, e sim da adequação do objeto ao nosso intelecto, como, por exemplo, de uma maneira extremamente simplificada, duas laranjas mais duas laranjas são quatro laranjas. Esta é uma verdade que nasceu da minha relação com o mundo, em primeiro lugar. Não se fabricam verdades, verdades se encontram.

Não conseguimos fazer essa operação matematizada quando se trata de uma realidade que implica, emocionalmente, a existência do outro, pois a verdade não está em nossa mente, mas na situação, no campo. Intuí-la é o mais desafiador processo cognitivo humano. Não sabemos nunca o que é *a* verdade de um dado, de um acontecimento, porque o fenômeno só se torna fenômeno quando apreendido pela consciência, e a consciência jamais aprenderá a totalidade de um objeto dado.

Seres de relação, do mundo, será através do contato que nos abeiraremos da verdade. O contato é função de nossa capacidade criativa e criadora e proporcional à dimensão de nossa fluidez. Assim, quanto mais rígida uma pessoa, tanto menos se abeirará da verdade e tanto menos se deparará com a realidade enquanto tal.

É por isso que, "para muitas pessoas, confiar em alguém é uma violação de toda a sua maneira de ser no mundo. É uma aventura totalmente nova repleta de riscos que sempre ameaça a pessoa como um não-ser" (Hycner, 1995, p. 122).

De algum modo, o outro é um *não-ser* para mim e eu sou um ser-outro para ele, e, como o outro não sou eu, torná-lo existente para mim implica num processo de inclusão de sua realidade no mundo de minha subjetividade, ou seja, no desvelamento e aceitação espontânea do ser do outro. O outro é o diferente. É o diferente no outro que me fascina e me afasta dele e, como sou igual (idêntico) a mim mesmo, sou uma rotina metafísica que não mais me fascina e incomoda. Ir ao encontro do diferente é abrir-se a toda sorte de risco, mas é o único caminho de me aprofundar em mim mesmo e me lançar para encontrar o diferente que mora no outro. Sem medo.

"O homem é a medida de todas as coisas". Protágoras. Talvez esta seja uma das verdades menos escutadas, menos vividas, mais esquecidas da história. Ao longo dos séculos, as instituições criadas pelo homem e para o seu bem se voltaram contra ele com um absoluto desrespeito. A Igreja, por exemplo, na inquisição, matou milhares de pessoas, talvez milhões; países, através de guerras sem fim, vilipendiaram o ser humano da maneira mais atroz que se possa imaginar; o racismo, nas suas mais diversas formas, tem sido um acinte a toda forma de liberdade humana; leis feitas pelos homens, através de gestos aparentemente legais, abandonaram o homem à sua própria sorte, num total estado de impotência.

Todo homem está a serviço de seus semelhantes e toda a humanidade está a serviço do homem por uma razão ontologicamente imbatível: tudo que nasceu nasceu para viver e viver adequadamente, porque, do contrário, num processo autoimune, *ab origine*, o ser humano seria a negação de si mesmo, e, consequentemente, um ser inviável. Talvez pudéssemos mudar o pensamento de Protágoras: "O homem é a medida de todas as coisas" para "todas as coisas são a medida do homem". Um homem não pode ser para um outro homem uma abstração. Estamos falando deste homem, aqui-agora, não importa quem ele seja, pois, quem quer que ele seja, ele é, de algum modo, a medida com que medimos o universo.

Não se pode lidar com o homem despersonalizando-o, fazendo de conta que ele não existe, pois ele é um guardião do mundo e, enquanto ser vivo, se programa, a cada fase do processo evolutivo, para se tornar um entre os iguais, o que cuida das necessidades do outro. Os homens deveriam, como a ponta mais evoluída do universo, viver entre si uma integração harmoniosa, autorreguladora, sustentável, e não permitir que outros homens (negros, prostitutas, indígenas, homossexuais) vivam uma alienação histórica cultural, orgânica, como se uma parte da humanidade fosse menos pessoas que outra. A proposta humana deveria ser a de que todos os homens vivam um processo de liberdade e de liberação, interligados e intraligados a partir de uma realidade pessoal, não delegável, que tivesse como princípio básico um único e inalienável valor na direção da caminhada de valorização do transcendental, se obrigando a uma releitura radical da relação homem-mundo. Isto implica que todas as pessoas possam experienciar, harmoniosa e respeitosamente, sua própria subjetividade e sentido; implica a busca de uma identidade pessoal, através de um encontro marcado por um profundo contato de busca do sentido de sua própria historicidade humana; implica ser um ser do mundo e na fuga efetiva e permanente de uma categorização de juízos morais que, na prática, confirmam as premissas perversas de predomínio de uns poucos sobre muitos.

Nós somos totalidades vivas e portadoras de significado, de sentido e vida. Isso implica que todos nós estejamos engajados na busca de uma autêntica felicidade, na *re-descoberta* de nosso corpo e de suas potencialidades, na aceitação tranquila e transformadora dos mistérios que nos envolvem e, ao mesmo tempo, possibilita que nos encontraremos com nossa própria magia e beleza. Na verdade, nós somos uma obra de arte a ser contemplada com o mais genuíno interesse. Somos uma sinfonia, cujas notas permitem que todos possamos nos deleitar com nossos acordes existenciais e de sentido.

Ninguém é melhor do que ninguém, somos apenas diferentes uns dos outros, e é pelas nossas diferenças que temos que ser admirados. São nossas diferenças que tornam possível à humanidade caminhar e encontrar seu destino.

Só a duras penas o mundo começa a perceber sua verdadeira dimensão espiritual, porque nossa materialidade, tão consciente e inconscientemente decantada, transformou o mundo num palco de infinitas luzes, mas não trouxe para o homem o caminho da verdadeira e autêntica felicidade. Quanto mais se abrem os horizontes da tecnologia e do progresso, mais perdidos parecemos estar, porque com tantas luzes não conseguimos descobrir o caminho de volta à casa, ao nosso corpo-pessoa-gente-irmãos uns dos outros.

Quero concluir, mas sem poder concluir, porque o caminho para a descoberta do outro é infindável. Concluir significa que o caminho terminou. A linha da vida não termina nem com a morte, porque a morte não é o oposto da vida, ela é, apenas, o outro lado desconhecido da moeda, sempre girando sobre si mesma, expondo-nos a um outro nível de funcionamento. De fato, todos os dias morrem coisas em nós, bem como nascem ou renascem. Se observarmos uma moeda, seus lados são separados por um milímetro de espessura. Assim, morte e vida têm entre si um milímetro de espessura, o que torna a vida e a morte fascinantes, porque tão proximamente interligadas e tão distantes e negadas no imaginário de cada um de nós.

Mas retornemos, por mais um pouco, às questões da vida, na sua exuberância de possibilidades, probabilidades e acontecimentos reais.

Quero terminar com cinco mágicas palavras, que nos descortinam cinco horizontes, convocando-nos para o espetáculo da vida e do viver, permitindo-nos olhar e definir a pessoa humana a partir de alguns de seus modos específicos de ser e de estar no mundo em relação. São elas:

Imanência – Do verbo latino *manere*, que significa permanecer. É o atributo que me garante minha singularidade e individualidade. Aqui-agora sou e estou eu. Tudo que é meu é meu, neste preciso momento e neste preciso campo. Ser de infindas possibilidades, permaneço eu, mudando todos os dias. Sou inconfundível,–ninguém me repete. Sou substancialmente eu, sempre. Isso me faz saber onde estou, de raízes fincadas no universo, permitindo a expansão de minha copa ao infinito. Permaneço eternamente eu. Apesar de minhas mudanças, jamais serei outro que não eu. Existencialmente, este atributo me permite a esperança de poder crescer, sem medo, sem perder o meu próprio ser; por isso, imanência é um tributo à presença ontológica de cada ser neste mundo de infinitas ausências existenciais.

Impermanência – Um tributo à mudança. Tudo muda. Uma das poucas leis cósmicas, responsável pela evolução de todos os seres, é que tudo muda, tudo está em movimento. Mudamos o universo, o universo nos muda. Nada fica para sempre no mesmo lugar. Estamos falando de lugares (*locus*) físicos, mentais, comportamentais, espirituais. Valores, tradições, culturas, nossa saúde estão em permanente mudança, produzindo uma equalização dentro de cada ser, de tal modo que ele possa prosseguir no seu processo evolutivo à procura de novas formas e funções. Nada nos garante que estaremos vivos daqui a uma hora, que teremos tempo de realizar nossos sonhos, que colheremos os frutos das ações plantadas. A vivência radical deste tributo desperta em nós um profundo sentido de ética, que é a essência do humanismo; desperta em nós a necessidade do cuidado e da prudência em nossos gestos, sobretudo aqueles mais ocultos; nos proporciona um sentido de eternidade, porque, num processo de eterna mudança, qualquer de nossos gestos tem garantia de uma transcendental permanência.

Interdependência – Um atributo de nossa mais evidente condição humana. Tudo depende de tudo, está ligado a tudo, nada é cosmologicamente isolado, não somos ilha, somos península, cercada de todos os lados por pessoas e coisas. Somos necessariamente seres de relação, somos sociais por natureza e isolados, egoístas por educação; somos ontologicamente livres, porque estar vivo é estar em movimento, e porque sem liberdade estaríamos fixados no presente. Viemos, no entanto, do passado, e nos programamos para o futuro, porque somos movimento, que, como uma flecha, um dardo, procura sempre seu ponto de aplicação e de chegada. Porque não estamos sozinhos, somos seres de infinitas possibilidades – e é o encontro dessas infinitas possibilidades, bem como o de todos os seres, que torna o universo possível e factível de evolução. Pensar existencialmente a interdependência desperta em todas as pessoas um sentimento de proteção, de que se é ajudado permanentemente pela radicalidade do processo de interdependência a que estão sujeitas todas as coisas. Dando um passo além, a interdependência cria uma cumplicidade que possibilita a vivência respeitosa da liberdade de todos os seres para ser, de fato, eu e o outro o outro.

Transparência – Não é um atributo, é uma conquista. A água barrenta dos rios depois da chuva recupera sua transparência quando decantada por seu próprio movimento de limpeza. Aí está nossa dificuldade: de nos filtrarmos existencialmente através de um profundo e honesto movimento da ética, da sinceridade, da dor, do sofrimento, do amor, dado que estamos permanentemente sujeitos, expostos às correntes negativas do mal que nos cerca. Ser transparente para si mesmo, em primeiro lugar, é lavar-se de toda sujeira, ensaboar-se da espuma branca e suave do respeito pelo outro, ser alguém de bem no silêncio de sua vida, promover a justiça, a paz a partir de uma experiência de mundo, única e pessoal, tirar a venda dos olhos para enxergar diretamente a realidade do outro, não sujar as mãos com a iniquidade acobertada pela posição social ou por qualquer outro poder, e sentir-se responsável por pertencer a este universo que nos acolhe tão maternalmente. A transparência é, portanto, um tributo à luz que, colocada em cima da mesa de nossa existência, ilumina a todos que dela se abeiram.

Transcendência – Transcender é um delicado e silencioso convite que o universo nos faz a todo instante. Sua salvação está na nossa capacidade de transcender, de ressignificar nossos gestos de tal modo que nossa prática seja guiada por um apelo a que deixemos nossas possibilidades de ser se transformarem em um ato contínuo de amar. A transcendência depende do grau de contato de nossa capacidade de nos relacionar com a rotina, ressignificando-a. Transcender é olhar de maneira diferente uma coisa que sempre vimos de um determinado modo, e descobrir nela uma beleza e possibilidades diferentes do que sempre enxergamos. Transcender é descobrir e se encantar com todas as possibilidades ocultas presentes em todos os seres. É um ato de *recriar* a essência própria do objeto contemplado. *Transcender não é ser especial, mas descobrir o especial próprio de cada ser.* Todas as coisas são especiais ou se tornam especiais quando as olhamos ou as contemplamos de uma maneira especial. Nós transcendemos através das coisas e elas, através de nós. Transcender nada mais é que descobrir as mil belezas que moram nas mais simples coisas: no nascer do sol, no encanto de uma noite estrelada, no perfume de uma flor, na lágrima de uma mulher, no sorriso de uma criança. Transcender é olhar todas as coisas com todo o respeito que elas merecem. Quem é incapaz de se encantar consigo mesmo é incapaz de transcender, porque, se não sou cúmplice de minha própria beleza, não conseguirei ver a que habita o outro. Não se transcende a partir da abundância, mas da carência; por mais perfeito que algo seja, nunca esgota suas possibilidades de se deixar conhecer. Transcender é eminentemente um ato de contato relacional. *Transcender é um tributo ao mistério escondido em todos os seres, e que só se desvela quando olhado com amor.*

Refletir sobre o conceito de pessoa nos remete ao mais íntimo de nós mesmos, porque, de fato, somos um campo interminável de investigação. Quanto mais me adentro nesta pesquisa, mais longe pareço estar do ponto de chegada, até porque nem sempre um ponto de partida é, de fato, o ponto de partida. Assim, se não temos certeza do ponto de partida e o ponto de chegada não nos é garantido, resta-nos peregrinar neste meio caminho e neste caminho do meio, na esperança de que terminemos por encontrar um pouco mais de nós mesmos.

É fascinante refletir sobre esse conceito. Mais fascinante ainda é sentir-se pessoa. E muito mais fascinante é olhar o outro e reconhecê-lo pessoa-como-nós.

E, nesse instante, a Palavra tornou-se carne.

Referências

Bíblia. *Nova Versão Internacional*. Disponível em: <bibliaonline.com.br/nvi>. Acesso em: 11 abr. 2022.

Buber, M. *Eu e Tu*. São Paulo: Centauro Editora, 1974/2001.

Hycner, R. *De Pessoa para pessoa – Psicoterapia dialógica*. São Paulo: Summus, 1995.

"Milagre". In: Houaiss, A.; Villar, M de S. *Dicionário Houaiss da língua portuguesa*. Rio de Janeiro: Civilização Brasileira, 2001 (versão *online*).

Ribeiro, J. P. *Do Self e da ipseidade*. São Paulo: Summus, 2005.

______. *Ruídos: Contato, luz, liberdade – Um jeito gestáltico de falar do espaço e do tempo vividos*. São Paulo: Summus, 2006.

7. Sofrimento humano e o cuidado terapêutico[1]

Como verdadeira descarga vital, a dor sacode qualquer adormecimento, fulmina a imaturidade e leva o homem, frequentemente à força, a níveis muito mais profundos de compreensão de si mesmo e do mundo. [...] Somente a fé vital, pessoal e dinâmica em Deus torna possível a fecundidade pedagógica da dor [...].
(E. Buch Cami)

Quando os joelhos se dobram, o coração se inclina, a mente se cala diante de enigmas que nos ultrapassam definitivamente, então as rebeldias são levadas pelo vento, as angústias se evaporam, e a paz preenche todos os espaços.
(I. Larranãga)

Sofrimento humano e cuidado terapêutico, eu diria psicoterapêutico... O que vem antes disso? – uma história, estágios de confusão, de desesperança, de impotência. E o que vem depois? – cuidado, contato, amor, uma pessoa-corpo-no-mundo, vivo e próprio. E o que vem no meio? – a Vida.

O psicoterapeuta se coloca entre o passado e o futuro, que convivem simultaneamente num lugar chamado *instante*, onde passado e futuro se encontram, constituindo o presente transiente concreto, por onde a flecha do tempo passa na direção do futuro em busca de horizonte e possibilidades, proclamando que todo ser humano é viável e diz: confia, vem, você pode. Somos seres em movimento. Mudar é uma condição humana. Mudar significa olhar o horizonte, testá-lo e ir em frente.

A esperança é a mola, o instrumento sagrado de qualquer mudança. Só se vive a esperança quando o amor faz morada, habita o coração da gente. Um coração tocado pela fé é um coração que faz do amor seu combustível original.

1 Texto orginalmente publicado no livro *Sofrimento humano e cuidado terapêutico*. Organização de Claudia Lins Cardoso e José Paulo Giovanetti. Belo Horizonte: Artesã., 2019. Coleção Fenomenologia e Psicologia Clínica, p. 111-129.

Estamos em movimento e, muitas vezes, não nos damos conta de que a caminhada constrói o caminhante. Somos o resultado de nossas caminhadas. Elas nascem de desejos nossos, de desencontros nossos, de desafios nossos, de necessidades nossas, de circunstâncias nossas, da nossa fé, do nosso amor a nós, ao outro, à natureza. O outro é também uma condição humana, não somos ilhas, somos penínsulas. Pessoas nos habitam dentro e fora e de todos os lados. O outro é parte do meu caminho, às vezes sem ele não dou conta de mim mesmo, não dou um passo; outras vezes ele me constitui como o outro que mora nele, conflui comigo. Somos dois em um só corpo. Olho e não vejo ninguém. É assim mesmo, nem sempre o outro que mora em mim se deixa ver, construindo-se ocultamente dentro de mim. Dorme na mesma cama, come no meu prato. Eu também, nas minhas noites introjetadas, habito o outro. Somos uma multidão, grãos de areia do deserto. Juntos, temos cara, um rosto.

A verdade mais difícil de se experimentar é o caminho de nos tornarmos nós mesmos, é o caminho de volta para a casa, nossa casa. Somos filhos pródigos da vida, o caminho da abundância nos empurra para uma liberdade compulsiva, até que a escassez nos aponte a estrada da lucidez que nos conduz aos umbrais da volta a nós mesmos. O outro, mais que um problema, é uma solução. Sou a mesma carne, o mesmo sangue, os mesmos ossos que ele. "Ele", o que é isso?! É o que mora no apartamento do lado, há anos, e não sei seu nome, é o que está assentado no mesmo banco do ônibus e dorme, sem sequer me perceber, é o que me pede uma moeda e eu almoço tranquilamente, fingindo não o ver. Esse outro é minha dor calada, é meu estresse "sem causa", é o sorriso que morre nos meus lábios, sou eu, sem saber meu nome, minha cor e nem mesmo para onde ir. Eu simplesmente sou. Existo. Quando o outro não mora em mim, não adianta procurá-lo lá fora, porque se ele não é uma extensão do meu ser, jamais vai me encontrar, pois sou invisível, um mistério para ele.

O outro é parte do meu campo, é, ao mesmo tempo, uma presença encarnada no e do meu ser, é uma presença que habita meu campo, com ou sem minha permissão. Ignorá-lo é desconstruir a possibilidade de uma *awareness*, uma consciência corporal na mobilidade que o mundo humano e não humano espera de cada um de nós.

A vida é para ser vivida. Ouvi de minha velha mãe muitas vezes: "meu filho, a vida é para ser vivida, pois a única coisa que você leva dela é a vida que você levou", mas nem esta levo se o outro não me habitou, se não fez de minha casa seu lar, porque o vazio não sabe o caminho das estrelas. Não sabe descansar em paz, não descansa, apenas dorme.

Sofrimento humano... que causo ao outro, que o outro me causa, que causo a mim mesmo. Vivemos em estado de escolha, a liberdade nos condena a um estado permanente de escolhas e, por mais que escolha, não escolho o escolhido, estou sempre na periferia de meus desejos. Nada me basta, nem eu mesmo, sou devedor dos meus desejos, das minhas opções, por isso a dor, o sofrimento, são resultado das caminhadas da procura de minha verdade, das minhas possibilidades. Abrem meus olhos – que o prazer, muitas vezes, cega – para a percepção mais real de mim mesmo, dos meus limites, da minha condição de ser-no-mundo, de restaurar em mim a beleza que o tempo, espaço-tempo me levaram.

Sofrimento, dor, um desperdício, uma perda de sentido do "para que" da existência, um absurdo, um paradoxo, um mistério, sobretudo o sofrimento dos pobres, dos velhos, das crianças inocentes, quando dor e sofrimento se perdem nas categorias humanas do poder, da arrogância, do outro enquanto outro, e perdem sua função de mestre da alma humana, não transcendem, *com-vivem* na imanência da temporalidade de uma corporeidade lacrada no espaço vazio. Sofrimento, independentemente de suas possíveis causas, é da ordem da condição humana, nasce do desencontro de nossa liberdade com nossas possibilidades, nasce de nadarmos contra a corrente no rio da vida que nos oferece desembocar no mar, sem nos darmos conta de suas margens sinalizadas.

O sofrimento é filho da dor da liberdade, liberdade dói, machuca, aprisiona, ensina. Pode ser um momento sublime, sofrido e angustiante de aprendizagem de nossa humanidade, de percepção de nossa corporeidade na temporalidade de nossas escolhas. Somos corpos-pessoas, gente que olha o caminho, embora, muitas vezes, comece a caminhada sem saber sequer de onde partiu para o amanhã de si mesmo. O sofrimento humano é desumano, incompreensível, porque inevitável e, muitas vezes, filho do medo, da culpa, do pecado, do olhar punitivo de Deus. Por trás do sofrimento, da dor, está a busca silenciosa e cansativa da liberdade, a fuga das prisões das quais o coração é o carcereiro, a vontade de ser feliz, caminhadas em estradas sem saídas, a procura de si próprio.

Dor e sofrimento habitam a alma da humanidade, é ela que carrega nossos gritos de socorro, foi sempre assim, e, desde o começo, até a felicidade está entranhada de dor e sofrimento. E disse Deus, em seguida, ao homem:

> Visto que você deu ouvidos à sua mulher e comeu do fruto da árvore da qual eu lhe ordenara que não comesse, maldita é a terra por sua causa; com sofrimento você se alimentará dela todos os dias da sua vida. Ela lhe dará espinhos e ervas daninhas, e você terá que alimentar-se das plantas do campo. Com o suor do seu rosto você comerá o seu pão, até que volte à terra, visto que dela foi tirado; porque você é pó e ao pó voltará. (Gênesis 3, 17-20).

Apavorante, amedrontador, terrível o vaticínio, a praga de Eloin. E como se livrar dela? Pois, como um ferro em brasa, estamos marcados com a dor e o sofrimento.

Essa maldição povoa o inconsciente cultural da humanidade, não se pode dele fugir, está impresso na nossa carne, na nossa pele, nos mais finos tecidos de nosso ser.

Ao Jardim do Éden, entretanto, se opõe o Sermão da Montanha. Assim falou o Filho de Jeová, embora os ouvidos da humanidade ainda tateiem para deixar esta mensagem habitar silenciosamente o coração das pessoas:

> Mas eu digo a vocês que estão me ouvindo: Amem os seus inimigos, façam o bem aos que os odeiam, abençoem os que os amaldiçoam, orem por aqueles que os maltratam. (Lucas 6, 27-28)

> Não julguem, e vocês não serão julgados. Não condenem, e não serão condenados. Perdoem, e serão perdoados. Deem, e lhes será dado [...]. (Lucas 6, 37-38)

Eis as mais divinas *proflexão e interação* como o caminho de cura para nossas humanas dores. Esta é a dimensão sagrada da dor e do sofrimento: criar uma polaridade, não uma oposição. Sofrimento e dor como fontes de amor, de benção, de perdão, de maturidade, de limites. Talvez, dor e sofrimento sejam mestres que nos permitem crescer, olhar a vida com serenidade, entender que, sendo a dor e o sofrimento uma condição humana, podem se transformar em um ajustamento criador, que nos permita deixar nascer do *velho homem* que mora em nós o *novo homem* que viverá, na sua corporeidade, a temporalidade de sua humanidade.

Sofrimento e dor não têm o mesmo DNA. O sofrimento tem mais a ver com a alma, com emoções que se perderam na busca de vivificar corpos semimortos, corpos-pessoas que não acreditaram que a luz do fundo do poço, que brota do fundo do poço, é a única capaz de revitalizar feridas que a luz do meio-dia causou, porque não conseguiram *com-viver* com o clarão, com a luminosidade, com a força que a luminosidade do meio-dia provoca na alma das pessoas. Dor é filha de nossa corporeidade, de uma espacialidade que desconhece a temporalidade de nossas limitações humanas. Dor é fruto da insistência de lidar com uma evidência que se distancia dos limites humanos de nossa realidade.

E como lidar com dor e sofrimento, quando são condições humanas de sobrevivência? Quem pode ser guardião, cuidador da dor do outro, quando ele mesmo está sujeito ao sofrimento? Será possível cuidar da dor, do sofrimento do outro quando se está atento à própria dor e sofrimento, precisando do cuidado alheio? Acredito que só a partir de uma profunda consciência emocionada, de uma *awareness* corporal voltada para o mundo do outro e para seu próprio mundo, é possível ver e cuidar da dor do outro.

Não, não basta ver, sentir a dor e o sofrimento do outro, é preciso se incluir na dor dele e no seu sofrimento. Somente uma parceria emocional, uma cumplicidade espiritual, um pôr no colo a dor e o sofrimento do outro poderão fazer que o cuidador acolha a necessidade de quem precisa ser cuidado. Somente a vivência plena de nossas dimensões sensório-afetiva, racional e motora, de nossas dimensões existenciais ambientalidade, animalidade e racionalidade, fundantes de nossa essência humana, nos permitirão experienciar a vivência da dor e do sofrimento, não como um peso, mas como um caminho possível, factível até, da saúde, bem como poderão ensinar ao cuidador o caminho de volta para casa dele e daqueles que nele depositam a força de sua esperança.

Dor e sofrimento não são abstrações universalizadas, são dimensões, dados que nos colocam em profundo contato com nossas limitações, com os apelos sem resposta de um interminável desejo de liberdade.

A psicoterapia é uma ciência, um método, uma arte. Um instrumento sagrado que demanda do psicoterapeuta tirar sapatos, pisar a terra fecunda sob seus pés, se enraizar, buscar uma competência que o universo lhe oferece de graça, observar que o sol nasce e se põe todos os dias, que as estrelas se movimentam na imensidão dos céus à espera do alvorecer, sentir o calor de sua pele, correr *des-vestido* de si mesmo ao encontro do outro, dançar, ao som da orquestra da vida, a melodia chamada o Outro, com a mágica batuta chamada Contato em suas mãos. Esta estrada é rica em pontes e atalhos como: contato, ajustamento criativo e criador, mudança paradoxal, relação complementar, figura-fundo, parte-todo, que, de algum modo, são letras de uma música que o psicoterapeuta toca em contato com os estágios de saúde e/ou doença de seus clientes.

Estou pensando em como o psicoterapeuta, ciente, como seu cliente, de sua dor e de seu sofrimento, e, como ele, sujeito também ao desamparo de um corpo em perene movimento, faz para sustentar a dor do outro sem sucumbir ao seu próprio sofrimento.

O Gestalt-psicoterapeuta está atento ao seu cliente como um todo. Nada lhe escapa e, neste momento, como afirma Perls, ele é seu próprio instrumento de trabalho. Está sozinho na experiência do outro à sua frente. Vive a experiência de simpatia que o conduz a momentos de empatia, que, por sua vez, criam uma inclusão silenciosa e recíproca. O cliente, como ele, está entregue. É o momento do momento, a mudança da mudança, talvez a cura; rodam cliente e psicoterapeuta. Momento de graça, ordem e desordem se misturam, tudo pode agora acontecer. O rio pode desaguar no mar...

Talvez o psicoterapeuta, vivenciando no *Ciclo do Contato* a dor do outro e o seu cuidar, possa vislumbrar o caminho do outro, se dando conta da conta que o levará até o outro, seu cliente. Momento de pregnância, de ajustamento criativo, de *awareness*, o corpo em movimento silenciosamente entregue ao corpo do outro.

Estar em psicoterapia é experienciar retraimento e crescimento, movimento de interrupção e de nutrição. Cliente e psicoterapeuta estão sentados à mesma mesa, apenas os talheres são diferentes. Saber usá-los é toda a arte de que precisamos naquele momento.

O ciclo do contato agora é dos dois. Não tem como, simplesmente, colocar um e o outro não. Um constitui o outro no processo psicoterapêutico. De fato, ambos nascem ali, tudo é contato, contato como expressão de vida na sua forma fragmentada de saúde e doença, expressões de um *self* que se apresenta nas funções de Id, Eu e Personalidade, através de dimensões humanas, de sensações, afetos, movimentos e pensamentos pensados, sofridos.

Vou expor para você, meu leitor, uma teoria, uma hipótese de percepção de nossa humanidade em ação, em movimento através da dor de viver, de viver sem dor, o que chamo de saúde aqui-agora, o vivido em forma de contato, de resgate da experiência imediata através do ciclo do contato. Vamos percorrer as funções do *self* no ciclo do contato, uma caminhada através do sentir, do pensar e do fazer humanos em situação de normalidade e de interrupção do contato.

O *Id é o sistema sensório afetivo*, é um fundo de situações inacabadas que são percebidas ora de maneira vaga ora consciente, dependendo da sua relação ambiente-organismo. Quando o *self* repousa, relaxa, o Id se torna "passivo, disperso e irracional: seus conteúdos são alucinatórios e o corpo se agiganta enormemente" (Perls, Hefferline e Goodman, 1997, p. 186). O Id é o lugar das emoções, do antigo, do estranho, dos afetos não sabidos e ele se expressa, sobretudo, através da *fixação, da dessensibilização e da deflexão.*

Ora a dor, ora o sofrimento surge em forma de *fixação* com o tema "parei de existir". É a dor de não saber lidar com as surpresas da vida, com a realidade que fere, com novas situações com as quais o cliente depara, com apego excessivo a antigas ideias e uma imensa dificuldade de lidar com o diferente. Quando se está na fixação, o que emerge como figura não tem a qualidade do novo, isto é, da unicidade que cada momento pode nos revelar, porque sempre há uma figura emergindo no campo da consciência. Apegado à "mesmice" do conhecido, o cliente se perde em um círculo vicioso, onde a estagnação não reconhecida lhe traz a falsa segurança em relação ao devir. Ao mesmo tempo, entretanto, lhe mantém privado da energia vital que vem do novo, da vida, vida que é movimento, ou seja, em alguns aspectos da sua existência, como um "morto-vivo", ele passa pela vida com um sentimento de que algo lhe falta. Do outro lado da linha, entretanto, vem a saúde no vagão da vida trazendo *fluidez*, renovação, espontaneidade, coragem de lidar com riscos, recriando a própria vida, numa relação ambiente-corpo num campo de presença de novas energias. Fluidez, raiz do pré-contato, é experiência de vida, é estar entregue ao mistério da vida, é o próprio movimento de se abrir para que uma nova figura emerja, pois cada momento é único, imprevisível.

A estrada do caminho da dor e do sofrimento é de uma profunda *dessensibilização*, que traduzo como "não sei se me sinto". A pessoa se sente entorpecida, minimiza as sensações, fria, anestesiada, meio morta, em profundo desconforto com seu corpo, é a dor do fazer de conta, de não suportar sentir as próprias emoções. A contrapartida é a vida que grita através da "sensação" de sentir de novo a pele, um novo corpo nascendo de um velho corpo, a relação ambiente-corpo vibrando através de estímulos novos, sentindo o outro, humano e não humano, acelerando as batidas do coração.

A dor da *deflexão*, do "não consigo me dar conta...", do evitar contatos diretos, do não poder se permitir saber o que lhe aflige, do não encarar suas necessidades. Por "não poder saber", coloca-se condenado ao sofrimento, interrompido na inconsciência do que o aflige. A dor da inconsciência pelo medo de se sentir *des-valorizado*, apagado, e sobretudo o medo do uso adequado do sim e do não. Medo de não ser amado, um eterno faminto de um colo quente. Tudo, entretanto, que nasceu tem dentro dele todas as possíveis soluções para continuar vivendo através de uma consciência reflexa, motora, lançada no mundo: o dar-se conta, a *awareness* de si mesmo num corpo em movimento. Aprender a se perceber no aqui-agora, a *com-viver* com o diferente, com o outro que habita seu ser-pessoa--corpo-em-ação é a possibilidade de apropriar-se da própria existência, o sabor do sentir-se vivente em relação.

Esses processos de dor, sofrimento e saúde nascem de uma região Id, de antigas excitações orgânicas, de situações desconhecidas, inacabadas, e embora, como dissemos, o Id seja passivo, disperso, irracional, ele conecta a relação organismo--ambiente, permitindo que, através da *awareness,* o corpo se agigante e se faça presente como instrumento de cura.

O psicoterapeuta é, por princípio, um cuidador, e será um curador na medida em que se faça presente para si mesmo, se torne conectado consigo – cuidando assim de si – e se permita incluir no outro, num processo de *epoché* emocional, de tal modo que o outro, cliente, seja parte viva, constituinte até, de sua sensação de ser profissional da saúde.

Saímos, agora, da função Id do *self*; vamos para a função Eu do *self*, que envolve processos de introjeção, projeção e retroflexão.

O Eu é um universo que gera tanto possibilidades como o afastamento delas. Supõe sempre a pessoa em movimento, se mobilizando, agindo e interagindo. Age através de opções ou da fuga das mesmas. É o universo da relação ambiente--corpo-pessoa, aqui-agora. O Eu é um cúmplice do Id e da Personalidade. Às vezes, funciona como uma pedra no meio do caminho. Podemos saltá-la, contorná--la, "passar por baixo". Ele simplesmente está ali.

De vez em quando, fecha os olhos e aí aparece uma estranha sensação, do tipo que chamamos de *introjeção*, que se traduz por: "Ele existe, eu não..." "...algo do ambiente dentro do organismo", "os outros sabem das coisas melhor que eu". Vive com "deves" internalizados, deseja mudar, mas tem medo do resultado, e, o que é pior, é dominado pelo medo, mágoa, culpa e raiva. A esperança, entretanto, é nossa eterna guardiã. Temos o instinto de auto-organização organísmica. Aí o Eu acorda, dá uma olhada em volta e descobre que não precisa temer a própria mudança, fica mais atento aos seus direitos, sai da rotina, começa a se fazer sua própria opção, o outro... problema dele..., finalmente. Uma *mobilização* transformadora começa a encher o seu vazio; ele levanta a cabeça, olha para frente. Maravilhosa sensação: eu existo! O outro é o outro, não pode ser um eu estranho e invasor que mora dentro de mim. "Eu sou eu, ele é ele, faço minhas coisas, ele faz as dele". O caminho se faz caminhando, mãos à obra!

O Eu dá um passeio para fora dele, olha o outro com suspeita, e aí aparece a *projeção*, um movimento que pode ser descrito assim: "Eu existo; o outro, eu crio". Este é seu tema. Por não poder aceitar, me apropriar do que é meu, jogo no outro o que, em algum lugar, é meu. Não sei muito o que é meu e o que é do outro, por isso preciso pensar muito antes de agir. Detesto me sentir culpado. Gosto de "inventar moda", ser criativo a partir do nada. Sou autocentrado, pago para ver – ainda bem que, muitas vezes, me afasto do "perigo", antes que sobre, de fato, para mim. Não confio tanto em mim como me forço a entender. Às vezes, percebo que o outro mora na minha fantasia, na minha imaginação. Eh! Apesar de não gostar de correr riscos, vou levando. Meu outro lado acorda. O bom senso começa... E o Eu se move, olha para frente, e diz: estou no campo da *ação*, horizonte à vista, eu posso. Posso acreditar no outro, enxergar o que sou eu, o que é meu, assumir responsabilidades, ser minha própria causa e efeito, ver o diferente como algo natural, ser capaz de fazer meu horizonte acontecer a partir do meu olhar. Não preciso de coragem, preciso de mim. Como é difícil dar um passo à frente, quando se acostuma com um falso senso de "estou certo".

De novo, o Eu se coloca entre a realidade e a fantasia, se divide entre suas possibilidades e vive momentos de *proflexão*, que pode ser traduzida assim: "Não sou bem eu, nem bem o outro", isto é, faço com o outro o que eu gostaria de fazer a mim mesmo ou o que eu gostaria que o outro me fizesse. Negocio ora comigo, ora com o outro; ora o outro é figura, ora é fundo, mas, muitas vezes, quando ele é figura, tendo a vê-lo como fundo. E aí está o perigo. Submeto-me passivamente ao outro, tenho dificuldade de ser minha própria fonte de nutrição, não percebo o que é meu e o que é do outro. Ninguém é delegável, nem eu, nem ele. Entendo que o caminho de volta para casa se chama o outro, e que, se ele não me faz face, não consigo perceber onde me encontro. O caminho é ir na direção da *interação*, que se traduz assim: "Penso que preciso me aproximar do outro sem esperar nada em troca". Preciso entender que sou livre e que sou minha própria fonte de opção.

Preciso agir de igual para igual, de dar pelo prazer de dar. Entender que o outro não é a solução, apenas um pedaço da estrada. O Eu habita o desconhecido, mora na imaginação e no coração do outro. Convive com a ambiguidade e com a ambivalência, desconhece o necessário, piora na opção. Se confio, posso ultrapassar, fui feito, criado para dar certo. Sou meu inseparável, insubstituível companheiro. Feito para ser feliz, me convido a mim mesmo a um amor sem restrição, livre de mim e do outro que mora lá e aqui, e a entender o que é presença, o outro.

A personalidade como uma teoria de personalidade tem uma abrangência de universalidade, veste com a mesma roupa todo ser humano. Somos todos uma coisa universalizada, constituída, chamada personalidade. Já a *personalidade* enquanto uma função do *self* é indivisível, particular, própria de cada um. Ela nos individualiza do outro, descreve e explica nosso comportamento, é nossa estrutura de atitudes e de comportamento, é o *self* corporificado, na direção da formação e transformação de gestalten, é um sistema simples, se a experimento sem pensar nos meandros de sua estrutura. É deixá-la acontecer. É viva, atenta, mas como um céu com nuvens, ora abre, ora fecha. Precisa saber conviver com ela.

Estamos saindo da função Eu do *self* e indo para a função Personalidade do *self*, que envolve processos de retroflexão, egotismo e confluência.

Como com os outros sistemas que geram o sentir, o fazer, sou um corpo-pessoa que pensa, quer, imagina. Sou também dúvidas e avanços. Sou, também, aqui-agora, *retroflexão*, um céu fechado com brechas para o sol passar, prometendo a esperança de um novo dia. Se estiver frio, conserve seu agasalho, frio muito contínuo ou intermitente pode fazer mal. Você é tão importante quanto o outro, não entregue o seu agasalho ao outro, pois, quando você precisar, o outro não necessariamente estará aí para lhe dar. Não aprenda a conviver com o frio. Não tome para si a dor do outro, a dor do mundo, a sua dor já é bastante, e o seu corpo não precisa ser o repositório dos sentimentos que você não se permitiu expressar. Não se sinta responsável pela sua dor, pelo seu sofrimento, pelo seu prazer. Não espere que os outros sejam como você deseja que eles sejam. Ele é ele, você é você, lembre. Não ame o outro-humano-não-humano mais do que a você mesmo. Não seja seu inimigo. Sua exclusividade existencial é sua força e seu horizonte. Somente quando se ama a si mesmo acima de tudo e abaixo de Deus, encontra-se o caminho do perdão, do amor, do *contato final* que é a maneira mais simples de ser feliz sem culpa. Eis um programa existencial sem *epoché*. Você é livre, voe, se puder levar alguém sob suas asas, leve-o, se não, deixe-o no aeroporto, encare a dor, o sofrimento diretamente, também o seu prazer, seu sorriso, sua felicidade. Você é o começo, o meio e o fim de você mesmo. Nada começa fora de você. Olhe seu passado a partir de hoje, deste instante, deixe a flecha do tempo conduzir você ao futuro, esqueça o passado. Não serve para nada... lembre, você é seu corpo, seu corpo é você. Sustente o seu prazer, usufrua da sua vida, permita-se sentir-se merecedor.

Estamos chegando ao fim com a mais emblemática das etapas do contato: *egotismo*. O egoísta pensa, se preocupa com o outro, e decide por ele mesmo. E egotista é ele; o outro, uma sombra, existe na razão em que lhe é útil; o outro não mora, sequer habita o interior do egotista, ou, melhor, habita, faz parte do resto, do descartável. Vive uma fragmentação clássica ambiente *e* organismo, o ambiente existindo para ele e não ele como parte do ambiente. O futuro é seu presente, não pode ter surpresas. "Pensa ter o controle nas mãos". Sensação permanente de poder, de controle. Sem emoção, vive a solidão e o abandono como forma de contato, detesta o incontrolável, o diferente, o surpreendente. É elegante, ativo, vaidoso, gosta de tudo no lugar. Não diria que é infeliz, com certeza diria que está sempre inacabado, porque mesmo quando acaba, não termina sua fome. A natureza, entretanto, nunca acerta ou erra por completo; por isso, na outra ponta da linha do egotismo está a *satisfação*, capacidade humana de agradecer o apenas agradecido, de reconhecer no outro uma fonte real de nutrição, porque o prazer real, a sensação do momento da completude vem do encontro. Nenhum ser humano tem o privilégio da *com-vivência* da totalidade, síntese ontológica de nossa presentificação na carne, corporificada na nossa relação essência-existência. Essa síntese se dá na eternidade de cada momento e, nesse átimo de segundo, a totalidade é vivenciada na experiência do prazer da completude do fechamento da situação inacabada. O egotista é impenetrável? Não. Ele vive, pensa, faz e "sente" na razão em que alguém consiga encontrar a porta de seu ser, de seu mistério. Ele é gente e, neste lugar, existe o lugar da esperança, ele pode perceber o outro como um possível descanso de sua solidão, que a vida encerra possibilidades e dividi-la pode melhorar a aspereza da estrada.

O final de nossa caminhada teórico-existencial é a *confluência*, síntese operacional de nossa individualidade e singularidade. Aqui nos perdemos no outro, no outro outro. O nós reina soberano sobre o eu e o tu. Excitação e estímulos desaparecem. Ambiente *e* organismo viram ambiente-organismo no sentido da não distinção entre o eu e o tu-humano-e-não-humano. A alma de um se confunde com a do outro, valores, crenças, atitudes alheias são vividas religiosamente por ambos. Temendo o isolamento, pagam o peço da própria entrega. A experiência do aqui-agora perde sentido, a consciência se perde, a *awareness* passa batida. Milagres, porém, acontecem, e eis a *retirada*, que existe, funciona e vale a pena. A volta ao coração da casa, ao lar das emoções pessoais e próprias, apreendo: eu sou eu, ele é ele. Não estou aqui para desaparecer no outro. Sou diferente, a vida da vida é vivê-la aberto para a liberdade de ser humano. Retirar significa: Se entender como um presente da vida e, sobretudo, entender que a vida é única, singular, não delegável.

Caro leitor,

Caminhei com você entre dor e sofrimento nos sintomas, nas interrupções, nos estágios do contato, bem como entre a saúde e suas formas de expressões de fluidez, sensações, ações, valores. Basta por agora, por hoje. Entre saúde e doença existem muitos caminhos, singulares, individuais, não perceptíveis, não delegáveis. Caminhei muito livremente com você, ora conversando, dialogando, falando para você escutar. O psicoterapeuta... "deixei ele" um pouco de lado, sei que ele nos seguia. Ser psicoterapeuta é *com-viver* com a angústia da intersubjetividade, uma longa travessia entre sua subjetividade e a do cliente.

Vislumbro, naquilo que chamo de *regra básica da Gestalt-terapia,* sua ética e sua estética, assim colocadas: 1. *Gestalt-terapia é permissão para criar* (Zinker), 2. *porém não improvise* (Laura) 3. *e o limite é a ética, a não violência* (Petruska Clarson). Um caminho de liberdade na direção da responsabilidade profissional. Isto posto, "não apresse o rio, ele corre sozinho". *Gestalt-terapia é. "Gestalt is".* Enquadramento perfeito da Gestalt-terapia no campo teórico da fenomenologia. O Gestalt-psicoterapeuta não tem opções, ele não pode estar psicoterapeuta, quando afirma que Gestalt é. Ou, aliás, tem opções: *per-correr* caminhos exatamente como surgem à sua frente, alimentado pela experiência de que somente a vivência enraizada na *epoché*, no abandono de todo saber constituído, na crença da sabedoria da dor e do sofrimento como degraus de mudança, na intuição de que o medo da dor e do sofrimento aproxima a pessoa de seus mistérios, é capaz de fazer que ele e seu cliente conheçam, de verdade, o sentido da vida.

Referências

Bíblia. *Nova Versão Internacional*. Disponível em: <bibliaonline.com.br/nvi>. Acesso em: 11 abr. 2022.

Cami, E. B. In: *Dicionário de pensamento contemporâneo*. Organização de Mariano Moreno Villa. São Paulo: Paulus, 2000, p. 706.

Larranâga, I. In: *Dicionário de pensamento contemporâneo*. Organização de Mariano Moreno Villa. São Paulo: Paulus, 2000, p. 705.

Perls, F. Hefferline, R. Goodman, P. *Gestalt-Terapia*. São Paulo: Summus, 1997.

Bibliografia complementar

Capra, F. *A teia da vida – Uma nova compreensão científica dos sistemas vivos*. São Paulo: Cultrix, 1996.

Garcia-Roza, L. A. K. *Psicologia estrutural em Kurt Lewin*. Petrópolis: Vozes, 1974.

Hycner, R. *De pessoa a pessoa – Psicoterapia dialógica*. São Paulo: Summus, 1995.
Juliano, J. C.; Felippe, I. M. 2017. *O tear da vida – Reflexões e vivências psicoterapêuticas*. São Paulo: Summus, 2017.
Morin, E. *Introdução ao pensamento complexo*. Lisboa: Instituto Piaget, 1990.
Pena-Vega, A. *O despertar ecológico – Edgar Morin e a ecologia complexa*. Rio de Janeiro: Garamond, 2003.
Ribeiro, J. P. *Conceito de mundo e de pessoa em Gestalt-terapia*. São Paulo: Summus, 2011.
Ribeiro, J. P. *Holismo, ecologia e espiritualidade*. São Paulo: Summus, 2009.

8. Relação ambiente-corpo como unidade sagrada: Gestalt-terapia como morada da espiritualidade[1]

Sou um corpo-pessoa em ação no mundo. Sinto, sentes, sentimos; penso, pensas, pensamos; me movo, te moves, nos movemos. Existimos, logo sentimos, pensamos e nos movemos. Estou em estado de mudança. O instante é uma parada entre o ontem e o amanhã. Meu único ponto de descanso. No mais, estou aberto aos horizontes que surgem à minha frente. Tenho, apenas, a força que o instante me permite, porque continuo filho do passado e pai de meu futuro. Sou espírito-matéria, relação ambiente-corpo, um corpo que se levanta para o amanhã e um espírito que, na sua temporalidade, se fortalece para a espacialidade de meu corpo. Sou uma Gestalt, uma configuração que se transforma em Gestalt-terapia quando minha espacialidade e temporalidade, por alguma razão, se desentendem, se desencontram e eu preciso de ajuda para retornar à minha estrada e para refazer meus caminhos.

A Gestalt-terapia, por meio de uma mágica *epoché*, me predispõe para, no meu vazio, reconfigurar gestalten antigas e, com ajustamentos criadores, me reencontrar através de minha espacialidade, que, coexistindo com minha materialidade, me devolve a possibilidade de me reencontrar e de conviver com minha verdade.

Caminhos de espiritualidade

Meu corpo é o *que* eu sou. Minha alma é *como* eu sou, minha vida visível, meu jeito de ser, onde eu me encontro dentro e fora de mim. Minha alma é a ponte entre meu corpo e meu espírito, é o lócus onde estou. Meu espírito é o *para que* do *que* eu sou e do *como* eu sou. É o mundo da transcendência. Meu eu absoluto. O profano numinoso.

Essa caminhada do *que* para o *como* e do *como* para o *para que* é a caminhada que o fenômeno faz até se tornar consciência, *awareness*, como consciência de

1 Texto originalmente publicado em Frazão, L. M.; Fukumitsu, K. (orgs.). *Enfrentando crises e fechando gestalten.* São Paulo: Summus, 2020 (Coleção Gestalt-terapia: fundamentos e práticas, v. 7).

um corpo em movimento no mundo. Essa caminhada, uma configuração perfeita, reúne o que, o como e o para que como partes de uma totalidade, cuja coexistência nos conduz ao próprio coração das coisas. A experiência e, sobretudo, a vivência da nossa realidade são uma Gestalt por se constituírem, ontologicamente, numa relação ambiente-corpo, mundo-pessoa, em busca de transcendência.

O mundo, dito de maneira simples, poder ser pensado em três universos, o profano, o sagrado, o espiritual, e, apesar da radicalidade de tal distinção, eles não se opõem; antes coexistem ontologicamente, porque há uma circularidade, uma multidimensionalidade metafísica entre eles.

Somos um sistema de contatos, o qual é filho da presença, do encontro, do cuidado, da inclusão, processos que nos conduzem ao complexo conceito de confirmação que respeita, consolida a diferença e a promove.

Self é nosso sistema de contatos, uma Gestalt que se expressa aqui por meio das dimensões sensório-afetiva, motora e cognitiva, implicando um movimento de mudança constante, uma temporalidade em que nosso corpo é sujeito e objeto de mudanças funcionais, constitutivas de modos novos de ser no mundo.

Meu *self*, espacialidade-temporalidade, conduz meu processo de mudança. Sou e existo à procura de minha melhor forma, de uma homeostase que constitua minha presença no mundo, como ruptura de toda dualidade e fragmentação entre processos, que, por sua natureza, fundam minha totalidade existencial.

Meu *self*, na condição de minha subjetividade e meu sistema de valores, expressa, aqui e agora, minha presença no mundo e espelha minhas possibilidades de, por meio de interrupções e das funções saudáveis do ciclo de contato, poder crescer à procura de minha máxima verdade, encontrar-me comigo mesmo, condição *sine qua non* de uma autêntica evolução espiritual.

Tais processos constituem o contato por meio das várias funções do *self*, que, por si só e como processo natural, nos conduz do mundo do profano ao mundo do sagrado e daí para o mundo da espiritualidade.

Do profano

Profanum (do latim *pro* = diante, *fanum* = templo) é o que está fora, diante do templo, nem bom nem ruim, simplesmente é. Algo à espera de... O profano tem embutido em si a semente do sagrado e da espiritualidade, pois tudo no universo tem vocação à transcendência e espera por esse momento. O profano é um inacabamento espiritual da realidade.

Imersas no mundo, afogadas num mar de agitação, de buscas sem respostas, de caminhos sem porto de chegada, as pessoas se perdem no profano, que sinaliza ausência de significação do nosso próprio agir, ou seja, a realidade tomada simplesmente como realidade, sem sinais de transcendência, o que começa e termina em si mesmo.

O profano é aquilo que ainda não foi sacralizado por meio de uma descoberta de sentido, de imersão na essência mesma do ser. Quando se encontra a essência de algo num gesto, num ato de amor, no olhar para uma pedra, num dar as mãos a quem precisa, esse dado, materialmente falando, se sacraliza quando olhado a partir de um outro referencial que o tira da simples materialidade que o constitui. Tudo é receptáculo do sagrado, temos apenas de aprender a encontrá-lo na complexidade do profano – que é, *a priori*, nossa forma de ver e lidar com a realidade.

O profano passa a ser sagrado tão logo nossa vibração existencial vê nas coisas a manifestação do numinoso, do divino presente em todo ser. Profano e sagrado não são opostos, mas de naturezas diferentes. A diferença não está no que eles são, mas no como e no para que de se tornarem experiências humanas.

A relação ambiente-corpo como forma primária, original e primeira de contato, como uma totalidade profana, se torna sagrada quando sentimos, pensamos e fazemos dessa relação um instrumento de compreensão do nosso jeito humano de transcender, isto é, de ir além de nós mesmos, levados pela nossa ínsita necessidade de sublimar o terra terra de nosso cotidiano.

Para o homem primitivo uma pedra, um alimento não eram simplesmente uma pedra ou alimento, porque ele transformava tudo num sacramento, numa comunhão com o sagrado. Ele vivia em estado de hierofania, pois, diante da necessidade de compreender as coisas – ou seja, de lhes dar vida e se tornar objeto de autoproteção –, ele avançava além da matéria, que para ele não era o constitutivo do ser, mas apenas um instrumento visível para conviver com sua natural limitação.

O espaço profano é aquele no qual a pessoa se desliga, talvez sem perceber, do potencial natural da existência, pois não sabe a sacralidade das coisas, a começar por sua própria sacralidade. Para ela, a existência das coisas é simplesmente uma existência, algo que existe, a aparência como aparência. Acrescento, porém, que a presença do sagrado é de tal modo constituinte do ser que a existência do profano jamais se encontra de maneira absoluta. Para negar o sagrado, de algum modo é preciso admiti-lo.

Falar do profano deixa um sabor estranho de realidade. Talvez ajude pensar, um pouco numa linha buberiana, que o "profano" está para o "Isso", assim como o sagrado/espiritual está para o "Tu". Como tudo e como sempre, as analogias não preenchem a totalidade de significado da existência. O profano, enfim, é uma Gestalt inacabada. Somos chamados para, por meio de ajustamentos criativos, sair de nossa condição humana de profanos em direção à perspectiva do homem/ espiritual, lugar de pregnância, de homeostase, de sentir, às vezes, para além de si mesmo.

Do sagrado

Somos dotados de uma estrutura divina, pois assim falou Deus no Livro do Gênesis (1, 26): "Façamos o homem à nossa imagem, conforme a nossa semelhança", mas, mais do que sagrados, fomos divinizados na intenção divina ao sermos lançados, à nossa revelia, no mundo sagrado da espiritualidade. Assim, como estrutura, somos corpo, somos profanos; como forma, somos sagrados; como função ou funcionamento, somos espirituais, existimos em estado de transcendência. Essa é a trilogia da espiritualidade, de uma Gestalt fechada, na qual subjetividade e objetividade se dão as mãos na constituição e construção de nosso ser no mundo.

O sagrado é movimento, é mudança, é desprendimento, é experiência corporal à busca do transcendente, é experiência de presença no campo, um campo de presença na relação ambiente-corpo. Uma semente contém a vida dentro dela, mas só germinará se for lançada à terra. O sagrado desvelado, descoberto não é apenas fruto da graça, mas de um ato de origem, gerado do Absoluto diferente que existe em todo ser e constitui a essência do sagrado que nos individualiza e singulariza, pois é a experiência e a vivência do diferente que criam a possibilidade de o sagrado acontecer como uma categoria de sentido além da simples palavra.

Ele se manifesta claramente no movimento da vida como uma totalidade existencial, de sentido, um sistema de um profundo contato além da aparência, que proclama um sentido novo que mora nas coisas. Está além das aparências, da técnica, das teorias, está em perceber a si e ao outro como únicos, singulares, irrepetíveis, está em ver, em perceber e sentir o que de além é a essência de cada coisa. Esse é o coração do sagrado, da configuração que desperta nas pessoas o desejo de ir além do que apenas os olhos veem.

Espiritualidade é um vestido novo com que a Gestalt-terapia não está acostumada. E, no entanto, entendo que Gestalt-terapia é espiritualidade vivida na nossa carne.

O sagrado não está no olhar, nem na fala, nem nas lágrimas do cliente ou do psicoterapeuta: está além das aparências, da técnica, das teorias, está em perceber a si ou ao outro como único, singular, irrepetível, em ver o que de próprio é a essência de alguém, em perceber aquele "centro" no qual todo o universo se recapitula, radical e totalmente diferente das realidades naturais, sejam humanas, sejam cósmicas.

Eliade (2002, p. 27) diz: "O sagrado está saturado de ser. Potência sagrada quer dizer, ao mesmo tempo, realidade, perenidade e eficácia".

Perdemos o jeito primitivo de olhar as coisas, para o qual o trovão é mais que o trovão, é a voz de Deus, a comida é mais que comida, é um dom da mãe terra. O homem religioso passa a viver uma atmosfera sagrada a partir do momento em que tudo no universo lhe revela, para além de sua visão material, uma intenção divina de constituição da realidade. A comida deixa de ser arroz e feijão para ser uma benção à saúde da pessoa que se alimenta, além do alimento. De outro lado, vivemos num mundo dessacralizado onde as coisas se encerram em si mesmas: pedra é pedra, casa é casa: "Todo espaço sagrado implica uma hierofania, uma erupção do sagrado que tem por resultado o destacar um território do meio cósmico, envolvente e torná-lo qualitativamente diferente" (Eliade, 2002, p. 40).

Encontrar o sagrado é constituir o ser das coisas e equivale a um ato de criação. Descobrir o sagrado de algo é descobrir seu sentido último a partir do qual ele se faz presente como totalidade. Sem a consciência do sagrado, tudo está pela metade.

O espiritual/a espiritualidade

Observamos que os mundos do sagrado e da espiritualidade estão muito próximos. A espiritualidade é uma expressão além do sagrado, que é um retorno ao estado e à posição original da pessoa, o que implica vê-la, no seu processo evolutivo, como um Tu, o modo como Deus a olha diretamente, sem intermediários.

Tanto o sagrado quanto o espiritual supõem e provocam uma mudança de categoria, de sentido, no instante em que ocorrem, isto é, muda-se a qualidade do objeto, da ação. Por exemplo: dar uma esmola pura e simplesmente é um ato quantificável, material; dar, entretanto, uma esmola porque me sinto irmão, filho do mesmo Pai, muda a natureza do gesto, recria um novo sentido, eleva a qualidade do ato em si, sacraliza, espiritualiza essa relação.

> O espírito em sua manifestação humana é uma resposta do homem ao seu *TU* [...] O espírito não está no *EU*, mas entre o *EU* e o *TU*. Não é como o sangue que circula em você, mas como o ar que você respira. O homem vive no espírito, se for capaz de responder ao seu *TU*. Ele será capaz de fazê-lo se entrar na relação com todo o seu ser. É somente em virtude do poder que ele possui de entrar nessa relação que é capaz de viver no espírito. (Buber *apud* Hycner, 1995, p. 89)

A espiritualidade é um processo de alargamento de consciência. Por meio dela expandimos nossas dimensões e penetramos no mundo da transcendência, pois nossas percepções adquirem o limite de suas possibilidades.

Espiritualidade tem que ver com contemplar, e contemplar sacramenta todas as coisas. É ver as coisas como Deus as vê e sentir-se expressão d'Ele. É tudo que expande, defende e organiza a vida. É a essência da procura humana. É o sentir-se tornando-se pessoa com alegria na alma.

É a capacidade de ser livre para criar. É encantamento diante de nossas possibilidades e da majestade simples do universo. Tem relação com a profundidade com que cada indivíduo olha a realidade à sua volta, com a beleza interior de cada pessoa humana e com o mistério de cada ser da criação. É poder sentir-se único e total.

É sentir-se generoso diante do dom gratuito da vida, sentir-se plenamente ser de relação, como energia que emana de nossa totalidade, pela qual nos permitimos transportar-nos para além de nós mesmos – e tem tudo que ver com louvação e gratuidade, emanações do mundo da espiritualidade e do sagrado que são expressões da profundidade de cada pessoa humana à procura de se tornar inteira.

Toda vez que alguém lida conosco, com o outro humano ou não humano a partir de dimensões humanas – como prudência, justiça, fortaleza, temperança, esperança, fé, amor, misericórdia, cuidado –, está no mundo da espiritualidade, pois esta nada mais é que uma de nossas dimensões humanas.

Essas dimensões são constitutivas do ser. Numa circularidade ontológica, numa coexistência metafísica, elas nascem da relação espírito-matéria, cofundantes de toda a realidade.

Estamos longe dessa compreensão e dessa visão do espiritual. Continuaremos no campo do profano se não despertarmos para nossa dimensão humana de espiritualidade, para o sagrado presente em cada um de nós. Caso permaneçamos assim, continuaremos a lidar com o fenômeno da relação psicoterapêutica na fragmentação sintoma *e* psicoterapia, psicoterapeuta *e* cliente, embora a proposta da psicoterapia seja a de cuidar da pessoa-mundo-psicoterapeuta como um todo na busca de uma relação saudável ambiente-corpo.

A espiritualidade, como a materialidade, embora seja uma dimensão humana, precisa ser exercitada, vivida. O *corpo* nos oferece visibilidade, materialidade, quantidade, espacialidade que saltam aos olhos e pode produzir, no ser humano, seu receptáculo existencial, a impressão de que não precisa ser cuidado. Como em um movimento contínuo, ele se basta, anda sozinho.

A *espiritualidade*, por outro lado, habita escondida o nosso ser, é filha do invisível, da qualidade, da temporalidade, precisa de cuidados. Na sua substancialidade metafísico-ontológica, precede o corpo, por isso pode ser e existir sem ele, mas, dado que ambos coexistem, demandam cuidados para que a Gestalt ou a configuração que escondem e revelam simultaneamente operacionalizem a vida em ação por meio de ajustamentos criativos – como as interrupções do contato – e criadores – como os mecanismos saudáveis do ciclo do contato (Ribeiro, 2019).

O espiritual e, consequentemente, a espiritualidade se desvelam, se descobrem, não são apenas fruto da graça, mas de uma reflexão profunda à procura do absoluto diferente que existe em todo ser e constitui a essência do sagrado. O espiritual se constitui pela consciência plena da presença da existência em nós. Quando a essência encontra de maneira plena a existência, ocorre a presença. Presença plena, Gestalt sagrada, hierofania com a face humana.

Vive-se o espiritual quando nos encontramos com o sentido que as coisas escondem. Ele é fruto da experiência de ressignificação de necessidades materiais, humanas, às vezes religiosas, e acontece quando nos ligamos à essência mais que à existência do ser e formamos um só com ele – ou quando relemos a aparência e a transcendemos, indo ao encontro daquilo que as aparências ocultam. Toda experiência espiritual é numinosa, pois revela um aspecto do divino escondido na formalidade e na materialidade das coisas.

A experiência da espiritualidade consagra, unge o ser em si mesmo; é como se o ser mudasse de estrutura, conservando sua forma e seu funcionamento. Assim, ele perde a dimensão de coisa e se transubstancia na sagração de um hino de louvor à essência, ao cosmos. A espiritualidade é um ajustamento criador, porque na percepção do observador o profano perde sua estrutura e conserva sua forma: um raio é uma faísca elétrica, o que constitui um dado de realidade para o homem moderno; aos olhos do homem primitivo, entretanto, o raio era a voz de um Deus raivoso com seu povo. A forma é a mesma para ambos, a estrutura muda para o homem primitivo.

Experimentar, sentir a espiritualidade acontecendo em nós é uma descoberta, é desvelar as coisas, deixar cair a máscara, ir além das aparências que a ocultam para que o sagrado apareça. O sagrado é fruto de uma fala interior, de uma escuta interior, de um sentir interior. Ele passa pelo pensar, mas nasce no coração. Não é fruto de ver a coisa, mas de confundir-se com ela.

O espiritual nasce de um diálogo interior, de uma ressignificação de ideias, valores, de uma provocação na qual o fundo novo, ativo mas adormecido, se transforma em figura.

Vivemos em estado de travessia, somos partes de um deserto, trabalhado por oásis e infinitas areias. O caminho é meu, a escolha é minha. O espiritual habita tanto o oásis quanto as areias.

Somos espírito, somos matéria. Somos espírito-matéria, somos, intrinsecamente, espiritualidade-materialidade, dimensões fundantes de nossa humana existência. Não precisamos procurar por tais dimensões; silenciosamente elas habitam em nós. Somos o lugar em que elas acontecem, temos apenas de encontrá-las, o que, de certo modo, supõe que precisamos procurá-las – embora não se saiba se vamos encontrá-las, já que experienciá-las é fruto do uma postura, de um acaso existencial, de uma ordem completamente diferente das realidades controladas, medidas, contadas. Elas se deixam encontrar quando o emocional está livre, aberto para isso. Não estamos falando de uma teoria da experiência do espiritual, mas de uma experiência religiosa primária que antecede toda uma reflexão a priori sobre o mundo.

A manifestação do sagrado funda ontologicamente o mundo. Na extensão homogênea e infinita onde não é possível nenhum ponto de referência e, em consequência, onde orientação nenhuma pode efetuar-se, a hierofania revela um "ponto fixo" absoluto, um "centro"... "[...] A descoberta ou a projeção de um ponto fixo – o 'centro' – equivale à Criação do Mundo" [...] (Eliade, 2002, p. 17).

Estou dizendo que o espiritual implica uma experiência de totalidade que nos conduz à possibilidade da fé. É uma ilusão pensar que o sentido que dou às coisas são as coisas. Vemos apenas o ente que nos revela o ser, lugar onde, de fato, o mistério encontra abrigo.

Psicoterapia/psicoterapeuta: o encontrar-se com o espiritual

Nossa cabeça lógica e linear não consegue, muitas vezes, captar a majestade e, consequentemente, o sentido escondido no coração das coisas. Não temos acesso à totalidade delas, mas tão somente a uma visão analógica da realidade, restando-nos apenas e humildemente acreditar que o sentido que damos às coisas é fruto de nossa humana subjetividade. Falta-nos a magia de uma intersubjetividade humana e cósmica.

É por isso que, não obstante o método fenomenológico nos aproximar da verdade das coisas, estas jamais são abarcadas completamente por ele, pois existe um espaço, um vazio entre a verdade das coisas e o que delas percebemos e descrevemos. Descrevemos a aparência das coisas, não temos acesso à sua alma, sobretudo porque a verdade é inatingível e a percepção de sua totalidade está na ordem de uma absoluta contingência.

Psicoterapia é um lugar no qual alguém que perdeu, momentaneamente, a capacidade de cuidar de si legitima o outro para cuidar dela, na esperança de recuperar o poder de lidar consigo próprio de maneira nutritiva e saudável. Talvez a psicoterapia seja um dos únicos lugares em que a relação corpo-mente encontre um caminho seguro para voltar para casa.

> Cada pessoa é como um poema esperando para ser escrito. O psicoterapeuta deve ecoar o ritmo e a rima muito especiais dessa forma de arte nascente. Frequentemente, esse "poema" esteve escondido por anos de experiências torturantes e infelizes. É necessária uma grande abertura amorosa para que o belo emerja. A poesia genuína não pode ser enquadrada em uma métrica que não lhe seja própria. Essa abertura verdadeira para a beleza do outro não pode ocorrer se o terapeuta mantém concepções significativamente divergentes de quem o cliente é ou deveria ser. (Hycner, 1995, p. 119)

Psicoterapia é o lugar no qual cliente e psicoterapeuta se encontram para juntos acessarem os verdadeiros processos trazidos pelo cliente, encontrando soluções conjuntas que permitam a este conduzir, emocionalmente mais seguro, a própria vida. É um lugar no qual o cliente se sente livre e respeitado para falar de qualquer situação difícil de sua vida, na esperança – e às vezes na certeza – de que o psicoterapeuta é só ouvidos para ouvi-lo, é só sentimentos para compreendê-lo e é tecnicamente preparado para ajudá-lo a reencontrar seu *modus vivendi* natural, percorrendo com ele caminhos que o ajudem, como eu disse antes, a voltar para casa.

A relação cliente-psicoterapeuta, como tudo no universo, é profana; ela se torna sagrada e, portanto, fator de cura no momento em que psicoterapeuta e cliente, incluindo-se um no outro, se constituem, na sua singularidade, como seres essencialmente complementares e adquirem o temor fascinante pela beleza um do outro.

Apesar de toda beleza e grandiosidade de que pode se revestir o ato psicoterapêutico, o sagrado na psicoterapia não ocorre *ex opere operato*, ou seja, não é porque se está numa relação psicoterapêutica que o sagrado ocorre. Ela se dá *ex opere operantis*, isto é, somente quando a palavra do cliente e a do psicoterapeuta se fazem carne, o sagrado se torna possível. Fazer-se carne significa a perda de toda e qualquer categoria humana em favor de uma inclusão no mistério do outro, sem esperar nada em troca, sem esperar encontrar nada, mas apenas tocando a alma e o sentido dela com dedos de amor. Uma *epoché* de um gesto profundamente espiritual.

A espiritualidade está implícita na natureza da psicoterapia, pois, se materialidade e espiritualidade são dimensões constituintes da essência humana, não será possível fazer psicoterapia deixando de lado a dimensão humana da espiritualidade, operante silenciosa no coração das pessoas. Afinal, quando dois corações batem no ritmo de uma só alma, o espiritual se faz presente.

> Para aqueles a cujos olhos uma pedra se revela sagrada, a sua realidade imediata transmuta-se numa realidade sobrenatural. Em outras palavras, para aqueles que têm uma experiência religiosa, toda a Natureza é suscetível de revelar-se como sacralidade cósmica. O Cosmos, na sua totalidade, pode tornar-se uma hierofania. (Eliade, 2002, p. 13)

O homem espiritual sabe que, se tudo tem o dedo e a marca de Deus, tudo pode reconduzi-lo a Ele. O homem profano vê apenas a aparência; o espiritual vê, sente e contempla a alma das coisas – e, ao senti-la nas coisas, celebra ali a presença de Deus. Assim, para o homem espiritual tudo se transforma numa catedral de Deus, seja uma pedra, uma formiga, uma flor, um homem. Ele adora o Deus oculto na essência das coisas. Não precisa de um templo ou igreja para celebrar o sagrado: ele e o outro são templos visíveis da divindade. Assim, tanto em uma formiga quanto em um homem podemos encontrar a maestria que nos conduz ao sagrado, ao divino.

Se o psicoterapeuta não for capaz de experienciar a sacralidade de uma pedra, de uma flor, de uma dor, não fará contato com a espiritualidade de seu cliente. No processo psicoterapêutico, o que cura não é descobrir sintomas e agir sobre ou com eles, não é emocionar-se, mas caminhar do profano ao sagrado, e do sagrado ao espiritual, ajudando o cliente a se olhar com os olhos de transcendência, ou seja, de superação e descoberta de si mesmo.

A espiritualidade de algo não consiste em descobrir a natureza teórica de como aquilo funciona. Descobre-se o próprio sagrado ou o do outro quando se vai além e para além da essência das coisas. Isso ocorre quando se descobre a singularidade individual de alguém e, nela, a força com que essa pessoa se coloca no universo, transcendendo a si mesmo. Não existe descontinuidade entre o sagrado de uma pedra (no contexto do universo, como única e singular) e a hierofania suprema que é descobrir nela o Deus que a habita e se confunde com ela.

A experiência do espiritual é um espaço psicológico, existencial, um lócus para o qual converge toda a energia de vida e de encontro da pessoa com ela mesma, permitindo que ela se descubra como única e singular e, ao mesmo tempo, incluída no mundo.

A relação psicoterapêutica em si não sacraliza o encontro; a sacralidade da relação vai depender de quanto se sente sagrado o cliente, de quanto se sente sagrado o psicoterapeuta e de quanto esse sagrado convive na unidade transformadora do encontro, como ressonância da espiritualidade de ambos.

A psicoterapia torna-se sagrada apenas quando a relação entre ambos, indo além da teoria e da técnica, penetra no mistério fascinante um do outro e ambos sentem o sentimento de pavor diante do sagrado, da majestade que enche, que invade, que habita o ser de cada um de nós. Esse é um momento de cura.

A espiritualidade emana da essência da pessoa como algo natural, assim como o perfume emana da flor, como as águas brotam da terra e permitem à nossa existência uma celebração da vida na singularidade de nossa totalidade.

Espírito-matéria, somos espírito porque somos pessoas e somos pessoas porque somos espirituais. Portanto, vivemos, na carne, a experiência da espiritualidade, da temporalidade, da qualidade do ato de ser. Somos para sermos. Somos matéria porque somos pessoas e somos pessoas porque somos matéria. Desse modo, vivemos, no espírito, a experiência da materialidade, da espacialidade, da quantidade do ato de ter, temos para termos. Captar essa relação é captar o eu-outro na sua totalidade, e quando tal percepção nos invade no processo psicoterapêutico abre-se para nós um verdadeiro caminho de mudança, talvez de cura.

Quando captamos a absoluta singularidade de alguns momentos, estamos também captando o espiritual deste aqui e agora; isso que nos invade, que toma conta de nosso ser, constitui uma percepção criadora de nossas possibilidades. Captar o espiritual que emerge do mais íntimo de nosso ser é uma *awareness* de um ato de criação, porque só ele dá à pessoa sua real dimensão como o traço do numinoso que o constitui.

Espiritualidade-materialidade e a relação psicoterapêutica ambiente-corpo são dimensões fundantes da estrutura de nossa personalidade. Essa correlação está em todo lugar e em tudo; envolve tanto um olhar profano, quando se olha apenas a aparência das coisas, quanto um olhar sagrado, quando se vai além das aparências. Por exemplo: a experiência estética do perfume de uma flor recria sua qualidade de perfume quando essa experiência celebra a qualidade do perfume como uma dádiva do Criador. O perfume deixa de ser perfume para ser o sagrado de uma flor, o numinoso nela presente.

Quando fazer psicoterapia implicar buscar, encontrar, experienciar o sagrado que existe em cada um de nós, a relação psicoterapêutica se transformará numa autêntica vivência de espiritualidade que une psicoterapeuta e cliente.

Descobrir o sagrado de um cliente é vê-lo no cosmos como sujeito e objeto do particular interesse e amor com que todas as coisas o cercam, o constituem e o constroem. O espiritual está no "entre" onde tudo acontece; não está no olhar, nem na fala, nem nas lágrimas do cliente ou do psicoterapeuta.

Tenho repetido que a relação psicoterapêutica é, em si, profana, em que pese ser um lócus de esclarecimentos, propósitos e compreensão do mistério da vida. Por isso, dificilmente ocorrerá um processo de mudança, de cura, se essa relação for apenas um acidente geográfico de um consultório que acolhe cliente e psicoterapeuta – e não o fruto da sacralidade que nasce da relação essencial entre o lugar, o cliente e o psicoterapeuta.

A relação psicoterapêutica se sacraliza quando cliente e psicoterapeuta se veem um ao outro com os olhos da alma, quando a totalidade do existir de um e do outro se faz presente, quando se descobre a absoluta gratuidade do momento e a absoluta singularidade do outro, quando se experiencia que cada um na relação é um ser de singulares possibilidades.

Estamos diante da majestade da hierofania, celebração da beleza do ser, manifestação do belo, polifonia do sagrado.

A relação psicoterapêutica passará de profana a sagrada quando descobrimos nela que processos calados, emudecidos pelos nossos ajustamentos disfuncionais, esperam por uma manifestação, uma epifania, que, mais que um processo de mudança, seja um verdadeiro processo de cura.

O consultório ou esse lugar em que você, de fato, está agora poderão se transformar em um lugar sagrado se, aqui e aí, irromper uma hierofania, isto é, uma celebração do divino, constituindo esses dois espaços um lócus de amor, de celebração, de vibração existencial, de procura de sentido.

Concluindo, se é possível concluir

Quando fazer psicoterapia implicar buscar, encontrar, experienciar o humano-sagrado que habita cada um de nós, a relação psicoterapêutica terá a face do Tu Eterno e se transformará numa fecunda expressão da espiritualidade que une psicoterapeuta e cliente.

A cura, por meio de uma profunda vivência da relação ambiente-corpo, espírito-matéria, cliente-psicoterapeuta, será fruto dessa unidade sagrada, habitará e fará morada em nossos consultórios – e a Gestalt-terapia será vista como morada da espiritualidade.

Esses são possíveis caminhos que caminhei com você. Existem outros. As escolhas no mundo da espiritualidade nem sempre são visíveis, mas caminham, pois o caminho nos constrói, é um espelho existencial dos enfrentamentos e das gestalten que conseguimos fechar.

Referências

Buber, M. *Eu e Tu*. São Paulo: Centauro, 2003.

Eliade, M. *O sagrado e o profano – A essência das religiões*. Lisboa: Livros do Brasil, 2002.

Hycner, R. *De pessoa a pessoa – Psicoterapia dialógica*. São Paulo: Summus, 1995.

Ribeiro, J. P. *O ciclo do contato*. 8. ed. rev. atual. São Paulo: Summus, 2019.

9. Gestalt-ecopsicoterapia, ecoespiritualidade e ecologia profunda: caminhos de sustentabilidade humana[1]

Quando digo que algo é vivo, estou dizendo que estar vivo implica em mil variáveis que, juntas, permitem que a vida aconteça. Sou um corpo e, assim como meu corpo é composto de milhões de elementos diferentes entre si que o fazem vivo, também o universo é composto de milhões de elementos diferentes que o fazem vivo. Sou apenas um dos milhões de elementos que compõem o universo. Segundo Morin (1990, p. 64), "o mundo está no interior do nosso espírito e este, no interior do mundo. Sujeito e objeto, neste processo, são constitutivos um do outro".

Imaginem que o universo é uma imensa bola e que dentro dela estão todas as coisas que a compõem e que você é uma dessas peças. Você não está fora dela, está dentro dela. Assim é o universo. Assim é. Isso significa que o princípio de que o todo é diferente da soma de suas partes é metafísica, ontológica e operacionalmente correto.

> A visão simplificada diria: a parte está no todo. A visão complexa diz: não apenas a parte está no todo: o todo está no interior da parte que está no interior do todo. (Morin, 1990, p. 128)

A vida surge, então, da interconexão, da interdependência de milhões de partes que, coexistindo, organizada e articuladamente, geram a unidade/totalidade que é o espírito do mundo, a vida que tudo conecta.

> Escrevi que o acaso, sempre indispensável, nunca está só e não explica tudo. É necessário que haja o encontro entre o imprevisível e uma potencialidade organizadora. Portanto, não reduzo o novo ao "ruído". (Morin, 1990, p. 155)

Pensemos também em um relógio, composto de várias peças diferentes uma da outra. Estão conectadas, organizadas, articuladas à espera da alma, do espírito

1 Diversos trechos deste capítulo encontram-se em: <http://igtb.com.br/xv-encontro-nacional-de-gestalt-terapia-e-xii-congresso-brasileiro-da-abordagem-gestaltica/>. Acesso em: 18 abr. 2022.

cósmico, da totalidade que as fecundará com a energia da vida, a pilha que as transformará, de fato, em um relógio. A pilha não vem de fora, de elementos diferentes dos elementos que compõem o relógio, é feita dos mesmos elementos que esperam por ela, pelo seu sopro de vida. Só que, na pilha, esses mesmos elementos se organizaram de maneira diferente, permitindo a ela ser transmissora do sopro da vida que será comunicada a esse todo, ainda potencialmente um relógio, que, uma vez em contato com ela, deixará de ser um conjunto de peças – que, embora em conexão, são sem vida – para ser um todo, uma totalidade viva e que confere vida. É como diz Morin (1990, p. 156): "É preciso qualquer coisa, como uma potencialidade reorganizadora incluída na auto-organização que recebe o acontecimento aleatório".

Essa introdução nos conduzirá por todo o capítulo.

A *Gestalt-ecopsicoterapia* é uma proposta de experimentar e de vivenciar a natureza enquanto um compromisso pessoal de nossa conexão amorosa com o universo e enquanto um processo interior de cuidado e de pertencimento à mãe terra. Nasce como um modelo de contato primário com a natureza, síntese efetiva de um processo de experiência de sustentabilidade e de desenvolvimento humanos, enquanto se coloca entre ambos como vivência na natureza e como processo de humanização.

É uma prática que sistematiza nossa relação entre a psicoterapia e a vivência da e com a natureza, através da qual a pessoa, usando adequadamente elementos como ar, fogo, terra, água, em uma experimentação cuidadosa, pode se sentir parte integrante da natureza e reconhecer que o contato com a mãe terra é um elemento de cura, um processo de saúde, ao produzir bem-estar e uma sensação real de pertencimento.

Sensível às ciências do universo, da terra, da vida, a Gestalt-psicoterapia se propõe a mergulhar no mundo da natureza, buscando aí respostas, ajuda, apoio, soluções que a mãe terra nos oferece de graça, ao mesmo tempo em que, fazendo-nos ver seu funcionamento, ensina-nos a conhecer sua força e também a tratar nossas dores e as suas, simplesmente deixando-nos acontecer, como também ela acontece.

Falar de sustentabilidade é, necessariamente, falar em desenvolvimento, dois conceitos que, em princípio, não se casam perfeitamente, porque enquanto o desenvolvimento tem mais que ver com o paradigma da dominação, que tem na ciência da economia sua origem, a sustentabilidade tem mais que ver com o paradigma da *trans-form-ação*, que tem sua origem nas ciências da natureza e, mais especificamente, na biologia.

Essa quase polaridade me conduz à seguinte reflexão como uma premissa epistemológica: parto da dimensão teórica de que, caminhando paralelamente com a Gestalt-ecopsicoterapia e a sustentabilidade, que humaniza o desenvolvimento, *os conceitos de sustentabilidade e desenvolvimento me conduzirão, naturalmente, a aprofundar as relações entre ambientalidade e a relação de campo ambiente-organismo.*

Vou caminhar, como método, com as duas ou entre as duas, fazendo da Gestalt-ecopsicoterapia a figura e da sustentabilidade e desenvolvimento o fundo de uma proposta teórico-prática que mostre, entre outras hipóteses, essa abordagem *como possibilidade de ser uma postura de desenvolvimento humano sustentável*.

A Gestalt-ecopsicoterapia é uma metodologia centrada na *trans-form-ação*, porque incorpora a mobilidade das ciências do universo, da terra, da vida e do ser humano, dando inteligibilidade aos processos de ajustamento criativo, autoecorregulação organísmica, pregnância e homeostase, permitindo que a pessoa se veja, de fato, como um ser aberto à mudança, ao crescimento pessoal e às provocações da natureza, enquanto experiência de relação organismo-ambiente. É um procedimento centrado na capacidade criativa e criadora do homem, na sua competência e não no improviso, na sua ética e não na violência.

Vivemos um duplo paradigma ou uma dupla cosmologia: a *cosmologia de dominação*, cujo foco é a conquista e a dominação do mundo, fruto de uma visão mecanicista, determinista, materialista e racionalista de mundo, e a *cosmologia de trans-form-ação*, derivada das ciências do universo, da terra, da vida e do ser humano, cujo foco é todo o processo de sustentabilidade, que nasce de uma visão cosmogônica, isto é, do processo de evolução, ainda em curso, e que se iniciou há 13,7 bilhões de anos (Boff, 2015, p. 77).

Embora, às vezes, nossa postura possa ser de dominação, de conquista, o oposto da postura gestáltica de libertação, de uma *epoché* emocional e existencial, que tem tudo que ver com a teoria da complexidade e da incerteza, sabemos que "todos os seres são interdependentes e colaboram entre si para coevoluírem, garantirem o equilíbrio de todos os fatores e sustentarem a biodiversidade" (Boff, 2015, p. 77).

Essa interdependência nos garante uma pregnância e uma homeostase cósmicas que consolidam a ideia de que a totalidade é o princípio ativo que rege tudo no universo. Nós, Gestalt-ecopsicoterapeutas, vivemos ou devemos viver uma permanente *epoché* nas nossas relações ambiente-organismo, o que significa olhar o universo, olhar à nossa volta com a mente e o coração abertos a uma contemplação da natureza como uma mestra, como aquela que ensina, que sabe, porque só assim apreendemos e aprendemos o verdadeiro sentido da realidade que se oferece à nossa contemplação como um fenômeno para nossa consciência.

Definindo conceitos

Sustentabilidade é toda ação destinada a manter as condições energéticas, informacionais, físico-químicas que sustentam todos os seres, especialmente a Terra viva, a comunidade de vida, a sociedade e a vida humana, visando sua continuidade, e ainda

> atender às necessidades da geração presente e das futuras, de tal forma que os bens e serviços naturais sejam mantidos e enriquecidos em sua capacidade de regeneração, reprodução e coevolução. (Boff, 2015, p. 107)

> A *ecologia profunda* não separa seres humanos – ou qualquer outra coisa – do meio ambiente natural. Ela vê o mundo não como uma coleção de objetos separados, mas como uma rede de fenômenos que estão fundamentalmente interconectados e são interdependentes.
> Quando a concepção de ser humano é entendida como um modo de consciência no qual o indivíduo tem uma sensação de pertinência, de conexidade com o cosmos como um todo, torna-se claro que a percepção ecológica é espiritual na sua essência mais profunda. (Capra, 1996, p. 26-7)

> Considero que a *espiritualidade* esteja relacionada com aquelas qualidades do espírito humano – tais como amor e compaixão, paciência e tolerância, capacidade de perdoar, contentamento, noção de responsabilidade, noção de harmonia – que trazem felicidade tanto para a própria pessoa quanto para os outros (Boff, 2001, p. 15)

> *Desenvolvimento* é um processo econômico, social, cultural e político abrangente, que visa ao constante melhoramento do bem-estar de cada população e de cada indivíduo, na base da sua participação ativa, livre e significativa no desenvolvimento (crescimento) e na justa distribuição dos benefícios resultantes dele. (Boff, 2015, p. 47)

Difícil combinar sustentabilidade e desenvolvimento, porque, embora não sejam conceitos em polaridade, visam diferentes interesses: *desenvolvimento* é da ordem da materialidade, do ganho, e *sustentabilidade* é da ordem da natureza, do contato, do equilíbrio, embora caiba aqui um ajustamento criativo de uma outra ordem, social, política, espiritual. Tanto desenvolvimento quanto sustentabilidade são palavras que supõem uma ação humana que possa fazer a diferença entre as duas, porque é o *processo de contato* entre elas que diferencia uma da outra, como se estivéssemos na fronteira de um campo ambiente-organismo.

> A *sustentabilidade* (entretanto) precisa incorporar este momento de espiritualidade cósmica, terrenal e humana, para ser completa, integral e ganhar densidade e um rosto humano. (Boff, 2015, p. 92)

A *espiritualidade* nos guiará como um processo de sacralização da relação entre desenvolvimento e sustentabilidade. Sustentabilidade é necessária. Desenvolvimento é necessário. No entanto, nenhum dos dois, sozinho, pode resolver aquilo a que se propõe, porque um é necessário ao outro para seu pleno andamento e sucesso. Ambos devem andar juntos, porque um sem o outro não se sustenta.

Numa visão holística de mundo, onde as partes não podem ser pensadas isoladamente, sustentabilidade e desenvolvimento não são sistemas polares; antes, completam-se naturalmente. Para isso, entretanto, ambos não podem ser apenas uma ideia, um produto a ser vendido nos vários mercados do mundo, precisam ser pensados a partir de um outro referencial: *a pessoa humana como centro de toda atitude que não apenas pense o homem, mas que o sinta num mundo de humanas e fraternas relações.*

Proponho-me, então, a sair de uma visão fragmentada, dualista desses dois conceitos para uma visão inclusiva, de coexistência, fundante de uma mesma realidade, assim: sustentabilidade/organismo, desenvolvimento/ambiente, e interpondo a espiritualidade como elemento criador da possibilidade de uma relação saudável, fecunda e construtiva.

Espiritualidade é um estado em que as três dimensões da essência humana, ambientalidade, animalidade e racionalidade, funcionam entre si harmônica e sincronicamente. Quando, entretanto, conectamos a relação ambiente à ambientalidade, emoção à animalidade e razão à racionalidade, adentramos de imediato no universo da espiritualidade, dimensão estruturante de nossa humanidade. E, consequentemente, essas conexões nos levam ao campo da espiritualidade como uma dimensão humana, ao passo que sacralidade é um processo através do qual o significado das coisas é recriado. Quando percebemos, descobrimos o real e verdadeiro sentido das coisas e lhe atribuímos um sentido novo, nós os tiramos do nível do profano, (estado/condição de qualquer coisa antes de ser sacralizada) e os transportamos para o nível do sagrado, ou seja, a atribuição de um novo significado a um determinado objeto recria o objeto/coisa em questão.

Essa atribuição, essa transcendência, implicam a quase mudança de natureza e acontecem quando, ao intuirmos a essência de um objeto, atingimos, através da apreensão das suas possibilidades, níveis de percepção e experiência que transcendem o objeto em questão, dada a profundidade da força de conexão que se estabelece entre o profano e o sagrado – o que implica a recriação de um novo sentido do objeto. Mudamos a natureza da realidade quando nosso olhar sobre ela vai além daquilo que, de fato, ela é ou significa. Um exemplo: O perfume de uma flor é o perfume de uma flor. Ponto e basta, é isso aí. Quando, no entanto, sentimos, no perfume de uma flor, algo além dele mesmo, como a presença de Deus na natureza, estamos mudando a natureza do perfume, vendo nele algo além dele mesmo, e essa sacralização pertence ao mundo de nossa espiritualidade.

> O espírito é tão ancestral quanto a matéria e o universo. Espírito [...] significa a capacidade de relação e de conexão que todos os seres têm entre si, gerando informações e

> constituindo a rede de energias que sustentam todo o universo. Este espírito cósmico, Matriz Relacional, torna-se consciente no indivíduo e por isso pode fazer história e fundar um projeto de vida que traz a marca da natureza do espírito. (Boff, 2015, p. 162-163)

Essa citação de Leonardo Boff fala, sobretudo, da ancestralidade do espírito como fruto, como uma criação do próprio processo evolutivo. Isso significa que desenvolvimento e sustentabilidade não podem ser apenas um conceito, precisam ser sacralizados, pois "o espírito é tão ancestral quanto a matéria e o universo", e esses conceitos, ainda como são explicados e ativados, são profanos. Se pensarmos ambos não apenas como conceitos, mas como processos em movimento, como realidades vivas, incrustradas no processo evolutivo cósmico que vivemos, mudamos a sua natureza. Desenvolvimento e sustentabilidade serão como um corpo natural e acabamos de lhes dar uma alma, "trazer a marca do espírito", como diz Boff.

A ideia de desenvolvimento e sustentabilidade, em si, é excelente, cheia de intenções e propósitos, mas isso não basta. É preciso esperança, fé, amor para que os que promovem o desenvolvimento sustentem a sustentabilidade e a levem para a frente. Desenvolvimento e sustentabilidade são, *a priori,* processos de natureza, da mãe terra, e também fruto do trabalho e do amor de operários que trabalham este planeta, e precisam ser vistos como uma promessa na direção de um mundo novo e melhor, algo que mova as pessoas não pela sua beleza, mas pela sua razão de ser, pela esperança e pela certeza de que somos um novo caminho para um mundo melhor. Esta visão operacionalizada, comprometida por uma ética pessoal, por uma consciência de que somos, somática e cosmicamente, irmãos é o que chamamos estado de sacralidade, e é aí que a sustentabilidade se sustenta.

Gestalt-ecopsicoterapia

A Gestalt-ecopsicoterapia, um campo de atuação da Gestalt-terapia, será vista, estudada, sentida como uma árvore cujos galhos são ecologia profunda, sustentabilidade e espiritualidade, três sistemas operacionais que não poderão ser pensados um sem o outro. Faço, entretanto, uma reflexão básica sobre a Gestalt-terapia enquanto um pressuposto epistemológico que nos garante a passagem para a Gestalt-ecopsicoterapia.

> Gestalt-terapia começa com a natureza. Sua inspiração e seus princípios básicos são tirados a partir de um olhar sobre o livre funcionamento na natureza, no nosso corpo e no nosso comportamento saudável e espontâneo. As dinâmicas da natureza e do

homem são uma coisa só, tanto que podemos usar o que nós observamos para construir uma teoria do comportamento humano. Gestalt-terapia é organizada a partir de princípios de nossa estrutura biológica e do nosso funcionamento que pode ser visto no comportamento natural. "Gestalt é tão antiga, como antigo é o próprio universo" (Perls, 1969, p. 16) porque ela é baseada nos princípios da organização que sustentam a vida. (Latner, 1973, p. 10)

A Gestalt-terapia, particularmente como a elaborada por Goodman, toma como ponto de partida algo que, mesmo tão óbvio, nossas ciências humanas e sociais geralmente parecem não notar: [isto é] a troca que se dá incessantemente entre o organismo humano e seu ambiente circundante vincula pessoa e mundo um ao outro de maneira inextrincável, em todas as áreas da vida. (Perls, Hefferline e Goodman, 1997, p. 28)

A base dos primeiros princípios da Gestalt-terapia é holismo. A essência da concepção holística da realidade é que toda a natureza é um todo unificado e coerente. Os elementos orgânicos e não orgânicos do universo coexistem em um contínuo processo de mudança de coordenar atividade. (Latner, 1973, p. 4)

Em Gestalt-terapia, este princípio geral é chamado autorregulação organísmica. "O organismo está lutando para a manutenção de um equilíbrio que é continuamente perturbado pelas suas necessidades e recuperado através de sua gratificação ou eliminação". (Perls, 1947, p. 7) [...] (Latner, 1973, p. 11)

O princípio da autorregulação organísmica não implica ou assegura a satisfação das necessidades do organismo. Implica que os organismos irão fazer o melhor que puderem para se autorregular de acordo com suas capacidades e os recursos do ambiente. Este princípio é semelhante ao princípio da *pregnância* da psicologia da Gestalt: "Qualquer campo psicológico é tanto organizado quanto as condições globais daquele momento o permitirem". (Latner, 1973, p. 13)

Dito isso, podemos dizer que a Gestalt-ecopsicoterapia, como um campo de Gestalt-terapia, começa também na natureza, com a natureza *e* é da natureza que emanam seus pressupostos teórico-operacionais. A ideia é também de que a Gestalt-ecopsicoterapia funciona a partir do mesmo modelo através do qual a natureza funciona.

Holismo é a essência do funcionamento da natureza. Dessa totalidade, nascem alguns princípios básicos como *ajustamento criativo, autoecorregulação organísmica, pregnância, homeostase,* como complexas formas de contato que criam para nós um campo de presença, um aqui-agora como uma experiência na nossa relação ambiente-organismo. *Estes princípios são a estrada que o Gestalt-ecopsicoterapeuta observa na condução do seu trabalho na natureza e com a natureza.*

Nosso funcionamento, centrado na natureza, obedece ao modelo que a natureza segue livremente para satisfazer suas necessidades, pois a "Gestalt-terapia é baseada nos princípios da organização que sustentam a vida". Na verdade, "a troca que se dá incessantemente entre o organismo humano e seu ambiente circundante vincula, em todas as áreas da vida, pessoa-mundo de uma maneira inextrincável". "Chamamos esse processo de holismo, isto é, toda a natureza é um todo unificado e coerente".

Os elementos humanos e não humanos do universo "co-existem em um processo contínuo de mudança para coordenar suas atividades". Esse processo se chama *autoecorregulação organísmica.*, i. e., "o organismo luta para a manutenção de um equilíbrio que é continuamente perturbado pelas suas necessidades e tenta recuperá-las através de sua gratificação ou eliminação. Chamamos esse processo de *pregnância*, i. e., o organismo procura sempre sua melhor forma, seu melhor funcionamento" nas condições globais daquele campo ora em atividade. (Latner, 1973, p. 4-13). Ainda conforme Latner (1973, p. 12), "implícito na autorregulação organísmica está a ideia de que o organismo vive um processo de *awareness*. [...] Perls acreditava que *awareness*, neste sentido, é um aspecto de toda a existência, orgânica e não-orgânica, tanto quanto o tempo e o espaço".

Perls com certeza tinha em mente uma dimensão cósmica quando afirmou, referindo-se à relação organismo-ambiente, que *awareness* é um aspecto de toda a existência orgânica e não orgânica. Isto implica ter uma percepção do corpo no nível da emoção e lançar-se na direção do mundo. Não se trata de um movimento mecânico na direção do mundo, mas sim de uma inclusão no mundo a partir de uma percepção da dor do mundo e do planeta.

> Perls (1985, p. 20) define o processo homeostático como "aquele pelo qual o organismo mantém o equilíbrio e, consequentemente, sua saúde em condições diversas. A homeostase é, portanto, o processo através do qual o organismo satisfaz suas necessidades" [...] envolve a totalidade do organismo em sua relação com o ambiente. [...] Atende à necessidade soberana dos seres vivos de autorrealização. [...] e o processo homeostático se realiza de forma perene em nossa vida. (Cardoso, 2007, p. 137-138)

Quando falamos de homeostase, estamos falando de imersão na natureza, de se deixar confundir-se com ela em um processo de experiência de duas totalidades, uma humana e outra não humana, mas nem por isso menos viva.

A Gestalt-ecopsicoterapia, porque fundada no humano, no social, na ética, no ambiental e no espiritual, é uma psicoterapia que permite e conduz à experiência e à vivência do processo de sustentabilidade e desenvolvimento humano sustentável, sobretudo através do conceito de campo e do método fenomenológico.

- *No humano*: porque a Gestalt-terapia é organizada a partir de princípios de nossa estrutura e funcionamento biológico que podem ser vistos no comportamento natural. "Gestalt é tão antiga e tão velha quanto o universo", "porque ela é baseada nos princípios de organização da vida" (Latner, 1973, p. 10).
- *No social*: porque "é fundamental ressaltar que a dimensão social não se constitui às custas do desenvolvimento civilizatório. O animal (inclusive humano) é naturalmente social e a relação entre pessoas sempre precedeu à linguagem e ao desenvolvimento de ferramentas". (Perls, Hefferline e Goodman, 1997, p. 129) E ainda: "O organismo/ambiente humano naturalmente não é apenas físico, mas social. Desse modo, em qualquer estudo de crenças do homem, tais como fisiologia humana, psicologia ou psicoterapia, temos de falar de um campo no qual interagem pelo menos fatores socioculturais, animais e físicos" (Perls, Hefferline e Goodman, 1997, p. 43).
- *Na ética*: Goodman acredita que é na emergência de uma figura vigorosa e da integração da natureza que há a saída para os conflitos, sejam biológicos ou sociais. Este é o lócus da ética proposto por Goodman, implícito em sua política e psicoterapia: a capacidade de cura do organismo e da sociedade a partir da confiança no ajustamento criador (Belmino, 2014, p. 141).
- *No ambiental*: Todo contato é ajustamento criativo do organismo e ambiente (Perls, Hefferline e Goodman, 1997, p. 45). A definição de um animal implica o seu ambiente: não tem sentido definir alguém que respira sem o ar, alguém que caminha sem gravidade e chão, alguém irascível sem obstáculos e assim por diante para cada função animal (Perls, Hefferline e Goodman, 1997, p. 42 e 69).
- *No espiritual*: O processo terapêutico e a busca da espiritualidade visam a mesma compreensão, a mesma procura e têm a mesma finalidade: conduzir a pessoa humana a uma relação Eu-Tu consigo mesma, em que desapareçam os adjetivos coisificantes e emerja a beleza de ser pessoa no mundo (Ribeiro, 2009, p. 183). Tanto a Gestalt-terapia quanto as práticas espirituais mostram uma confiança na natureza e expressam isso na confiança no organismo da pessoa e na reverência pelos processos naturais do organismo (Ingersoll, 2005, p. 139).

> De onde emerge uma plena confiança na vida? As práticas da Gestalt e da espiritualidade afirmam claramente que emerge no aqui-agora. Na prática da Gestalt-terapia e da espiritualidade, através da experiência imediata, o cliente é guiado à experiência de autodescoberta no aqui-agora. (Ingersoll, 2005, p. 148, tradução do original)

Formulemos alguns princípios básicos que poderão nortear nossa visão da Gestalt-ecopsicoterapia e operacionalizá-la:

1. A GET (Gestalt-ecopsicoterapia) trabalha os sistemas que organizam a vida através das estruturas e do funcionamento do corpo humano e do planeta, entendendo também que o universo é vivo.
2. A GET, ao modelo da natureza, trabalha nossa sociabilidade e socialidade, enquanto elementos que compõem nosso desenvolvimento e sustentabilidade, entendendo que nossa natureza herda do universo seu gene de que todas as coisas estão conectadas, formando uma única realidade.
3. A GET trabalha a relação organismo-ambiente através de uma atenção especial à natureza, aos animais e aos valores socioculturais humanos e não humanos, entendendo que existe uma interconexão entre todos os seres do universo.
4. A GET trabalha a natureza como um todo, entendendo que a vivência da natureza é o lócus ideal para as relações de corpo, de cultura e de promoção da saúde, entendendo que esta visão facilita nossa preocupação e zelo com o planeta Terra.
5. A GET trabalha nossa relação corpo-natureza como fonte primária de contato, entendendo que essa relação nasce de própria estrutura natural de que fomos feitos e que esta compreensão nos faz ver melhor os problemas do planeta.
6. A GET trabalha a natureza como fonte primária de espiritualidade, conduzindo as pessoas a uma postura de reverência e amor por todos os seres que a compõem e a um maior desejo de ser guardiãs e não donas do planeta.
7. A GET trabalha a relação natureza-pessoa como uma experiência de um campo de presença, acontecendo aqui-agora, entendendo que o campo da natureza tem tudo a oferecer ao homem como um processo de crescimento, desenvolvimento e sustentabilidade humana.

Vejamos agora alguns princípios[2] que fundamentam e dão sustentação à ecologia profunda e à noção de desenvolvimento e sustentabilidade humana e não humana e à sua intrínseca relação com a Gestalt-ecopsicoterapia.

2 Observo que os seis princípios a partir dos quais faço considerações práticas no que se refere ao presente trabalhos foram tirados de: Macy, J. e Brown, Y. M. *Nossa vida como Gaia – Práticas para reconectar nossas vidas e nosso mundo*. São Paulo: Gaia, p. 83-84.

1. Este mundo, no qual nascemos e no qual temos nossa existência, é algo vivo

Conceitos gestálticos de referência/operacionais deste princípio: campo, *awareness*, aqui-agora, ajustamento criativo e criador, diálogo, homeostase, presença, interação.

1.1.

[Este mundo] [...] é nosso corpo maior. A inteligência que fez com que evoluíssemos da poeira estelar e que nos interconecta com todos os seres é suficiente para a cura de nossa comunidade terrestre, desde que nos alinhemos com esse propósito. (Macy e Brown, 2004, p. 61)

1.2.

Todos os seres participam, de alguma forma, do espírito, por mais "inertes" que se apresentem, como uma montanha ou um lago. Eles também estão envolvidos numa incontável rede de relações, relações estas que são a manifestação do espírito. A distinção entre o espírito da Terra, do universo e da montanha e o nosso espírito não é de princípio, mas de grau. (Boff, 2015, p. 91)

1.3.

O princípio ontológico fundamental de sua leitura gestáltica [de Perls] é a crença na unidade do organismo e na unidade do campo organismo-ambiente: a "Gestalt-terapia é integralmente ontológica, pois reconhece tanto a atividade conceitual quanto a atividade biológica de gestalten" (Perls, 1966/1977d), por isso é que desde o início sua proposta é sempre holística. (Belmino, 2014, p. 54)

1.4.

Somos urgidos a desenvolver um sentimento de interdependência global: é um fato incontestável que todos globalmente dependemos de todos, que laços nos ligam e religam por todos os lados, que ninguém é uma estrela solitária e que no universo e na natureza tudo tem a ver com tudo em todos os momentos e em todas as circunstâncias (Bohr e Heisenberg). (Boff, 2015, p. 16)

1.5.

Numerosos ensaios se interessaram pela energia, a matéria, o espaço e o tempo. Não se trata mais de estudar tais elementos, um após o outro, mas, antes, suas relações e coevolução temporal. (Pena-Vega, 2003, p. 97)

1.6.

Todo sistema, do átomo à galáxia, é uma totalidade. Isso significa que não pode ser reduzido a seus componentes. Sua natureza e capacidade distintas derivam dos relacionamentos interativos de suas partes. Esse jogo é sinérgico, gerando "propriedades emergentes" e novas possibilidades, que não podem ser previstas a partir do caráter de suas partes – assim como a natureza úmida da água não pode ser predita a partir do oxigênio e do hidrogênio antes de se combinarem, ou como a força tensora do aço excede em muito a força combinada do ferro e do níquel. (Macy e Brown, 2004, p. 61)

1.7.

Esta compreensão desperta em nós um sentimento de pertença a este todo, de parentesco com os demais seres da criação, de apreço por seu valor intrínseco pelo simples fato de existirem e de, ao existir, revelarem algo daquela energia de fundo que neles se manifesta. (Boff, 2015, p. 91)

2. Nossa verdadeira natureza é bem mais antiga e abrangente do que o Eu separado definido pelo hábitat e pela sociedade

Conceito de referência/operacionais deste princípio: campo, diálogo, pregnância, figura-fundo, fenômeno, parte-todo, interação, aqui-agora.

2.1.

Somos tão intrínsecos a este mundo vivo como os rios e as árvores feitos dos mesmos e complexos fluxos de matéria, energia e mente. (Macy e Brown, 2004, p. 83)

2.2.

O que caracteriza esta nova cosmologia é o reconhecimento do valor intrínseco de cada ser e não de sua mera utilização humana, o respeito por toda a vida, a dignidade da natureza e não sua exploração, o cuidado no lugar da dominação, a espiritualidade como um dado da realidade humana e não apenas expressão de uma religião. (Boff, 2015, p. 78)

2.3.

A formação de um campo tem a ver com a construção de polaridades que nascem de forças com orientações contrárias. Isso é o que produz a possibilidade de encontro de um ponto de indiferença. Esse ponto de indiferença é o ponto de busca de conservação do equilíbrio. (Belmino, 2014, p. 56)

2.4.

A cosmovisão que ora emerge – caso sejamos ousados a ponto de experimentar suas implicações – permite-nos contemplar com novos olhos e vivenciar com novo interesse a rede da vida na qual existimos. Abre-nos para a vasta inteligência dos poderes auto-organizadores da vida, que nos trouxeram de gases intererestelares e mares primordiais. Leva-nos para uma identidade maior, na qual podemos transcender os medos com que o ego se identifica. (Macy e Brown, 2004, p. 56)

2.5.

Existe uma dimensão na pessoa que é sua singularidade irredutível, que faz com que ela seja única e irrepetível no universo e na história, no passado, no presente e no futuro. Igual a ela nunca houve, não há nem haverá. Temos a ver com uma emergência singularíssima do próprio universo. (Boff, 2015, p. 157)

2.6.

Concretamente, podemos dizer que todos os seres vivos dispõem de uma extraordinária autonomia de organização e de comportamento, que lhes permite adaptar-se a seu meio ambiente e até mesmo adaptar o meio ambiente a eles e dominá-lo. (Pena-Vega, 2003, p. 90)

2.7.

Sendo assim, para Goodman, as dicotomias interno/externo, consciente/inconsciente, sujeito/mundo etc. são fragmentações da experiência, já que "A totalidade das experiências não inclui 'tudo', mas são estruturas unificadas e definidas; e psicologicamente tudo o mais, inclusive a própria ideia de organismo e ambiente, é uma abstração ou uma construção possível, ou uma potencialidade que se dá nessa experiência como indício de outra experiência" (PHG, 1951/1997, p. 41). (Belmino, 2014, p. 95)

3. Nossa experiência da dor pelo mundo deriva de nossa interconexão com todos os seres, da qual também provém nosso poder de agir em seu benefício

Conceito de referência/operacionais deste princípio: Contato, autoecorregulação organísmica, relação organismo-ambiente, aqui-agora, totalidade, parte-todo, ajustamento criativo/criador, diálogo, paradoxo, liberdade.

3.1.

Quando negamos ou reprimimos nossa dor pelo mundo, ou tratamo-la como uma patologia privada, nosso poder de participação na cura do mundo diminui. Essa apatia não precisa se tornar uma condição terminal. (Macy e Brown, 2004, p. 83)

3.2.

O homem moderno está condenado à neurose. A sociedade "carece de um discurso público honesto e não leva as pessoas a sério". Frustra a aptidão e cria estupidez. Corrompe o patriotismo ingênuo. Corrompe as artes plásticas. Destrói a ciência. Afoga o fogo animal. Desestimula as convicções religiosas de justificação e vocação e apaga o sentimento de que há uma Criação. Você não tem honra. Você não tem comunidade (Goodman *apud* Belmino, 2014, p. 144)

3.3.

No contato, tudo existe, coexiste e continua a existir porque há uma energia poderosa que continuamente produz sustentabilidade e permite que a evolução continue em seu curso de expansão, de autocriação e de ascensão a formas de ser cada vez mais complexas e espirituais e concede ao ser humano poder testemunhar este processo, sentir-se parte dele, crescer e se enriquecer com ele. (Boff, 2015, p. 164)

3.4.

Antes mesmo de chegar ao fundo do conceito, digamos que a complexidade começa quando existe sistema, isto é, interações entre unidades que se tornam unidades complexas.

O princípio da autoeco-organização tem valor hologramático: assim como a qualidade da imagem hologramática está ligada ao fato de que cada ponto possui a quase-totalidade da informação do todo, assim, de uma certa maneira, o todo, enquanto todo de que fazemos parte, está presente no interior de nosso espírito. [...] A visão complexa diz: não apenas a parte está no todo; o todo está no interior da parte que está no interior do todo! (Morin, 1990, p. 128)

3.5.

Todo sistema é um "holon" – ou seja, é tanto algo inteiro em si mesmo, compreendido por subsistemas, como é *simultaneamente* parte integral de um sistema maior. Logo, os holos formam "hierarquias aninhadas", sistemas dentro de sistemas, circuitos dentro de circuitos, campo dentro de campos. (Macy e Brown, 2004, p. 62)

3.6.

Estes autores consideram que a autopoiesis, ou seja, a capacidade dos seres vivos de produzirem a si próprios, de se autoproduzir de maneira permanente, constitui a propriedade central dos sistemas vivos. (Pena-Vega, 2003, p. 87)

4. O desbloqueio ocorre, quando nossa dor pelo mundo é não apenas intelectualmente validada, como experienciada

Conceitos de referência/operacionais deste princípio: *awareness*, diálogo, figura-fundo, corpo, cuidado, fronteira do contato.

4.1.

A informação cognitiva a respeito das crises que enfrentamos, ou mesmo acerca de nossas reações psicológicas a elas, é insuficiente. Só conseguimos nos libertar de nosso medo da dor, incluindo o medo de nos entregarmos permanentemente ao desespero ou de desmoronarmos interiormente, quando nos permitimos experimentar essas emoções. (Macy e Brown, 2004, p. 84)

4.2.

A imagem da rede neural mostra um imponente conceito da teoria de sistemas: a mente não é algo separado da Natureza; ela está na Natureza. A mente permeia o mundo natural como a dimensão subjetiva dentro de todo sistema aberto, por mais primitivo que seja, diz o filósofo de sistemas Ervin Laszlo. (Macy e Brown, 2004, p. 63)

4.3.

Os eventos são entendidos através de um campo que se constitui a partir de opostos complementares. Por isso, não podemos ver nenhum fenômeno de forma isolada, mas devemos "nos manter vigilantes ao campo, contexto ou totalidade que um fenômeno está inserto" (Perls, 1947/2002, p. 63). (Belmino, 2014, p. 55)

4.4.

Desde já, podemos enunciar a ideia segundo a qual a complexidade, a irreversibilidade, a desordem e a autoeco-organização constituem as categorias de um novo paradigma na ecologia. (Pena-Vega, 2003, p. 42-3).

4.5.

E mais, podemos dizer que "o homem, como entidade sociobiológica, é parte integrante do processo de evolução e está no centro desse processo de aprendizagem" [...]. (Pena-Vega, 2003, p. 43)

4.6.

Organização viva é a aceitação de uma concepção que liga estreitamente ordem e desordem, isto é, que faz da vida um sistema de reorganização permanente fundado na dialógica da complexidade. (Pena-Vega, 2003, p. 29)

5. Quando nos reconectamos com a vida, suportando voluntariamente nossa dor por ela, a mente recupera sua clareza natural

Conceitos de referência/operacionais deste princípio: *awareness*, campo, organismo--ambiente, contato, autoecorregulação organísmica, corpo, totalidade, homeostase, polaridade.

5.1.

Quando experimentamos nossa interconexão com a comunidade da Terra, a ansiedade mental surge para ajustar essa experiência com o novo pensamento paradigmático. Conceitos que focalizam esse relacionamento ficam mais nítidos. (Macy e Brown, 2004, p. 84)

5.2.

Os cientistas descobriram que esses todos, sejam células, corpos, ecossistemas ou o planeta em si, não são apenas montes de peças distintas, mas são "sistemas" dinamicamente organizados e complexamente equilibrados, interdependentes em cada movimento, cada função, cada troca de energia e de informação. Viram que cada elemento faz parte de um padrão mais amplo, um padrão que liga e se desenvolve por meio de princípios discerníveis. A identificação desses princípios deu origem à teoria geral dos sistemas vivos. (Macy e Brown, 2004, p. 60-61)

5.3.

É preciso destacar desta primeira abordagem que a contribuição fundamental da nova ciência da ecologia é a teoria da auto-organização do ser vivo e dos princípios da complexidade, indeterminação, desordem, ordem, acaso das quais brotam as novas unidades de interação entre Vida ↔ Homem ↔ Sociedade. (Pena-Vega, 2003, p. 34-5)

5.4.

Dito de outra forma, o conhecimento não pode comportar em si mesmo a ideia de certeza e/ou de veracidade, mesmo sendo um conhecimento totalmente adquirido, sem colocar em questão os princípios organizadores desse conhecimento. (Pena-Vega, 2003, p. 55)

5.5.

O campo é a célula integrativa da experiência. A experiência sempre se faz a partir da totalidade que a constitui, ou seja, são configurações totais, que emergem no campo no momento presente. Pensar qualquer ação humana sem entendê-la a partir de uma abordagem de campo será sempre incompleto. Ou seja, "em toda e qualquer investigação biológica, psicológica ou sociológica temos de partir da interação entre o organismo e o ambiente" (PHG, 1997, p. 42). (Belmino, 2014, p. 96)

5.6.

Em suma, pode-se dizer que a palavra „sistema" designa uma rede de elementos interagindo uns sobre os outros, enquanto "ecologia" implica que essas interações concernem, em particular, aos seres vivos, considerados em vários níveis de integração possível: o indivíduo, a população, o povoamento e o ecossistema. (Pena-Vega, 2003, p. 66)

6. A experiência da reconexão com a comunidade da Terra gera o desejo de agir em seu benefício

Conceitos de referência/operacionais deste princípio: presença, holismo, ecologia, relação complementar, cuidado, ajustamento criativo, necessidade, diálogo, aqui--agora, contato, campo, ser-no-mundo, polaridade, paradoxo.

6.1.

Escolhendo o caminho terapêutico ou o da espiritualidade ou reconhecendo que somos escolhidos pelo caminho, damos o primeiro passo para uma maior *awareness* ou para uma habilidade de percepção do outro. Fazendo isto, eu creio que damos um passo a mais na direção do Divino. (Ingersoll, 2005, p. 148, tradução do original)

6.2.

À medida que os poderes de autocura da Terra se assentam em nós, sentimo-nos convocados a participar da Grande Virada. Para que esses poderes de autocura operem de modo eficiente, devemos confiar neles e utilizá-los. (Macy e Brown, 2004, p. 84)

6.3.

O movimento pela vida simples ou simplicidade voluntária, movimento que liberta as pessoas de padrões de consumo que não refletem suas necessidades, permite-lhes encontrar meios mais frugais e satisfatórios de se conectarem com seu mundo. (Macy e Brown, 2004, p. 61)

6.4.

Se uma teoria se presta a fundar uma concepção de natureza humana, por mais que seu propósito seja terapêutico, ali está presente uma teoria política. Na verdade, se a psicoterapia é a terapêutica da neurose individual, a política é a terapêutica da sociedade (PHG *apud* Belmino, 2014, p. 108)

6.5.

Sistemas abertos não só mantêm seu equilíbrio em meio ao fluxo, como sua complexidade evolui. Quando persistem desafios apresentados por seu meio ambiente, eles se desmontam ou se adaptam, reorganizando-se em torno de novas normas, capazes de reagir melhor. (Macy e Brown, 2004, p. 62)

6.6.

Não obstantes estes impasses, cremos que, ao agravar-se, dia a dia, o mal-estar cultural e ecológico, vai prevalecer o senso de urgência, que porá em marcha a quebra do paradigma de dominação e de conquista atual em favor do paradigma do cuidado e da responsabilidade coletiva, este sim, capaz de devolver vitalidade à terra e assegurar um futuro melhor para o mundo globalizado. (Boff, 2015, p. 166)

6.7.

Ora, o que enfatizamos é que o homem está na natureza e a natureza está no homem (auto-eco-organização), ou seja, participando contraditoriamente de um processo contínuo e descontínuo, ele assume o paradoxo de ser, ao mesmo tempo, elemento, fragmento e totalidade de um ecossistema complexo. Notemos que neste postulado há um princípio de incertezas relacionado com a realidade Homem/Natureza/Natureza/Homem". (Pena-Vega, 2003, p. 93)

6.8.

A partir desse fundamento fenomenológico de investigação, a perspectiva clínica então formada jamais poderá conceber uma teoria da personalidade, uma teoria do desenvolvimento e uma psicopatologia como teorias estáticas e não processuais, pois elas se tornam completamente contrárias ao escopo teórico e metodológico da abordagem. (Belmino, 2014, p. 97)

6.9.

> A ética é inseparável do conhecimento da complexidade e esta conduz à compreensão. Reflexão que, finalmente, nos conduzirá à ética da solidariedade, condição necessária para uma nova noção de fraternidade. (Pena-Vega, 2003, p. 99)

6.10.

> Enfim, nesta dialética, a consciência ecológica é antes de qualquer coisa o lugar onde poderemos construir uma „ecoética", ao mesmo tempo planetária e solidária. (Pena--Vega, 2003, p. 99)

Primeiras conclusões

Ao longo deste texto, fica claro que teoria e prática andam de mãos dadas ou deveriam andar. A Gestalt-ecopsicoterapia nasce com a natureza, nem antes, nem depois. Ela se inspira em vários processos da natureza para se fundamentar no cuidado do outro, cliente ou não. A prática clínica não é apenas para doentes, é também. A natureza não trabalha para se defender, ela segue sua programação interna, simplesmente se deixa acontecer e tudo acontece.

Assim, os princípios básicos da Gestalt-ecopsicoterapia são tirados do livre funcionamento da natureza, bem como da nossa estrutura biológica no sentido de como esta estrutura funciona para responder às suas necessidades de existência. Isso significa que a relação da natureza com nosso organismo cria um vínculo de ontológica unidade, ou seja, que um não pode ser pensado sem o outro.

Nessa mesma lógica, entendemos que organismo-ambiente, ou natureza--organismo, coexistem como um todo, como uma Gestalt, uma configuração, de tal modo que a relação ontológica estrutural de ambos cria um campo de ação absolutamente unificado. Essa lógica interna de funcionamento é chamada de autoecorregulação organísmica, ou seja, a relação eu-mundo ou ambiente-organismo segue dois movimentos básicos: a natureza gasta, luta pela manutenção de seu equilíbrio, dado que viver implica, em qualquer nível, um gasto de energia e, ao mesmo tempo, ela colhe deste mesmo funcionamento, a gratificação pelo processo vivido.

A natureza procura sempre seu melhor jeito de funcionar, usa os recursos que estão disponíveis. É mutável, leve, fluida, segue sempre seu curso, movimento este que chamamos de ajustamento criativo, e todo este cenário teórico forma o que chamamos de homeostase, um tranquilo, equilibrado processo em que suas diversas partes estão trabalhando em absoluta harmonia, ou seja, a natureza não se estressa, segue seu ritmo, fiel à estrutura de seu funcionamento. De uma maneira simples, Perls diz:

> Com esta nova perspectiva, organismo e meio se mantêm numa relação de reciprocidade. Um não é vítima do outro. Seu relacionamento é, realmente, o de opostos dialéticos. *Para satisfazer suas necessidades, o organismo tem que achar os suplementos necessários no meio*. O sistema de orientação descobre o que é procurado, pois *todos os seres vivos são capazes de sentir quais são os objetos externos que satisfarão suas necessidades*. (Perls, 1977, p. 32, grifos nossos)

Desenvolvimento e sustentabilidade seguem também as mesmas propostas e, se possível, os mesmos princípios. Ambos visam a natureza, natureza como figura da qual nascem as necessidades de ordem, equilíbrio, manutenção e sustentação que alimentam a constituição da realidade.

Desenvolvimento e sustentabilidade não se sustentam por si mesmos, porque não são palavras vazias ou meras atribuições. São construtos que trazem na sua constituição o compromisso ético, político, social e sobretudo humano de gerar princípios, atitudes, valores que ajudem a preservar nossa casa primeira ou, melhor dizendo, nosso lar, pois casa é uma construção de pedra, e lar, uma construção de corações que se amam e se protegem.

A Gestalt-ecopsicoterapia está chegando, vindo para ficar, porque ela traz na sua estrutura, na sua essência, um apelo à vida, à saúde, um chamado através do qual aprendemos a usar a natureza como um caminho de contato, de transformação, de cura. A natureza, o meio ambiente são nossos mestres silenciosos. Temos que aprender a olhar, ouvir, cheirar, sentir o gosto do gosto e nos deixar tocar pela natureza: simplesmente nos entregarmos, viver a natureza como ela própria vive, sendo simplesmente ela, pois, como diz Fritz Perls, temos tudo de que precisamos para darmos conta de estar neste planeta em recíproca e amorosa confluência.

A Gestalt-ecopsicoterapia é um compromisso com o cuidado. Não foge ao princípio básico da fenomenologia de ir ao encontro das coisas mesmas, de encontrar sua essência, de experimentar a realidade a partir dela e não de nossa prepotente subjetividade. Desenvolvimento e sustentabilidade são da ordem do movimento e, consequentemente, da mudança, são momentos para um amanhã diferenciado, têm pouco que ver com o passado e muito que ver com o futuro que se desenvolve, aqui-agora, diante de mim e de você.

O planeta Terra não precisa de ajuda humana. Ele, como parte do universo, tem tudo de que precisa para ser ele mesmo no contexto dos milhões de sistemas estelares dos quais faz parte. Nós, entretanto, estamos aqui, nele. Neste contexto, não existe mais apenas ele. Somos ele-e-nós. Um todo. Por causa de nossa ontológica fragmentação, de nossa deflexão ante nossa pequenez e fragilidade, conseguimos afetá-lo, machucá-lo, e ele sofre de verdade, não consegue nos ajudar, porque somos tão pequeninos diante dele e ele, tão grande que, na nossa pequenez, não conseguimos receber sua ajuda. Sabe quando uma pessoa está tão doente que nem mesmo os mais poderosos medicamentos podem ajudá-lo? Esta é nossa situação. Não é o planeta que está na UTI, somos nós, humanos.

Desenvolvimento e sustentabilidade são concepções materiais, fragmentadas, de algum modo egoístas, pensam que se sustentam por si sós e que podem salvar o planeta Terra. O que o desenvolvimento e a sustentabilidade podem fazer pelo planeta Terra são migalhas. Os defensores dessas propostas pensam neles. O ônus desses movimentos é nosso, o bônus, deles. Falta-lhes a fonte da vida, o amor, e, como todo ser vivo, é de amor que o planeta precisa.

Precisamos abandonar o paradigma da dominação e deixar que o paradigma do amor nos habite com toda a sua força. A Gestalt-ecopsicoterapia é filha da Gestalt-terapia e o remédio para a cura de nosso planeta é deixar que ele cuide nós. Ele está doente de solidão, de desprezo, de agressões sem fim, de esquecimentos. A Gestalt-ecopsicoterapia é um caminho de cuidado, da presença de nossa totalidade, do nosso encantamento pela gratuidade com que o Planeta nos acolhe e nos cuida.

Quando desenvolvimento e sustentabilidade, como expressões de nossa humanidade, depuserem as armas de um falso progresso e de uma falsa ajuda e entenderem que a experiência e a vivência da natureza são as únicas possiblidades de cura tanto para o desenvolvimento quanto para a sustentabilidade, será amor e não mais um sistema perverso de produção que ditará as normas de um novo mundo, no qual o Planeta será a figura de um fundo constituinte de uma nova humanidade.

Referências

Belmino, M. C. *Fritz Perls e Paul Goodman: duas faces da Gestalt-terapia.* Fortaleza: Premius, 2014.

Boff, L. *Espiritualidade – Um caminho de transformação.* Petrópolis: Sextante, 2001.

______. *Sustentabilidade: O que é – O que não é.* Petrópolis: Vozes, 2015.

Capra, F. *A teia da vida.* São Paulo: Cultrix, 1996.

Cardoso, C. L. "Homeostase". In: *Dicionário de Gestalt-terapia.* São Paulo: Summus, 2007, p. 137-8.

Ingersoll, R. E. "Gestalt therapy and spirituality". In: Woldt, A. L.; Toman, S. M. *Gestalt therapy – History, theory and practice.* Califórnia: Sage, 2005.

Latner, J. *The Gestalt therapy book.* Nova York: The Gestalt Journal Press, 1972.

Macy, J. e Brown, Y. M. *Nossa vida como Gaia – Práticas para reconectar nossas vidas e nosso mundo.* São Paulo: Gaia, 2004.

Morin, E. *Introdução ao pensamento complexo.* Lisboa: Piaget, 1990.

Perls. F. *Abordagem gestáltica e testemunha ocular da terapia*. Rio de Janeiro: Zahar, 1977.

Perls, F., Hefferline, R., Goodman, P. *Gestalt-Terapia*. São Paulo: Summus, 1997.

Pena-Vega, A. *O despertar ecológico – Edgar Morin e a ecologia complexa*. Rio de Janeiro: Gramond, 2003.

Ribeiro, J. P. *Vade-mécum de Gestalt-terapia – Conceitos Básicos*. São Paulo: Summus, 2006.

______. *Holismo, ecologia e espiritualidade – Caminhos de uma Gestalt plena*. São Paulo: Summus, 2009.

10. Ambientalidade, coexistência e sustentabilidade: uma Gestalt em movimento[1]

Ambientalidade, palavra inexistente nos dicionários, originária da palavra ambiente, é usada aqui, juntamente com animalidade e racionalidade, para constituir e definir um modo estrutural de ser de nossa essência humana. Frequentemente definido como animal-racional, o ser humano vem, ao longo dos séculos, sendo visto de maneira incompleta, fragmentada e dualista, uma perspectiva que consideramos inadequada. Falta-lhe o terceiro existencial: *ambiental*, do qual decorre o conceito *ambientalidade*.

Embora possa parecer metodologicamente prematura a utilização da citação que se segue, utilizo-a porque desejo deixar claro que, como Jan Smuts, ao longo de toda essa reflexão adotamos uma perspectiva gestáltica, holística, sistêmica e de campo, na qual o conceito de *totalidade* prevalece.

> Uma das grandes lacunas do conhecimento foi ter separado matéria, vida e mente como fenômenos isolados. Uma profunda diferença e separação entre eles produz uma quebra no conhecimento, separa o conhecimento em três reinos ou três *universos*. De fato, eles são três *mundos* experienciais e não podem ser vistos como alheios um ao outro e, ao contrário, eles, de fato, se inter-relacionam e coexistem no ser humano, o qual é feito de matéria, vida e mente. (Smuts, 1996, p. 2, tradução nossa)

Pedindo vênia para usar a citação acima como uma analogia conceitual para especificar formalmente meu pensamento, proponho substituir *matéria, vida e mente* por *ambientalidade, animalidade e racionalidade*, que considero os três existenciais da estrutura de essência humana. A substituição de um pelo outro torna possível a analogia do que estou chamando de *estrutura da personalidade,* ao definir o ser humano como ambiental-animal-racional. Desse modo, a citação de Smuts poderia ser adaptada para os fins desta discussão e ficaria assim:

1 Texto originalmente publicado pela revista *Estudos e Pesquisas em Psicologia*, Rio de Janeiro, v.19, n. 4, 2019, Dossiê Gestalt-terapia.

> Uma das grandes lacunas do conhecimento foi ter separado ambiental, animal, racional como fenômenos isolados. Uma profunda diferença e separação entre eles produz uma quebra no conhecimento, separa o conhecimento em três reinos ou três universos. De fato, eles são três mundos experienciais e não podem ser vistos como alheios um ao outro e, ao contrário, eles, de fato, se inter-relacionam e coexistem no ser humano, o qual é feito de ambientalidade-animalidade-racionalidade.

A Gestalt-terapia considera que o ser humano é inseparável do mundo, e a noção de campo, na relação ambiente-organismo, expressa claramente essa concepção que remete à totalidade. Prosseguindo no diálogo com Smuts, podemos compreender que o campo está para além dos contornos imediatos da experiência.

> Eu devo agora acrescentar que por "Todo" eu entendo o "todo" mais o seu campo, seu campo não é algo diferente dele e adicional a ele, mas uma continuação dele além de contornos sensíveis da experiência. O "Todo" está no tempo e no espaço. (Smuts, 1996, p. 110, tradução nossa)

Neste artigo, busco trazer como figura a dimensão *ambientalidade,* lembrando que, assim como não podemos pensar o ambiente separado do sujeito-organismo, não podemos pensar o sujeito sem implicar o ambiente que o coconstitui. *Ambientalidade* é a dimensão original deste trabalho, cujo conteúdo estou constituindo e formulando como um conceito estritamente ontológico e como o componente ignorado de nossa humanidade essencial.

Como afirma Bimbenet (2011, p. 94), "nossa relação ao animal é postulada segundo uma gradação em três termos: a pedra é 'sem mundo' (*weltlos*); a animalidade é 'pobre de mundo' (*Weltarm*); o homem é 'configurador de mundo' (*Weltbildend*)".

Vivemos, assim, um profundo desencontro, dualidade e fragmentação em nossa relação com o universo, apesar de sermos apenas um pequeno grão de areia ante a infinitude do deserto.

A não consciência do existencial ambientalidade, lembrado por Perls, Hefferline e Goodman (1997, p. 42) com a expressão "organismo-ambiente", gera desequilíbrios e prejuízos enormes à vida e ao planeta, com os quais não nos comprometemos, permanecendo, via de regra, indiferentes ao que acontece à mãe terra e ao universo no sentido mais amplo.

A consciência de que somos, estruturalmente, por essência e por natureza, ambientais desperta em nós uma habilidade, uma capacidade de nos condoermos com o sofrimento do planeta, como uma dor que é nossa e um desejo de sermos guardiões da relação substancial que nos liga à mãe terra. É essa experiência que estou chamando de *ambientabilidade*, um "proprium", que decorre de nossa dimensão ambientalidade.

Ambientabilidade é uma vivência que decorre da *awareness* de nossa umbilical relação com o meio ambiente, do qual devemos cuidar como cuidamos do nosso corpo e de cuja carne somos feitos.

Cuidar do meio ambiente e garantir sua sustentabilidade é cuidar de nossa preservação, de nossa interação ambiente-corpo, é repetir o mais perfeito ajustamento criador, pois somos cocriadores de nossa existência no mundo. Temos vivido, ao contrário disso, um dualismo, nós e o mundo, que nos dá a ilusão de sermos separados, individualizados, fechados sobre nós mesmos, conduzindo-nos a uma postura de dominação do planeta e do outro com o qual coexistimos.

A Gestalt-terapia, como abordagem que nasce na passagem da modernidade à pós-modernidade, traz no seu corpo conceitual e em sua proposta de ação no mundo uma concepção holística, ecológica, social, comunitária e política, que nos sinaliza para a integração ao campo e ao pertencimento ao todo como fundamento ontológico do cuidado, forma essencial do estar no mundo.

> O campo é a força [...] que precisa ser utilizada para que possamos ficar curados. Estamos conectados e envolvidos com o nosso mundo, somos inseparáveis dele, e a nossa única verdade fundamental é o nosso relacionamento com ele. O campo, como Einstein certa vez o chamou sucintamente, é a única realidade. (Taggart, 2008, p. 16)

Nossa dimensão ambientalidade provoca em nós um processo de conscientização, uma convocação a que nos sintamos, pensemos, façamos e falemos de nossa ontológica conexão com o cosmos, de nossa filiação, de nossa consanguinidade com a mãe terra como uma experiência de pensamento sistêmico, constituinte de nossa humanidade.

> De acordo com a visão sistêmica, as propriedades essenciais de um organismo, ou sistema vivo, são propriedades do todo, que nenhuma das partes possui. Elas surgem das interações e das relações entre as partes. Essas propriedades são destruídas quando o sistema é dissecado, física ou teoricamente, em elementos isolados. (Capra, 1996, p. 40)

Como dissemos, é da natureza de nossa abordagem ser clínica, política, social, comunitária, pois, de maneira simples e real, isto é o que chamamos de gestalt, de configuração: um todo cujas partes convivem como um cosmos ontologicamente um, em uma metafísica coexistencial. Assim, tudo me diz respeito, sou um rio poluído, sou uma pessoa que morre de frio numa noite gelada, sou uma floresta pegando fogo, sou um lixão que "sustenta" pessoas famintas, sou uma multidão que não sabe ler, somos pessoas amedrontadas pela escalada da violência. Isso coexiste em mim tal como a água, o fogo, o ar, a terra, elementos fundantes de nossa hominização.

O social, o político, o comunitário, o clínico nascem, portanto, do fato de sermos uma configuração, uma totalidade onde tudo está ligado a tudo, diz respeito a tudo e cujas partes nos lançam na dor do mundo, não como uma abstração, mas como um ser em ação, filho biológico de nossa dimensão original ambientalidade.

Temos muito pela frente. Como experienciar e vivenciar esta realidade é o nosso mais radical aprendizado. Pretendemos aqui colocar em cena no campo da abordagem gestáltica a dimensão da ambientalidade, compreendendo que nossa abordagem tem uma grande contribuição a dar a um pensamento psicológico que implique de modo mais contundente sujeito e mundo, corpo e terra, numa perspectiva ecológica e sustentável.

Ambientalidade: caminho de coexistência e sustentabilidade

Estamos diante de um conceito novo, estranho, original, que constitui, junto com nossa animalidade e racionalidade, nossa estrutura de personalidade pela natureza de seu conteúdo. Esse conceito, entretanto, pode parecer-nos familiar, dada sua relação e semelhança com a palavra ambiente.

Neste contexto, ambientalidade é uma das dimensões estruturais que compõem, com as dimensões animalidade e racionalidade, a essência humana, tal como discutimos. Seguindo a perspectiva da espacialidade e da temporalidade, isto é, o aqui-agora humano, nossa definição de humanos é: somos ambientais-animais-racionais. Esta é a essência humana, consequentemente ambientalidade-animalidade-racionalidade são os existenciais que compõem a estrutura constituinte de nossa personalidade.

Entendo que estou trabalhando dentro de uma perspectiva de campo, na perspectiva de Kurt Lewin (1973; 1975). Garcia-Roza (1974, p. 20) sintetiza a proposta de Lewin a partir seis atributos que a caracterizam:

> a) a utilização de um método de construções e não de classificações; b) um interesse pelos aspectos dinâmicos dos acontecimentos; c) uma perspectiva psicológica e não física; d) uma análise que começa com a situação como um todo; e) uma distinção entre problemas sistemáticos e históricos; f) uma representação matemática do campo.

Esses atributos constituem-se em fundamentos da forma como, neste trabalho, elaboro um conceito a partir do qual poderemos operacionalizar outros construtos.

Tudo aquilo que, ao ser retirado de um objeto, faz com que esse objeto desapareça, faz parte da essência desse objeto primeiro. Quando, do ponto de vista essencial e/ou operacional, retiramos do ser humano seu atributo (chamamos assim) animal ou racional, ele simplesmente desaparece. Esses dois conceitos ou atributos, portanto, fazem parte de nossa essência humana.

Ar, calor, minerais e água fazem parte da composição física dos organismos vivos humanos. Quando retiramos de nossa estrutura, de nosso ser, de nosso existir cotidiano o ar (respiramos 6 litros de ar por minuto), o calor (somos 36% fogo), a terra (somos 25% minerais), a água (somos 75% água), componentes constitutivos também do universo, desaparecemos da mesma maneira como desapareceríamos se de nós fossem retiradas nossa animalidade e racionalidade.

Podemos, portanto, afirmar que somos constituídos pelo meio ambiente, possuímos os mesmos elementos que o constituem, ar, fogo, terra e água, e os mesmos elementos de que o cosmos é feito. Entretanto, não nos parece estranho sermos animais-racionais, mas nos parece estranho, sem jeito, se somos definidos como ambientais-animais-racionais.

Essa estranheza decorre de um modo de pensar dicotômico instaurado no pensamento moderno e que separou radicalmente o orgânico e o espiritual, a substância material e a pensante. Esse pensamento conferiu ao pensamento abstrato a primazia absoluta sobre a verdade do mundo e decretou, com isso, uma espécie de apagamento do corpo e da dimensão animal. Tal como discute Hans Jonas (2000), um filósofo do campo da bioética, esse momento histórico, dado na modernidade filosófica, rompe com uma ontologia universal da vida, onde prevalecia a comunidade ontológica de todos os entes. Esse rompimento reflete uma "renúncia à inteligibilidade da vida" (p. 41). Ele compreende que "o problema da vida, e com ele o problema do corpo vivo, devem estar no centro da ontologia (e até certo ponto também no da teoria do conhecimento)" (Jonas, 2000, p. 41, tradução nossa).

Nós nos damos conta de que somos animais através das sensações corporais, dos sentimentos, dos afetos, das emoções; nós nos damos conta de que somos racionais através da memória, da vontade, da inteligência, do pensamento, mas não nos damos conta de que somos ambientais por causa da dicotomia, da fragmentação, de uma divisão clássica de que eu sou eu e o mundo é o mundo. Funcionamos como se fôssemos duas realidades: eu e o mundo, negação ontológica de nossa estrutura humana. Este é o erro histórico, ontológico, cultural, operacional que nos tem criado uma falsa identidade e uma separação total entre o ser humano e o meio ambiente.

> Daí surge um universo real: físico, biológico, psíquico ou mental. Esta conexão é baseada nos fatos da existência e da experiência e não em pensamento. Estes três (*ma-*

> *téria, vida* e *mente*) não são alheios um ao outro, ou irreconhecíveis, *existe um ponto cósmico que os une*, do contrário teríamos de admitir que a experiência humana é uma caótica mistura de elementos desconectados. (Smuts, 1996, p. 3, tradução nossa)

Nesse trecho, Smuts, anos antes de Taggart (2008), está falando do conceito de totalidade como síntese metafísica da coexistência de matéria, vida e mente e que, por extensão, aplico ao tema da ambientalidade-animalidade-racionalidade que ora está sendo apresentado, por entender que o fundo teórico que nos sustenta é o mesmo. Ao discutir elementos da física quântica, Taggart (2008) traz outro ponto de vista sobre a mesma questão, a da interligação e da totalidade.

> Vários deles repensaram algumas equações que sempre haviam sido descartadas na física quântica. Essas equações correspondiam ao "campo de ponto zero", um oceano de vibrações microscópicas no espaço entre as coisas. Eles perceberam que, se o campo de ponto zero fosse incluído em nossa concepção da natureza mais fundamental da matéria, o suporte do Universo seria um agitado mar de energia, um vasto campo quântico. Se isso fosse verdade, *tudo estaria interligado por algo como uma teia invisível.* (Taggart, 2008, p. 20, grifos nossos)

Nós caminhamos, vemos o mundo fora de nós, ele está lá e nós aqui, e isto nos dá a firme sensação de que somos dois. Na verdade, somos um só: eu sou o mundo, o mundo sou eu, sou ambiente, o ambiente sou eu, sou a natureza, a natureza sou eu. Assim como uma árvore nasce do mundo, da terra, nós também, sendo ar, fogo, terra e água, elementos de que o mundo é feito, também nascemos do mundo, e, como uma planta, somos, através de um longo processo evolutivo, filhos legítimos do ar, do fogo, da terra, da água.

Não somos dois, somos um só. Somos constituídos dos mesmos elementos de que o planeta é feito. Somos, portanto, ambientais-animais-racionais e qualquer uma dessas dimensões que forem retiradas do ser humano, provocará o nosso desaparecimento.

Ambientalidade é a matriz de nossa hominização. Do mesmo modo, no mesmo sentido, nas mesmas circunstâncias em que somos animais, em que somos racionais, somos também ambientais, embora não façamos atenção a essa dimensão, talvez pela nossa necessidade de ter controle sobre tudo aquilo que pensamos, como desconexão de nossa realidade ambiente-organismo. O homem queima, corta, suja, polui o meio ambiente, sem se dar conta de que isso é um autoextermínio, um "ecocídio", sem se dar conta de que a sustentabilidade do planeta passa pela satisfação das mesmas necessidades do ser humano.

Somos uma só realidade, nós-mundo, somos a mesma carne, o mesmo sangue, nascemos do ventre, da barriga do universo, só nos falta o mesmo espírito, porque agimos como se fôssemos donos do mundo, dualidade responsável por todo o estrago da não consciência de que qualquer ofensa ao meio ambiente é ferida causada a cada um de nós, porque somos um só corpo, um só espírito com o universo. Falta-nos a experiência de uma *awareness* corporal, de uma consciência corporal de que a terra é um campo de presença, de que a terra é um ser vivo, gera seres vivos, e de que vivemos uma fraternidade com vegetais e animais, com outros humanos com os quais coexistimos.

Perdemos a dimensão de que somos uma Gestalt, uma configuração, um todo, cujas partes estão organizadas e articuladas para funcionarem como uma unidade ontológica, de que tudo está ligado a tudo, de que somos um só corpo, de que tocar em uma parte é tocar em tudo e no todo, perdemos a dimensão de que tudo muda, de que tudo está em movimento e, não obstante, Tudo é Um.

Ambientalidade-animalidade-racionalidade são dimensões ontológicas da essência humana, a qual é uma totalidade existencial que brota, que nasce da totalidade maior, o Universo. Não existem o universo e nós. Somos partes fundantes, constituintes do universo. A totalidade-universo se revela, se faz visível através da pedra, das plantas, dos animais, do ser humano, numa consubstancialidade metafísica, ontológica. Assim também não existem corpo e alma, existe eu, totalidade inteiramente-alma-inteiramente-corpo. Não existem eu e o mundo, ambos coexistimos como uma unidade consubstancial, estrutural, ontologicamente um ser que se faz visível através de entes e, consequentemente, da percepção visual, ilusória, de que são duas realidades distintas. O ser humano é totalmente ambiental, totalmente animal, totalmente racional, três naturezas na unidade de um ser, a pessoa humana, e nele não existe uma prioridade, sequer ontológica, de uma característica com relação à outra, pois esses três atributos são ontologicamente Um.

Três naturezas, a ambiental, a animal, a racional numa consubstancialidade humana chamada ser humano. Elas se distinguem uma da outra, mas coexistem intrinsecamente, sem nenhuma antecedência espaçotemporal na sua essencialidade. Estou dizendo que nossa dimensão ambientalidade, que nasce de nossa unidade ambiente-corpo, foi esquecida, não sabida, devido ao fato de estarmos no mundo, aparentemente como realidades separadas, ambiente e corpo.

> Não existe uma dualidade "eu" e "não-eu" do nosso corpo em relação ao Universo, mas apenas um único campo fundamental de energia. Este campo é responsável pelas funções superiores de nossa mente, a fonte de informação que orienta o crescimento do nosso corpo. Ele é o nosso cérebro, o nosso coração, a nossa memória – na verdade, ele é um projeto do mundo para toda a eternidade. (Taggart, 2008, p. 15)

Proponho definir "ambientalidade" como: "Dimensão humana que, juntamente com as dimensões animal e racional, define a pessoa como ambiental, isto é, parte igualmente constituinte da essência humana e que se expressa na relação mundo-corpo".

É a ambientalidade que nos permite pensar em coexistência e também em sustentabilidade, visto que é a consciência de ser ambiental e de estar em relação de coexistência que permite aos sujeitos um tipo de ação que seja sustentável. Do ponto de vista do desenvolvimento conceitual, é importante distinguir ambientalidade de meio ambiente e de sustentabilidade ambiental e ecológica, como desenvolveremos a seguir. São três dimensões diferenciadas, do ponto de vista ontológico, embora próximas do ponto de vista operacional.

Ambientalidade, ambientabilidade e sustentabilidade: noções fundamentais para pensar uma perspectiva ontológica da totalidade

Distingo ambientalidade, que é uma dimensão da essência humana, de ambientabilidade, que é a capacidade, a habilidade de lidar com o ambiente como uma consequência direta que procede de nossa dimensão ambientalidade. Proponho definir "ambientabilidade" como: "Dimensão que decorre do existencial ambientalidade e através da qual me percebo como um dos guardiões do universo, capaz de cuidar do planeta como cuido de mim mesmo através de ações eficazes de proteção e de preservação".

Nesse sentido, somos ambientais e podemos, se nos percebemos como tal, sentirmo-nos responsáveis pelo cuidado do meio ambiente como parte de nós. Fiorillo (2008) distingue o meio ambiente natural e físico do meio ambiente artificial. O primeiro é composto por solo, água, ar, flora e fauna; o segundo, pelo patrimônio histórico, artístico, arqueológico, paisagístico e turístico, compondo o espaço urbano. Compreendemos "meio ambiente" como o conjunto de fatores naturais e artificiais, físicos, biológicos, químicos que afetam a vida humana, bem como a outros ecossistemas existentes e que são também afetados por eles.

O tema da sustentabilidade implica o modo como nos relacionamos com o meio ambiente. Ramos (2010) discute o problema a partir de uma reflexão sobre as diferentes concepções filosóficas de natureza. Descreve a influência do dualismo cartesiano e do mecanicismo no desenvolvimento de uma perspectiva a partir da qual sujeito e natureza se separam e distanciam e onde a razão tem primazia e domínio sobre a natureza. O mecanicismo é, segundo a autora, uma revolução da razão que objetifica a natureza.

> Uma característica fundamental da revolução mecanicista foi atribuir à razão humana um poder nunca antes pensado. E, desse modo, o domínio sobre a natureza ganhou

> força na medida em que esta deixa de ser um objeto mítico ou uma realidade metafísica para a contemplação teórica. Uma vez desvendado o mecanismo da natureza, ela pode ser dominada, manipulada e usada em proveito dos seres humanos. Com os modernos, a natureza se transforma em objeto de explicação prática do conhecimento humano que, associando as leis da ciência a uma aplicação técnica, se traduz em poder tecnológico. (Ramos, 2010, p. 81)

Atualmente, lidamos com uma situação que parece não ter alterado o problema da dominação do homem sobre a natureza. O modo de agir técnico dos sujeitos na sociedade ocidental foi objeto das discussões do filósofo Martin Heidegger (2002). Tal como discute Critelli (2002), a técnica é a modificação de um modo de fazer humano, uma nova forma de agir e de olhar o mundo:

> Como olhamos para o mundo e para o existir desde essa ótica técnica, tudo o que faz parte do mundo fica subordinado a ela. Os elementos naturais, por exemplo, ficam compreendidos e disponibilizados para esse tipo de agir. Assim, uma floresta perde a sua condição primordial de floresta e se restringe a ser reserva de madeira para a indústria; as plantas ficam disponibilizadas como reserva para a produção de remédios; os rios tornam-se reservas para o uso das hidroelétricas e a produção de energia, e assim por diante. (p. 85)

Vivemos uma crise política e ética onde não assumimos nossa parte e responsabilidade na administração e gestão dos recursos naturais. E cuja essência envolve o rompimento de nossa unidade com a natureza, levando à possibilidade de destruição do planeta.

Busco, neste trabalho, resgatar a ambientalidade como essência do humano e pensar a ambientalidade como capacidade que pode e deve ser resgatada para que o planeta seja salvo da destruição. Como discutirei adiante, a Gestalt-terapia tem ferramentas para contribuir com a formação dos sujeitos e com uma reflexão que permita transformar esse estado de crise planetária que pode ser conotado como uma espécie de suicídio, movimento de autodestruição que envolve a negação da unidade do humano com a natureza.

Corroboro a compreensão de Ramos (2010, p. 82) de que "o grande desafio para a humanidade nos dias atuais é a construção de um novo conceito de natureza, o que significa buscar novas formas de relação entre a sociedade e a natureza e dos homens entre si. Uma natureza em que os seres humanos se reconheçam como parte integrante dela e, por isso, como responsáveis por ela."

Proponho definir "sustentabilidade ambiental e ecológica" como: "Processo de cuidar dos recursos naturais, antecipando-se às necessidades futuras, de modo que a vida possa se manifestar no fluxo de uma consciência ética e amorosa, para que o planeta possa se tornar autossustentável, baseando-se no fato de que, por natureza e por essência, somos mundo, somos com e através do outro". Somente uma coexistência real e afetiva entre ambientabilidade e sustentabilidade nos permitirá uma era de uma ecologia profunda, duradoura e sustentável para nosso planeta.

> Dentro do contexto de ecologia profunda, a visão segundo a qual esses valores são inerentes a toda natureza viva está alicerçada na experiência profunda, ecológica e espiritual de que a natureza e o eu são um só. Esta expansão do eu até a identificação com a natureza é a instrução básica da ecologia profunda. (Capra ,1996, p. 28)

A natureza sou eu, eu sou a natureza, o ambiente sou eu, eu sou o ambiente, não somos duas realidades, somos uma só, meu corpo sou eu, eu sou meu corpo. Sou um corpo-pessoa e nele coexistem minha-ambientalidade-minha-animalidade-minha-racionalidade, constituindo uma totalidade de carne e osso, chamada pessoa-humana e cujas partes estão intraligadas, intraconectadas de uma maneira ontologicamente inseparável.

Esta definição, este posicionamento revela uma ética holística e ecológica de dimensões e consequências novas e originais. Esta visão introduz a unidade, a cumplicidade, a corresponsabilidade de se sentir guardião do universo.

Percebermo-nos como seres ambientais-animais-racionais e nos sentirmos como tais cria uma profunda sensação de pertencimento, de aconchego, de carinho e de cuidados mútuos entre nós e o universo e nos retira do sentimento de solidão tão comum nos dias de hoje – em que, muitas vezes, os aparelhos eletrônicos, físicos, químicos, sem vida, se tornaram a companhia substitutiva e fria de grande parte da humanidade.

Estamos dizendo que a natureza, o meio ambiente são parte constituinte e constitutiva da estrutura da personalidade humana. Experienciar o sentir, o pensar, o fazer-agir, como ambientais-animais-racionais, é uma *com-vocação* de todo o nosso ser para experimentar e vivenciar a mais harmoniosa relação corpo-ambiente, em ação, no mundo. Estamos falando de um ajustamento criativo, quiçá, criador, na relação pessoa-mundo, como uma harmoniosa forma de contato pela experiência de se sentir em total imersão com o mundo à nossa volta.

Ambientalidade: Gestalt-terapia, totalidade e ecologia como caminho de espiritualidade

Ambientalidade é o terceiro elemento existencial humano por meio do qual nos tornamos, necessariamente, seres de relação, em relação, seres no mundo, do mundo e para o mundo. Prestamos pouca atenção a esse existencial, sem nos dar conta de que estamos imersos no ar, no calor, na atmosfera, elementos sem os quais nossa vida seria impossível. Tal como o peixe que não pode viver fora d'água, seria igualmente impossível ao ser humano viver sem as condições básicas que o meio ambiente lhe proporciona.

A vida corpóreo-mental é fruto do que nossa ambientalidade nos oferece, pois estamos sujeitos, imediatamente e sempre, à sua influência. O meio ambiente é nosso habitat e é por meio dele que conseguimos fazer da existência o lócus que nos move, que nos nutre e que torna a vida possível e humana.

Assim como a Gestalt-terapia, também os conceitos de ecologia e de ambientalidade estão centrados no conceito de campo e de totalidade. Somos seres no mundo e do mundo, e cuidar do mundo é cuidar de nós mesmos. Cuidar do mundo é cuidar de nossas dimensões básicas. Na maioria das vezes, em nossa relação com o mundo, vemo-nos numa posição dentro e fora; contudo, na realidade, nossa posição real é dentro-fora, uma vez que, seres de encontro e de cuidado, não nos é claro o que é de dentro e o que é de fora ou o que é dentro e o que é fora.

O conceito de ambientalidade implica, obrigatoriamente, não apenas estar atento à nossa relação com o mundo, mas em se experienciar como mundo, como do mundo, como pertencente ao mundo, assim como um rio ou uma árvore pertencem ao mundo. Sou mundo, o mundo sou eu, sou propriedade sua, sem ele eu seria impensável. Assim, é por intermédio do conceito ambientalidade que a Gestalt-terapia, como expressão harmoniosa de nossa totalidade humana, faz-se, consequentemente, ecológica.

Ser substancialmente ambiental significa que sou o ambiente e o ambiente sou eu. Nenhuma fragmentação, somos um. Ser espírito-matéria, ou matéria-espírito nasce naturalmente da nossa dimensão primeira, ambientalidade, que, por uma coexistência ontológica, revela em nós a existência de uma dupla dimensão coexistente em nós: a matéria/materialidade e o espírito/espiritualidade. Assim, somos corpo-matéria-materialidade, espírito-psique-espiritualidade. Duas dimensões absolutamente humanas, inseparáveis.

A corporeidade nos dá uma sutil experiência de espacialidade e de materialidade, o que a coloca sutilmente no mundo da quantidade, ao passo que a espiritualidade nos dá uma sutil experiência de temporalidade e de imaterialidade, o que a coloca sutilmente no mundo da qualidade. A relação figura-fundo cabe perfeitamente na relação espiritualidade-ambientalidade ou ambientalidade-espiritualidade, dependendo do olhar ontológico a partir do qual poderíamos pensar uma antecedência metafísica entre estas duas realidades.

Nossa dimensão ambientalidade está diretamente ligada a uma relação espaçotemporal. Enquanto dimensão que convive com o dentro-e-fora, ela é ontologicamente dentro e cronologicamente fora, através dos elementos que compõem o universo. Vivemos uma absoluta coexistência, sendo, ao mesmo tempo, espacialmente corpo, quantidade, materialidade e temporalmente espírito, qualidade, espiritualidade. Espiritualidade é uma dimensão, um "proprium" humano. Somos espirituais, porque somos humanos, somos humanos, porque somos espirituais.

A Gestalt-terapia, como uma configuração, gera um campo de espiritualidade que se sustenta, que se alimenta de conceitos como contato, *awareness*, ajustamento criativo, homeostase, pregnância, mudança paradoxal. A Gestalt-terapia operacionaliza estes conceitos, enquanto geradora de caminhos de espiritualidade, de uma temporalidade a ser vivida na corporalidade da busca de opções para melhor experienciar nossa humanidade, nosso encantamento por nós e pelo mundo.

Quando nos encantamos com uma noite estrelada, com a majestade das montanhas, com a força misteriosa do mar, com a suavidade do canto dos pássaros, estamos experienciando nossa ambientalidade, o mágico processo evolutivo que nos trouxe até aqui, encantando-nos conosco, porque somos partes constituintes de tudo isso e tudo isso é parte fundante de nós mesmos; afinal, somos isso também. Tudo isso é como uma orquestra da qual somos um dos instrumentos, cujas notas, se retiradas, desafinarão toda a melodia. Um constitui o outro ultrapassando seu sentido anterior. O encantamento por um pôr do sol, atribuindo-lhe um olhar que vai além do fato material do pôr do sol é a percepção da totalidade que chega até nós como a arte suprema do universo. Estamos, aí, no reino da espiritualidade.

A totalidade precede ontologicamente suas partes, por isso estes três elementos, animalidade, que se expressa fundamentalmente pelo nosso corpo, racionalidade, que se expressa fundamentalmente pelo nosso pensamento, e ambientalidade, que se expressa fundamentalmente como meio ambiente, se juntam, constituindo-se numa totalidade essencial, encarnada na pessoa humana. Devemos pensar esses três componentes como Todos e constituí-los numa única essência, sem cair nas armadilhas do mecanicismo, que reafirma a prioridade das partes com relação ao todo.

> O "Todo", em cada caso individual, é o centro e a fonte criativa de realidade. Existem uma infinitude destes todos, abrangendo todos os graus de existência no universo [...] Holismo compreende todos os Todos no universo. Holismo é, ao mesmo tempo, um conceito e um fator: um conceito, enquanto significa todos os Todos, e um fator, porque os Todos que ele revela são reais fatores no universo. Nós falamos matéria, enquanto inclui todas as partículas da matéria no universo; do mesmo modo nós falamos Holismo, enquanto incluindo todos os Todos, são Todos que são, finalmente, centros criativos de realidade no universo. (Smuts, 1996, p. 116-7, tradução nossa)

Psicologia e humanismo não podem perder a perspectiva dessa visão de totalidade como essência humana. A Gestalt-terapia, por sua própria definição, baseia-se nessa visão de totalidade operacionalizada, permitindo-nos afirmar, inclusive, que algumas patologias são disfunções desses elementos existenciais, que, quando operacionalizados separadamente, rompem a unidade operativa do ser humano.

Gravei parte desta minha reflexão num momento em que estava diante do mar, assentado em uma pedra. Estou escutando seu barulho, sua música relaxante, tentando sentir o movimento das ondas que vão e que vêm, que nunca param, que estão sempre à procura de novas areias, de novos horizontes. Acho que é isso que nos espera, sermos como as ondas do mar, marés altas, marés baixas, e sempre em movimento, preparando-nos para uma nova onda, para uma nova jornada. O mar está me ensinando agora, neste momento, o seguinte:

Vida é movimento. Viver é estar em estado de travessia. Nascemos, não sabemos para onde vamos e, muitas vezes, não sabemos de onde viemos. Estar em estado de travessia é procurar a melhor forma, o melhor caminho, o melhor contato. O Gestalt-terapeuta é um caminhante, caminha olhando para onde vai, sem perder a perspectiva do encontro, do aqui-e-agora.

Trabalhei, ao longo deste texto, um novo tema, original: "Ambientalidade, coexistência e sustentabilidade: uma Gestalt em movimento". Esta é nossa estrada, nosso caminho, o deserto que vamos percorrer daqui para frente.

Ambientalidade nos remete a uma relação intrínseca ambiente-corpo. É o concreto, o real, o objetivo, imersão na nossa relação mundo-corpo-pessoa, exatamente como eles são, é experiência, vivência, encontro com nossos elementos estruturantes: fogo, ar, terra, água, constituintes da mãe terra, através dos quais somos gerados em um longo e criador processo evolutivo.

Experienciar, vivenciar ambientalidade, coexistência e sustentabilidade são etapas, respostas que cada ser humano vive por estar no concreto, no objetivo, por olhar o mundo exatamente como ele é, e, a partir desse olhar, olhar o horizonte que o chama, que o provoca. O horizonte é o diferente, é o que está do outro lado da estrada, é por onde caminhamos ao encontro da espiritualidade, da transcendência, que se ligam intrinsecamente na constituição de uma Gestalt plena e criadora.

Coexistir, coexistência é viver em espírito de Totalidade, é colocar em prática a consciência de que tudo afeta tudo, é acreditar, de verdade, que tudo está ligado a tudo, que tudo muda, que estamos em estado de mudança permanente e que, não obstante tudo, tudo é UM. Esta é a coexistência, único caminho possível para a manutenção da sustentabilidade humana e ecológica. Esse caminho nos leva à transcendência. É para lá que somos chamados. Nosso olhar não se firma apenas na ambientalidade. Caminhamos daí para a coexistência e só então para a sustentabilidade. Isso significa que não existem mundo e eu, natureza e eu, mas antes, que somos uma totalidade única, viva, em processo, e que estamos sempre à cata do sentido das coisas, das coisas que nos provocam, que nos chamam, e às quais precisamos responder.

Considerações finais

Ser pessoa e, sobretudo, ser Gestalt-terapeuta é estar em estado de permanente travessia, em estado de movimento total. É fluir, é sentir, é ter uma consciência corporal cada vez mais profunda. É se mobilizar, é agir, interagir, é se encontrar com o mundo exatamente como ele é. É ser como ele é, é ser coexistência na carne, viva e operante. É procurar a realização do momento que retrata uma totalidade, a relação parte-todo, figura-fundo, corpo-ambiente e a máxima unidade mulher-homem, para aí visualizar uma nova gestalt, um novo momento, que pedem respostas concretas.

Entendo que este tema é uma Gestalt que nos impele a fazer passagens da gestalt para a Gestalt-terapia. Gestalt-terapia do caminho, da estrada, da travessia de onde estamos para onde vamos, da ambientalidade para a coexistência e daí para a sustentabilidade. É nos responsabilizarmos não só pelo aqui-e-agora, mas por toda uma estrada que deve ser feita e para a qual o instante nos convoca.

Esse tema intima, provoca a nós, Gestalt-terapeutas, a, ao mesmo tempo, olhar o aqui-e-agora, a realidade exatamente como ela se apresenta, olhar para frente, sermos mensageiros de um novo mundo, de uma nova mentalidade, de uma nova estrutura, fiéis a nossa alma ambiental da qual emanam sustentabilidade e coexistência, condições estruturantes de uma nova visão de mundo e de pessoa.

Somos gente incomodada, cúmplices do aqui-agora, espacialidade e temporalidade constituídas. Este aqui-agora é sagrado e nos convida a tirar os sapatos diante dele, a nos despirmos para, assim como a natureza nos fez, caminharmos na direção do amanhã, livres de nós mesmos, livres de toda estrutura que nos prende, para olhar o mundo de uma maneira diferente, adequada, real e efetiva.

Esta é nossa caminhada, cuidadosos de nossa subjetividade, atentos à objetividade das coisas, para, através delas e com elas, pensarmos o mundo diferentemente, um mundo novo, um mundo melhor, no qual as pessoas possam olhar para si mesmas, para o outro, para o mundo, e sentir alegria de ser pessoa. É essa a nossa caminhada, é essa a nossa proposta.

Um mundo em coexistência, no qual nosso sentir, pensar, fazer, falar, no qual nossas dimensões ambientalidade, animalidade, racionalidade, nossa relação ambiente-corpo, possam ser vividos como uma totalidade estruturante de um novo paradigma, de um novo modelo no qual a relação mundo-pessoa se constitua na ética e na estética que moverão as necessidades humanas.

Isto é o que estamos chamando de ambientalidade, uma nossa dimensão esquecida e ignorada através da qual experienciamos o mundo, não como o outro, mas como parte nascida dele, gerada por ele, com uma sensação imponderável de que sou mundo e que o mundo sou eu. Eu-ele, ambiente-corpo, configuração perfeita, gestalt plena.

Ambientalidade não é uma questão ambiental, não é um estilo de vida, não é um programa a ser levado a cabo, ambientalidade é uma dimensão humana, parte constitutiva, fundante de uma totalidade, pessoa-mundo, da qual fazem parte também a animalidade e a racionalidade.

Vivemos uma realidade ontológica, somos uma Gestalt, uma configuração, cujas partes estão integradas, articuladas, em metafisica interdependência, formando uma unidade de sentido que pode ser nominada pelo sujeito observador, de tal modo que a modificação em uma de suas partes acarretará uma modificação no todo, realidade expressa de maneira magistral por Edgar Morin, quando afirma: "o todo está na parte que está no todo" (Morin, 1990, p. 109).

Estou pensando que falar deste novo conceito ambientalidade é propor um paradigma novo, porque estamos saindo de uma visão de mundo e de pessoa fragmentada, mecanicista, reducionista para uma visão gestáltica, sistêmica, holística, de ecologia profunda, em que a realidade é vista como um todo, cujas partes coexistem interligadas e interdependentes e que, indo além de uma visão holística, nos conduz a pensar nos modos funcionais de como esta totalidade se constituiu através de uma bilenar evolução, hoje ainda em andamento.

Se e quando este conceito ambientalidade começar a entrar no inconsciente cultural da humanidade, e as pessoas começarem a se sentir, a se perceber não como donas, proprietárias da mãe terra, mas como parte constituinte do cosmos, uma nova onda de proteção do meio ambiente começará a vislumbrar a verdadeira sustentabilidade: é a pessoa humana que precisa ser salva, porque o universo, se respeitado, tem o de que precisa para ser aquilo que é, sem ajuda externa.

Referências

Bimbenet, E. *O animal que não sou mais*. Curitiba: Editora UFPR, 2011.

Capra, F. *A teia da vida – Uma nova compreensão dos sistemas vivos*. São Paulo: Cultrix, 1996.

Critelli, D. "Martin Heidegger e a essência da técnica". *Revista MargeM*, São Paulo, SP, n. 16, p. 83-9, 2002.

Fiorillo, C. A. P. *Curso de Direito Ambiental Brasileiro*. 9. ed. São Paulo: Saraiva, 2008.

Garcia-Roza. *Psicologia estrutural em Kurt Lewin*. Petrópolis: Vozes, 1974.

Heidegger, M. "A questão da técnica". In: *Ensaios e conferências*. Trad. Emmanuel Carneiro Leão et al. Petrópolis: Vozes, 2002.

Jonas, H. *El principio vida – Hacia una biología filosófica*. Madri: Trotta, 2000.

Lewin, K. *Teoria dinâmica da personalidade*. São Paulo: Cultrix, 1975.

______. *Princípios de psicologia topológica*. São Paulo: Cultrix, 1973.

Morin, E. *Introdução ao pensamento complexo*. Lisboa: Piaget, 1990.

Perls, F.; Heffeline, R.; Goodman, P. *Gestalt-terapia*. São Paulo: Summus, 1997.

Ramos, E. C. "O processo de constituição das concepções de natureza: uma contribuição para o debate na Educação Ambiental". *Revista Ambiente e Educação*, v. 15, p. 67-91, 2010. Recuperado de: <https://periodicos.ufsm.br/reget/article/viewFile/4259/3035>.

Smuts. J. C. *Holism and evolution*. Nova York: The Gestalt Journal Press, 1996.

Taggart, M. C. *O Campo em busca da força secreta do Universo*. Rio de Janeiro: Roo, 2008.

11. Do sagrado, da estética, da ética e os cinco sentidos: à luz da Gestalt-terapia

Não se trata de negar ou de limitar a ciência; trata-se de saber se ela tem o direito de negar ou de excluir como ilusórias todas as pesquisas que não procedem como ela por medições, comparações e que não sejam concluídas por leis, como as da física clássica, vinculando determinadas consequências a determinadas condições.
(Merleau-Ponty, 2004, p. 6)

Escrever sobre o tema deste capítulo implica, imediatamente, questionar fenomenologicamente "a conveniência" da conexão epistemológica dos cincos sentidos com a questão do sagrado, da estética e da ética. A Gestalt-terapia, na sua abertura para lidar com o diferente, nos aponta o caminho a seguir.

> O que nos foi apresentado como "ausência de teoria" não era senão o desconhecimento desta teoria, desconhecimento das práticas clínicas realizadas nas sombras por alguns dos pioneiros que haviam contribuído com a elaboração do projeto "original". (Robine, 2006, p. 18)

> Ao mesmo tempo, sabemos que a configuração global não é independente dos elementos que fazem parte de sua elaboração. Creio ser interessante considerarmos o modo como estes elementos se associam, pois é nesse *como* que reside o germe estrutural de nosso presente e, consequentemente, de nossa projeção sobre o futuro. (*ibidem*, p. 22)

Do humano: experiência de humanização através do sagrado, da estética e da ética

Tornar-se humano é um dos mais difíceis desafios por que passam homens e mulheres. Nascemos homem e mulher. Tornar-se humano, porém, é uma árdua tarefa que ocupará toda nossa vida e exigirá de nós uma permanente atenção ao processo de constituição dessa nossa humanidade. Tornarmo-nos humanos exigirá de nós uma longa experiência de desapego, uma longa experiência de busca da beleza, baseada na experiência e vivência da ética – não como ideia, mas como proposta de vida.

> Se o corpo é simples localização da consciência, ao perceber os corpos exteriores, apercebo-me de que este corpo é habitado por uma alma [...] Eu não projeto no corpo de outrem um Eu penso, mas apercebo o corpo como percipiente antes de percebê-lo como pensante. Este olhar que tateia os objetos, eis o que eu vejo em primeiro lugar: Vejo um corpo que se articula ao mesmo objeto que eu. Só secundariamente me apercebo, primeiro de sua alma, depois de seu espírito: "aquele homem vê e entende..." o fato de que nesse homem surgiu um Eu penso é um *Natum factum*. (Merleau-Ponty, 2000, p. 125-26)

> Encontramos aqui, pela primeira vez, essa ideia de que o homem não é um espírito *e* um corpo, mas um espírito *com* um corpo, que só alcança a verdade das coisas porque seu corpo está como que encravado nelas (Merleau-Ponty, 2000, p. 17)

Entendemos, hoje, que o sagrado, a estética e a ética são nossos grandes e primeiros mestres, que existem para nos colocar em contato direto com a realidade do mundo à nossa volta e do mundo que virá. Quando não temos mais receio de escutar o mais íntimo de nós mesmos, eles nos ensinam a verdadeira sabedoria, a verdadeira beleza, a verdadeira arte.

O sagrado, a estética e a ética existem e funcionam para nós ou conosco na medida certa, embora não saibamos que medida é esta. São instrumentos de evolução, amadurecimento e crescimento. São, naturalmente, provocativos, existem simplesmente e têm como única demanda seu autofuncionamento, isto é, permitir que as pessoas se lancem no mundo, permitir uma ampliação de consciência na nossa relação ambiente-organismo.

Dos sentidos: experiência de corporeidade através do enraizamento pelos sentidos

> Eu organizo com o meu corpo uma compreensão do mundo, e a relação com o meu corpo não é a de um Eu puro, que teria sucessivamente dois objetos, o meu corpo e a coisa, mas habito o meu corpo e por ele habito as coisas. A coisa me parece assim como um momento da unidade carnal de meu corpo, como encravada no seu funcionamento. O corpo aparece não só como o acompanhante exterior das coisas, mas como o campo onde se localizam minhas sensações. (Merleau-Ponty, 2000, p. 1220)

> Quer se trate do corpo do outro ou de meu próprio corpo, não tenho outro meio de conhecer o corpo humano senão vivê-lo, quer dizer, retomar por minha conta o drama que o transpassa e confundir-me com ele. Portanto, sou o meu corpo, exatamente na medida em que tenho um saber adquirido, e, reciprocamente, meu corpo é como um sujeito natural, como um esboço provisório do meu ser total. (Merleau-Ponty, 2006, p. 269)

Enraizar, entre outros significados, quer dizer aprofundar e fortalecer as raízes para que a planta, não importa sua idade, tamanho ou família, possa responder às suas necessidades de continuar viva, não obstante possíveis ventos e tempestades. Não basta plantar, é preciso saber plantar, e isso depende da mão que planta, do terreno, de sua composição, do local, da relação entre a planta e o terreno. Chamamos esse processo de *contato*, de *cuidado*, de *ajustamento criativo*, de *pregnância*, construtos teóricos da abordagem gestáltica, válidos tanto para se estabelecer a relação de uma planta com a terra quanto para se estabelecer uma relação harmoniosa entre a pessoa e a terra e entre uma pessoa e outra.

A pessoa humana se enraíza através dos sentidos, ou, melhor dizendo, os sentidos nos enraízam, dão profundidade à pessoa humana, mulher ou homem. Nossos sentidos são entradas, estradas, pontos de chegada de nós mesmos. Nós os usamos a todo instante, não vivemos sem eles, mas, na maior parte do tempo, não nos damos conta de que respiramos, de que tocamos objetos, de que sentimos cheiros, exceto quando algo em nós parece não estar bem. O mundo é feito de sensações. Somos sensações. Nossos sentidos definem os limites de nossa consciência, exploram e questionam o desconhecido, indicam caminhos e possibilidades, são instrumentos naturais de nossas experiências de dor, sofrimento, como de alegria e felicidade, de aprendizagem e de contato.

> Nossos sentidos transpõem distâncias ou culturas e transpõem o tempo. Eles nos ligam intimamente ao passado com mais intensidade do que as nossas ideias [...] e fornecem milhares de informações ao cérebro, como se fossem microscópicas peças de um quebra-cabeça. (Ackerman, 1990, p. 27)

> Eu sou o meu corpo [...] Meu corpo é *agora* e *agora* é o único momento em que posso fazer algo [...] Meus sentidos me dizem *agora*. Eles são incapazes de fazer qualquer outra coisa. (Stevens, 1977, p. 219-46)

Como afirma Stevens (1977, p. 355), "o corpo elimina e apara a experiência antes de enviá-la ao cérebro, seja para a contemplação, seja para a ação". Os sentidos, portanto, são muito mais do que os órgãos dos sentidos e de suas funções físioanatômicas. É como se eles tivessem uma alma própria, de extrema sensibilidade através da qual eles transcendem suas funções anatômicas e nos transportam ao reino da metáfora, da beleza, do humano no seu sentido mais radical. Mostram-se exatamente como são, não têm um apelo ético, estético ou sagrado e são, ao mesmo tempo e por natureza, éticos e estéticos e sagrados, porque, quando um ser é exatamente aquilo que ele é, cumpriu plenamente sua existência.

Imersos na rotina da evidência de nossa corporeidade e de nossa corporalidade, falamos dos cinco sentidos, como se eles fossem, em realidade, apenas cinco, não nos dando conta de que, nas suas relações com o tempo e com o espaço, se transformam em geradores dos mais complexos processos que desafiam a lógica de leis já constituídas. Do outro lado, sem que o percebamos, nos protegem das mil possibilidades de experienciar o que eles ocultam, sem o que seríamos submetidos a experiências que superam, em muito, nossa capacidade de vivenciá-las.

Do humano

> Quando o homem assumiu a postura ereta em seu desenvolvimento evolutivo, ele passou a ter um contato diferenciado com o ambiente. Por mais que ele tenha conseguido desenvolver formas de manipulação do meio mais apuradas (utilizando as mãos, por exemplo), isso custou um afastamento da "sensação de fluxo vivo com o ambiente" (PHG, 1951/1997, p. 120) e o corpo começou a tornar-se um objeto para ele mesmo. (Belmino, 2014, p. 117).

Quando falamos de estética, do sagrado e da ética, especulativamente, estamos no mundo teórico da filosofia, lidando com uma essência sem existência, com construtos sem rosto, sem uma face visível. Quando, entretanto, falamos de que modo os sentidos podem ser vistos a partir de construtos já solidificados pela prática da Abordagem Gestáltica ou como esses construtos podem ser vistos a partir dos sentidos, completamos um acordo através de um ciclo teórico vivencial que nos permite ver os dois lados de uma mesma moeda, sem criar uma dicotomia operacional do sentido de ambos e solidificando nossa conexão com a Gestalt-terapia.

Trabalhando nosso processo de humanização, procuraremos conectar a teoria gestáltica à teoria e prática dos cinco sentidos, na certeza de que essa junção pode ser pensada e expressada no nível de *uma awareness corporal, de um dar-se conta*, capaz de dar qualidade não só ao *que* experimentamos, mas ao modo *como* vivenciamos nossos sentidos e ao modo como nos colocamos, na prática, diante do sagrado, da beleza e da ética.

> Ora, o que enfatizamos é que o homem está na natureza e a natureza está no homem, ou seja, participando contraditoriamente de um processo contínuo e descontínuo, ele assume o paradoxo de ser, ao mesmo tempo, elemento, fragmento e totalidade de um ecossistema complexo. Notemos que neste postulado há um princípio de incerteza relacionado com a realidade do Homem/Natureza/Natureza/Homem. (Pena-Vega, 2003, p. 93)

Do sagrado: experiência de desapego

Sagrado vem de *a-kios*, palavra cuja raiz em hebraico antigo significa "sem terra" e implica desprendimento, em desapego.

No Sinai, Deus disse a Moisés: "Tire as sandálias dos pés, pois o lugar em que você está é terra santa". (Êxodo 3, 5). Quando se está diante de Deus, como "feitos de barro", tiram-se as sandálias, fica-se descalço, desprendido, desapegado de si mesmo, de toda uma história construída, para estar ali, simplesmente, de pés no chão. Tirar as sandálias é se predispor ao desprendimento, ao desapego de si próprio e ao contato com o sagrado.

Através da experiência do Sagrado a pessoa retorna à sua originalidade primitiva, se despe de categorias pré-existentes, de catalogações do ser, e se apresenta diante de si mesma tal qual é, tal qual foi criada, "feita de barro". Tirar as sandálias é, antes de tudo, uma *epoché* sagrada, um ato de fé, é se predispor para estar na existência sem qualquer proteção, é olhar para si com um olhar crítico de autoconsciência, de um dar-se conta de que descalços, simplesmente, somos, e de que, apenas nesta condição, estamos, de fato, ontologicamente preparados para o cuidado, para o encontro, não importa quão diferente seja o objeto a ser encontrado. Na razão em que o sagrado se manifesta, surge o mundo, a existência, o ser, o ente, na sua melhor e real configuração. Neste instante, nas palavras de Buber, a relação Eu-Tu, relação originária, acontece.

O sagrado não é uma especulação teórica, é uma experiência religiosa primária. Perdemos a dimensão escatológica de quem somos, porque, se olhamos, simplesmente, quem somos, isto é, feitos de barro, podemos ser invadidos de um profundo sentimento de menos-valia, de uma quase perda de identidade. Quando, entretanto, nos aprofundamos neste olhar, como feitos de barro e pensando paradoxalmente, podemos nos elevar a uma mais alta categoria na ordem da constituição dos seres: feitos barro, porém pensantes e livres.

Assim, estarmos na dimensão do sagrado nos transporta a duas vertentes fenomenológicas, uma ligada à experiência e vivência do desprendimento, do desapego, do estar sem terra; outra à realidade exatamente como se apresenta e como captada pela nós; uma, aquela da humildade, porque feitos de barro, enraizados na realidade aqui-agora; e outra, aquela de um poderoso sentimento de autoestima, porque pessoas e, na carne, no corpo, humanos, e esta conjugação nos permite um enraizamento real na direção de nosso estar no mundo.

Aqui se misturam a ética do sagrado e o sagrado da ética, pois a vivência autêntica destas duas posições exige desprendimento do que está fora e desapego do que está dentro, de nos concebermos, como diz Merleau-Ponty, como um corpo vivo e próprio, no mundo. Tal atitude contém ou pressupõe um jeito específico de estar neste planeta "sem terra", isto é, sem a sensação de pertencimento de si para consigo mesmo, o que paradoxalmente produz em nós a percepção do outro, a percepção de que, no momento que o outro me faz face, me percebo como existindo e, ao mesmo tempo, um ser de possibilidades.

Experienciar o sagrado é estar diante da vida, ontologicamente, desprendido, em estado de desapego, entre parênteses consigo mesmo e absolutamente compromissado e comprometido com a realidade. Ser ético e ser compromissado andam um ao lado do outro, em paralelas, de mãos dadas. É andar sobre trilhos sem perder o olhar de um sobre o outro, porque ambos caminham na direção do mesmo horizonte.

Uma cumplicidade existencial une o processo do sagrado aos cinco sentidos como processos de uma mesma origem, talvez até de uma mesma natureza, pois quando estamos descalços, com os pés no chão, desprendidos de nós e presos à realidade, na sua ordem natural, estamos na área experimental do sagrado e dos sentidos, e ambos os processos respondem um pelo outro.

Nossos cinco sentidos são os guardiões do nosso sagrado, da nossa estética e da nossa ética, são eles que abrem para o mundo as portas de entrada dos nossos corpos, são os sentinelas que nos protegem, que nos avisam quando qualquer inimigo ronda à nossa volta. Eles nos enraízam, nos dão suporte para experienciar o mundo fora de nós. Cuidam silenciosamente do nosso mundo interior e o fazem em absoluto anonimato, com absoluto desprendimento. São ontologicamente éticos, estéticos. Não se prendem a nada, respondem aos estímulos que os cercam, que chegam até eles. São cúmplices uns dos outros no exercício de suas funções. Experienciam, assim, a sacralidade do anonimato ao buscar sempre *a melhor forma, a Gestalt mais plena, a configuração mais condizente com o corpo como um todo.* Ao tentar, instintivamente, superar seus melhores níveis, nossos sentidos atingem a dimensão da transcendentalidade que é também o objeto e o caminho do sagrado, da estética e da ética.

O exercício espontâneo dos sentidos transporta a pessoa às áreas da criatividade e da criação, a uma profunda conexão com a busca da beleza, da estética, ao mundo da fantasia e da realidade, ao exercício de uma ética natural, à experiência de enraizamento do sagrado, enquanto expressão de um desapego, que é lugar onde pode, de fato, florescer a natureza humana, na qual a beleza e o belo encontram morada.

Da estética: experiência de beleza

De acordo com o *Novo dicionário Aurélio da língua portuguesa*, estética é o

> estudo racional do belo quer quanto à possibilidade de sua conceituação, quer quanto à diversidade de emoções e sentimentos que ele suscita no homem. Estudo dos juízos por meio dos quais os seres humanos afirmam que determinado objeto artístico ou natural desperta universalmente um sentimento de beleza ou sublimidade. Qualidade atribuída a objetos e realidades naturais e culturais primordialmente através da sensibilidade (e não do intelecto) e que desperta no homem que a contempla uma satisfação e emoção ou prazer específico de natureza estética.

Assim, estética é o estudo, a reflexão sobre o belo e a beleza. Isso implica não apenas uma consideração abstrata, portanto filo-ontológica, como também uma reflexão experimental, experiencial e existencial, no sentido de que a experiência do belo e da beleza passa necessariamente pela subjetividade de quem a contempla. Refletir sobre o belo e a beleza é refletir sobre emoções e sentimentos que o objeto artístico ou natural desperta espontaneamente no sujeito. O belo desperta no ser humano sublimidade, contemplação, satisfação, prazer, porque ele emana da inclusão da pessoa no objeto contemplado, não importa sua natureza. A emoção estética e a percepção do belo não dependem da percepção cognitiva ou intelectual do objeto, mas da sensibilidade de quem a contempla, sendo, portanto, um encontro subjetivo, intuitivo entre a pessoa e a realidade externa. O belo, portanto, é subjetivo, é pessoal e não determinável *a priori* e *per se*.

Platão definia o belo como *quae visa placent* (aquilo que, tendo sido visto, agrada). A contemplação da beleza, portanto, passa, necessariamente, pela experiência e vivência da subjetividade, da intersubjetividade e da intencionalidade que nos permite atribuir sentido à realidade e, ao fazê-lo, tornamos a realidade algo dentro de nós. A apreensão do belo e da beleza chega até nós das mais variadas formas, pois esse caminho é o da absoluta liberdade que nosso corpo-pessoa experimenta por estar no universo, funcionando a partir de sua potencialidade natural e da energia resultante da riqueza que os sentidos, no seu conjunto e como um todo, produzem. Nesse sentido, a beleza é o "caráter do ser ou da coisa que desperta sentimento de êxtase, admiração ou prazer através de sensações visuais, gustativas, auditivas, olfativas etc." (Beleza, 2001).

Os sentidos despertam na pessoa o gosto pela estética, *pela procura da melhor forma, do ir à coisa mesma da realidade percebida*, através da qual a existência revela a essência em toda a sua plenitude, porque é função dos sentidos explicitar aquele dar-se conta, do qual, muitas vezes, nossa consciência, até por motivos éticos, teme assumir. Nossos sentidos agem instintivamente, porque são comandados por um instinto primeiro e maior, *aquele da sobrevivência, da autoecorrealização*, estando, a todo momento, fazendo *ajustamentos criativos* entre suas necessidades e as demandas da realidade através de um saber inato que lhes permite uma *relação complementar* extremamente criativa. Como a atração pela beleza e pelo belo é comandada pelos nossos sentidos, provocada pela nossa subjetividade e intencionalidade, os sentidos se tornam naturalmente o instrumento dessa busca, facilitando processos cerebrais em consonância com aquelas formas de beleza que são atraídas pelos olhos.

Da ética: experiência de cumplicidade

A cumplicidade é a base emocional da ética, que implica em conviver e respeitar as diferenças. Não se trata apenas de fazer o certo e evitar o errado, porque a ética não é algo que ocorre fora de nós, mas dentro e no íntimo de cada um. A ética supõe um agir fora, na nossa relação com o mundo, em absoluta consonância com o que se pensa e se sente dentro. Excluir, no exercício da ética, nossa relação com o mundo é agir abstratamente, é filosofar a partir de uma pura intencionalidade, que tentará impor significados a partir do sujeito, e não do objeto.

Quando encontro alguém, encontro o diferente, necessariamente um outro-eu-diferente, pois quando encontro um outro-eu-mesmo, embora seja um outro, encontro a mim mesmo. Somente quando me deparo com o diferente e o incluo em mim, encontrei o Outro, sou um com Ele. Quando encontro um outro-eu-mesmo, o encontro não se faz, porque estou na experiência imediata do idêntico. O encontro se dá pela inclusão no outro-eu-diferente. Quando encontro um outro-eu-diferente, a relação acontece, pois a beleza de toda relação está em que dois ou mais outros-eus-diferentes se encontrem, se fundam e se confundam.

A experiência e a vivência da ética, filosofia e postura-ação, supõem um olhar para a realidade do mundo e para o mundo da realidade como um processo de convergência e congruência internas. Faltar à ética não é um processo de oposição ao mundo da realidade, é um processo de oposição à realidade do mundo, tal qual como experienciada e vivida pelo sujeito pensante e agente. Quando pronuncio minha palavra, faço-me pessoa, corpo-próprio, corpo-pessoa, idêntico à palavra pronunciada, consubstancial a mim próprio, de tal modo que quem ouve minha palavra, me vê: eis a relação original, tornar-se carne-palavra Um para o Outro. A palavra que se faz carne funda, ontologicamente, a essência da relação, é o instrumento criador da pessoa, e quando duas pessoas se fazem palavra um para o outro, se fazem carne um para o outro, a relação acontece.

Ser ético é se fazer carne-pessoa com a realidade pensada. A realidade deixa de ser coisa para ser reflexo do sujeito operante, deixa de ser um *isso* para ser *tu*, na linguagem buberiana. No princípio, é a relação, no meio do caminho, é a relação, no final, a relação, o diálogo *dia-logo* que gera o encontro pessoa-mundo. A relação preside a existência do começo ao fim e seu instrumento é o diálogo. Caminhar através (*dia*) da palavra (*logos*) encarnada, na escuta, na fala e na ação, é instrumento gerador da presença e do cuidado humanos.

A experiência e a vivência da ética são os canais que permitem a cada um, através do diálogo interno dos sentidos que gera atitudes e comportamentos, se colocar no mundo como um ser de escolhas, as quais se situam entre o destino e a liberdade, entre a certeza e a verdade. O diálogo, ao conferir unidade relacional ao diferente, no mundo, *com-voca* o ser para o encontro que permite à ética, que habita o humano de cada um, se explicitar.

Ser cúmplice é dar suporte, trabalhar juntos, agir coerentemente com o outro, se incluir, operacionalmente, no outro. Os sentidos trabalham na mais estreita cumplicidade, em absoluta observância com o *princípio holístico da autoecorregulação, através do qual aprendemos que tudo está ligado a tudo, tudo muda e tudo é um.*

A observância da ética supõe naturalmente que estes princípios sejam observados sem exceção, de tal modo que os sentidos sejam guardiões de todo e qualquer comportamento que possa formar *uma Gestalt, uma configuração, uma totalidade humana*. Esta é uma ética natural. Os sentidos trabalham integrados, não disputam entre eles funções que não lhes pertencem. Trabalham em isonomia, o que é bom para um, em igualdade de circunstâncias, deve ser bom para todos. Os sentidos agem a partir de sua ínsita natureza e das necessidades que vêm de fora, e não trabalham com duas mensagens. Não se pode falar em uma ética dos sentidos, porque eles não funcionam a partir de um centro de controle chamado vontade ou liberdade. A ação dos sentidos, porém, pode se iluminar a partir da natureza do funcionamento da ética, porque, instintivamente, por sua própria natureza, eles discriminam o bem do mal, o certo do errado através dos efeitos que produzem na consciência humana.

Os sentidos não operam um *processo de intencionalidade* no sentido de que fazem escolhas. Seguem um outro princípio fenomenológico que é aquele *de, naturalmente, ir às coisas mesmas.* Não funcionam a partir de um movimento de uma escolha consciente, são levados por uma lei maior, a da *autoecorregulação organísmica* que os faz funcionar diretamente à busca das essências escondidas nas existências das coisas. Seu principal instrumento de trabalho são os *ajustamentos criativos* que os levam a agir dentro de uma impressionante flexibilidade, pelo fato de que, sendo cinco, recorrem a uma natural inteligência na procura dos melhores resultados, sem se prostituírem, sem perder sua característica inata de ser, de algum modo, determinados por sua natureza fisiológica.

Dos sentidos

Nossos cinco sentidos são criações do universo, o qual, no seu processo de evolução, nos presenteou com alguns matizes que eles incorporaram, produzindo um fantástico arco-íris de cores, sons, sabores, sensações e odores. Sem perder sua estrutura, sem demarcar limites de seu uso entre o sim e o não, entre o certo e o errado, entre isto pode e isto não pode, eles criam um campo psicoemocional de possibilidades de funcionamento. Nossos sentidos são o resultado de um *dar-se conta, de uma awareness cósmica*, de um contexto evolutivo a partir do qual nossa humanidade se tornou possível.

> A unidade da coisa permanece misteriosa, enquanto consideramos suas diferentes qualidades (sua cor, seu sabor, por exemplo) como dados que pertencem aos mundos rigorosamente distintos da visão, do olfato, do tato etc. Porém a psicologia moderna [...] observou justamente que cada uma dessas qualidades, longe de ser rigorosamente isoladas, tem uma significação afetiva que a coloca em correspondência com a dos outros sentidos. (Merleau-Ponty, 1948, p. 20)

Feita essa introdução, passo a descrever cada um dos nossos sentidos e a conectá-los com as grandes questões do sagrado, da estética e da ética, na perspectiva de uma real conexão com a abordagem da Gestalt-terapia.

Da visão: olhar/enxergar/ver

Visão é muito mais do que perceber coisas com os olhos, que são os instrumentos materiais da visão.

> Nossos olhos são os grandes e primeiros manipuladores dos nossos sentidos. [...] Pode até ser que o pensamento abstrato tenha evoluído da luta elaborada que nossos olhos travaram para entender o que vemos. [...] No entanto, a visão, como a imaginamos, não acontece nos olhos, mas no cérebro. De certa maneira, para enxergarmos com

> clareza e detalhes, não precisamos absolutamente dos olhos. [...] Nossa linguagem está baseada em imagens. (Ackerman, 1990, p. 274-5)

Olhamos o mar e dizemos que ele é azul, é verde, olhamos o firmamento e vemos um céu de um azul anil, porque, como afirma Ackerman, as cores não se constituem fora, mas na nossa mente; por isso, na sua silenciosa linguagem, produzem diferentes efeitos nas pessoas, dependendo do modo como elas encaram a realidade das coisas. Diz Ackerman (1990, p. 354): "O mundo é uma construção fabricada pelo cérebro, baseado nas informações sensoriais que lhe são dadas, sendo a informação apenas uma pequena parte de tudo que lhe é oferecido".

O visível esconde mais do que revela e, não fora este outro olhar que nasce do cérebro, experimentaríamos a mais frustrante cegueira: a de vermos sem saber exatamente o que estamos vendo. Quanto mais clara for nossa visão ocular, mais estaremos diante do mistério da evidência, isto é, ver sem saber como estamos vendo, como se nosso cérebro não estivesse preparado para ler a mensagem. Ouvimos, tocamos, cheiramos, sentimos o gosto sob a proteção do olhar com os olhos. Quando estamos em situação de perigo eminente de vida, quando decidimos dar ou aceitar o primeiro beijo, quando decidimos a verdade de certas palavras ou frases que escutamos, quando decidimos saltar um obstáculo, é o olho no olho o supremo e máximo argumento, porque o olhar no olho da realidade, seja ela qual for, é o que nos dá a sensação correta e perfeita de limites, da certeza ou não da realidade que estamos enfrentando. Quando olhamos assim, vemos e enxergamos além das aparências.

Para olhar em profundidade a beleza do bico de um tucano, a majestade das chuvas e dos ventos que dobram a copa da arvores, o suave mistério de um céu estrelado, o nascer de um bebê do ventre sagrado de uma mulher, se exige um sexto, um sétimo sentido, porque o simples olhar com o olho não é capaz de alcançar a existência mesma das coisas.

Os olhos são os órgãos do sentido da visão. O olho olha. Olhar é um puro ato de percepção física, é um gesto dos olhos, que mecanicamente percebe um dado objeto. Quem olha apenas as partes, procura detalhes, segue o caminho da subjetividade, de uma intencionalidade preconcebida, perde o conjunto, a riqueza da totalidade. Olhar, na nossa perspectiva, é perceber a realidade a partir de fora, da casca, não envolve compromisso, é simplesmente tocar um objeto, perceber suas qualidades, ficar apenas na periferia do objeto olhado, perdendo sua intrínseca beleza.

Já *ver* é diferente e mais que *olhar*, que enxergar. "Olhei para você e vi outra coisa, enxerguei outra coisa", costumamos dizer. Ver é penetrar no mistério do outro, é se identificar com a alma do outro, é se incluir no outro, simplesmente. Ver é o encontro de duas individualidades, cujas singularidades se identificam pelo respeito, aceitação e cumplicidade com a totalidade do outro. Ver exige um mergulhar amoroso e recíproco de duas totalidades, sem perder nada daquilo que distingue uma da outra. Isso significa respeito e aceitação incondicional da diferença que nos singulariza com relação ao outro.

Quando Jesus, no Evangelho de João (14, 9), diz "Quem me vê, vê o Pai", separa absolutamente o ver do olhar, pois essa frase jamais poderia ser "Quem me olha, vê o Pai". Este ver exige um desprendimento, um desapego de tudo que é seu, para ver com os olhos do outro. Somente este olhar tem a chancela do sagrado.

Os cegos não olham, eles veem, e, às vezes, mais e melhor que muitos de nós. Usam os ouvidos para melhorar sua visão interior. Os olhos, só, não nos fornecem a totalidade estética do objeto olhado, pois, se queremos ver além do olhar, precisamos de sensibilidade, de ternura, de uma consciência afinada com a realidade.

Imagine você sem o sentido da visão.

Nossos sentidos trabalham em conjunto, a ausência de um prejudica o resultado final da situação em curso. *Existe entre os sentidos uma relação complementar saudável, funcional; eles trabalham em permanente ajustamento criativo*. O belo e a beleza, a estética, emanam diretamente do olhar, mas o olhar, desconectado dos outros sentidos, percebe apenas a aparência que *não se faz fenômeno para a consciência*. O *ir à coisa mesma*, encontrar *a essência da estética* que se revela na beleza e no belo, exige que todos os sentidos trabalhem em total sincronicidade e harmonia, o que permitirá à pessoa o intuir de uma *intencionalidade* que dará sentido ao seu agir à procura de respostas.

Ver, contemplar um céu estrelado, o cair de uma chuva, presenciar um desastre, um relâmpago que ilumina os céus, o olhar sereno de uma criança são partes de uma totalidade operacional e emocional que não nos darão a dimensão correta do visto se os outros sentidos, como um todo, estiverem desconectados do dado em questão. O todo gera uma unidade de ação, e, portanto, de significado, mas isso só ocorre quando as partes se mantêm como fundo do processo de apropriação de um significado dado. Não obstante todos os sentidos concorrerem para a percepção de uma realidade, a visão é, por excelência, o sentido, o órgão da estética, porque é através do ver que podemos apreciar a melhor percepção da realidade que nos circunda.

Da audição: ouvir/escutar

> O que chamamos de som é, na verdade, o avanço, o ondular e o recuo de uma onda de moléculas de ar, desencadeados pelo movimento de qualquer objeto, grande ou pequeno, e que se expandem em todas as direções. (Ackerman, 1990, p. 217)

A audição é o mais antigo, o mais primitivo dos sentidos. É o primeiro a se desenvolver no bebê, quando de sua formação ainda no útero materno e, quando o nosso corpo vai perdendo a precisão de suas funções, é ele o último a se apagar, a se extinguir.

O ouvido é o órgão do sentido da audição, embora uma de suas mais importantes funções seja manter nosso equilíbrio corporal. O ouvido ouve. Ouvir é perceber sons, palavras através do ouvido ou com o ouvido. É mecânico, natural, sem esforço, sem discriminação. A realidade, a música, o barulho, as palavras invadem o ser sem pedir licença, porque ouvir é uma forma automática de relação com a realidade sonora. É algo descompromissado, invasivo às vezes, no qual o sujeito ouvinte nada tem a fazer senão ouvir ou tapar os ouvidos.

Como ocorre com outros sentidos em suas funções paralelas, o coração é um grande ouvinte. Ele ouve nossas ansiedades e medos, nossas alegrias, e nos avisa com suas batidas mais fortes ou mais ligeiras das urgências e emergências em que todo o nosso ser pode estar, sem o perceber com clareza.

O som avisa, admoesta, informa, muito antes que nossos olhos possam fazer qualquer coisa. Muito mais importante do que o que nos é dito, é o como o som, a música, chegam até nossos ouvidos. Quando alguém nos declara seu amor, o som, a musicalidade da palavra é o instrumento que nos permite acessar a verdade ou não das palavras ouvidas. Os sons podem também ser ameaçadores, quando, por exemplo, sozinhos em uma casa, ouvimos alguém tentar abrir uma janela ou uma porta. Os sons são carregados de emoções. Assim como o som de uma música pode nos levar ao êxtase, o som de uma porta rangendo no escuro pode ser apavorante. O som é uma das mais complexas linguagens e, por isso, "perder audição [...] dissolve um fio crucial e a pessoa perde o caminho da lógica da vida" (Ackerman, 1990, p. 215).

Já *escutar* é diferente de *ouvir*. Escutar é permitir que o som externo seja também ouvido e sentido pelo coração, que lhe atribui significados. Supõe compromisso com a palavra ouvida, acolhimento da palavra do outro, supõe experimentá-la, vivenciá-la, atribuindo-lhe movimento e vida, capacidade de transformação, penetração no seu mistério, no seu segredo, atribuindo-lhe um significado. A orelha ouve, pura e simplesmente. O coração acolhe o escutado, escuta e o repassa ao corpo como um todo, para que tudo nele seja contaminado com o som da palavra, agora transformado em música, em mensagem e vida. Escutar é função do corpo como um todo, nada fica excluído. Ouvimos com o ouvido e escutamos com o corpo inteiro. Cada pedacinho de nosso corpo é todo ouvido à realidade que o cerca. Escutar é, sobretudo, estar aberto ao possível, a um acolhimento da realidade assim como ela se apresenta. Supõe uma autêntica *epoché*, um abandono de sons já sabidos, de palavras já ouvidas, do sim já comprometido, para a experiência de um *aqui-agora* de um som que simplesmente chega, ameaçador ou não, e se faz presente. "O som engrossa o caldo sensorial de nossas vidas e dependemos dele como auxílio para interpretar, comunicar e expressar o mundo em torno de nós" (Ackerman, 1990, p. 215).

Tudo no universo tem que ver com som. O cosmos é som. Ver e não escutar pode ser mais alucinante do que ouvir e não ver, pois a dimensão do ouvir é emocionalmente mais protetora do que simplesmente ver, já que o ouvir empresta mais significado às ações.

Imagine você sem o sentido da audição.

Olhar o mar e não escutar seus sons, ver uma pessoa gesticulando diante de você e não poder fazer nada, assistir a uma orquestra com milhões de sons e não ouvir nada, pode ser ameaçador, apavorante, porque o som empresta à música de uma orquestra, ao "barulho" do mar, aos gestos de uma pessoa uma qualidade de linguagem que não é, simplesmente, fisiológica, mas mental, emocional, espiritual.

Ouvir e escutar, mais que os outros sentidos, nos remetem, diretamente, *a uma questão ética*: a comunicação com uma pessoa surda implica, frequentemente, questões de valor. A escrita auxilia, mas não substitui o timbre, as nuances, a musicalidade de sons que, muitas vezes, revelam mais do que a palavra escrita ou falada.

O som tem muito que ver com o sentir, enquanto desperta em nós, entre possíveis exemplos, ao ouvir os acordes de uma música, sensações, sentimentos, emoções de gratidão, de acolhimento, de recolhimento, de silêncio que estão *al di la* da materialidade do som.

Todas essas sensações, sentimentos e emoções têm muito que ver com a *sensação do sagrado*; são fruto de um silêncio reverente e emocional diante da incapacidade do outro de nos ouvir e, consequentemente, de nos entender da melhor forma, o que, em contra partida, pode nos levar a um contato profundo conosco mesmos, a um enraizamento que nos permite nos desprendermos, nos desapegarmos de nós mesmos para estarmos atentos ao outro e até à nossa presença no mundo, como algo transformador.

O ouvido é o grande mestre do silêncio, porque silêncio não é ausência de som, muito menos de barulho; o silêncio é a voz da alma, é o som do nosso corpo se orquestrando para nós mesmos. O som é sagrado e o sagrado ocorre quando nos desprendemos de nós mesmos e do mundo fora de nós para poder escutar o inaudível. O olhar nos leva para fora de nós mesmos, o ouvir nos transporta ao mais íntimo de nós mesmos. Ouvir não convive com o barulho, com ruídos; por isso, quanto mais nos desapegamos, nos desprendemos dos ruídos de fora, mais podemos escutar a voz do outro e nossas próprias vozes internas. Assim, estamos no campo do sagrado.

Do olfato: cheirar/cheiro

O nariz é o órgão do sentido do olfato. O nariz cheira. O modo, porém, como ele trabalha, como opera, está muito além das funções fisiológicas de um simples órgão. Cheiros, perfumes, odores, fedor produzem situações que estão além de uma reação químico-neurológica diante de estímulos das mais diversas naturezas. "Os cheiros são mais capazes de ativar as batidas do coração do que as imagens e os sons" (Ackerman, 1990, p. 94).

Entre uma respiração e outra, o ar passa pelos nossos pulmões, movimentando cerca de 12 metros cúbicos de ar. Respiramos aproximadamente 23 mil vezes ao dia, sendo mais ou menos 5 segundos entre inspirar e expirar e, durante este tempo, as moléculas do odor fluem ao longo de nossos sistemas. Isto significa que ao respirar, percebemos os odores. Os cheiros envolvem-nos, giram ao nosso redor, entram em nosso corpo, emanam de nós. Vivemos em constante banho de odores.

Na verdade, o nariz é um órgão silencioso, embora poderoso, porque ele detecta o que os olhos não percebem e o que os ouvidos não ouvem. Como os demais órgãos dos sentidos, trabalha no nível das fantasias, sentimentos e emoções. Estar assentado, silenciosamente, ao lado de uma mulher com um perfume de provocante fragrância pode fazer todo o nosso corpo fantasiar o improvável.

Concordo com Manuel Bandeira quando ele afirma que "Cada sentido é um dom divino", embora pense que, não obstante o olfato ser um dom divino, é o mais esquecido e desprestigiado de todos – talvez até pelo fato de que o nariz é um órgão silencioso –, embora seja também o único sentido que não pode ser substituído pelos outros.

Na verdade, conforme Ackerman (1990, p. 26), "O olfato é um sentido mudo, o que não tem palavras". O nariz é o órgão do sentido do olfato, que é o "sentido com que os cheiros são percebidos, identificados e diferenciados" (Ferreira, 2009). É também o órgão do "sentido com que se percebem os odores", que, normalmente, são cheiros agradáveis, um perfume, ou cheiros desagradáveis, um fedor. "Os odores detonam suavemente nossas memórias, como minas poderosas, escondidas sob a massa espessa de muitos anos de experiência" (Ackerman, 1990, p. 26).

Quem de nós não associa cenas vividas no passado com o cheiro do lugar ou de pessoas que foram significativas para nós naquele momento?

O sentido do olfato nos permite uma dupla distinção:

O olfato, na sua *função fisiológica* de cheirar, perceber, identificar, diferenciar odores, como o cheiro orgânico, o cheiro fisiológico, que nasce da pele, das entranhas do corpo, e que é fruto de todo um *processo de equalização* entre o corpo e o meio ambiente, proporciona à pessoa uma das formas mais sensíveis, prazerosas e sensuais de perceber a realidade externa, através do cheiro.

O olfato, na sua *função metafórica* de cheirar, pode, como nenhum dos outros sentidos, significar *aspirar, reconhecer, suspeitar, aparentar, exalar, parecer, intuir, discernir*. Tal riqueza de palavras coloca o olfato, embora um sentido mudo, pela sua própria estrutura fisiológica, como um facilitador de significados, um gerador de sons que cria complexas possibilidades de comportamentos. Usamos expressões como "Isto cheira [aparenta] a santidade", "isto aqui está cheirando [suspeita] a corrupção".

O ouvido ouve, o olho olha. Eles não se enganam: embora possam não saber de que se trata, o que eles olharam ou ouviram, de fato olharam e ouviram. O fenômeno chega ao órgão que imediatamente o traduz e até lhe dá uma função a partir do que foi ouvido ou visto. A realidade, enquanto um dado para a consciência, é apreendida enquanto tal.

O nariz, diferentemente, percebe cheiros, odores com os mais diversos matizes, muitas vezes sem saber distinguir a natureza deles. As pessoas, quando ouvem, olham, tocam, não se enganam com relação ao ouvido, ao olhado, ao tocado, porque são percepções imediatas. O nariz, entretanto, porque extremamente sensível aos odores, sente cheiros, em bloco, não "sabendo", muitas vezes, distinguir um odor do outro. Diferentemente dos humanos, o nariz dos animais é mais sensível que o nosso, pois a natureza os dotou de faro, o que significa maior precisão e facilidade em distinguir um cheiro do outro, habilidade fundamental para sua sobrevivência.

> O olfato é o mais direto de nossos sentidos [...] [por isso] não necessita de intérprete, o que não acontece com os outros sentidos [...] e tal é sua atividade que os neurônios do nariz são substituídos a cada 30 dias. (Ackerman, 1990, p. 31)

Diferentemente dos outros sentidos, o objeto específico da ação do nariz é invisível. Isso torna o olfato um sensível, porém inseguro instrumento de percepção da realidade olfativa, enquanto um fenômeno para a consciência. Isso porque, nesse caso, na dúvida sobre a natureza do cheiro, nossa subjetividade tenta, a partir de si mesma e não da realidade, *dar-se conta* de algo cujas características não são perceptíveis, tenta interpretar o cheiro, o que pode tornar a atribuição de um sentido a um dado cheiro, porque fruto de cognição e não da sensação, uma percepção falsa.

Talvez o olfato seja o mais humano dos sentidos. Somos tocados a sensações. Somos as sensações que vivemos. Os sentidos nos enraízam, nos dão dimensões prováveis do tempo e do espaço, sobretudo a audição e o olfato, através de uma percepção quase virtual de objetos, coisas ou situações ainda não perceptíveis à visão, ao paladar e ao tato, sentidos que funcionam a partir do agora. O olfato nos dá uma sensação mais clara, mais experienciada de que somos um corpo, remete-nos à questão da corporalidade e da corporeidade, no sentido de que, ao mesmo tempo em que somos matéria, aqui-agora, somos também *psiqué*, com um corpo que transcende a si mesmo e que se alça a domínios energéticos de alta sensibilidade.

Imagine você sem o sentido do olfato.

Acredito que os sentidos, dada sua fisiologia, se remetem e nos remetem imediatamente à *questão da sensação do sagrado* enquanto somos um corpo lançado no mundo, no tempo e no espaço, à procura de uma autoecorregulação que se plenifica, de um lado a partir de sua estrutura adquirindo formas diversas, e do outro a partir de sua forma, isto é, de sua relação de necessidades, no mundo. O olfato tem uma função educativa, nos ensina a conviver com o invisível, com o improviso, pois cheiros e odores nos circundam.

Vivemos com relação ao olfato um desprendimento de natureza, não temos liberdade de não sentir odores, é o sentido que nos impõe, a todo instante, *ajustamentos criativos* com o mundo à nossa volta. Nesta perspectiva, todos os sentidos, sobretudo o olfato e a audição se revestem também de uma função estética, de uma beleza natural, espontânea, uma vez que simplesmente se deixam acontecer, mostrando-se exatamente como são. Eis a beleza original, sem pecado, sem mancha, paradisíaca. Exercitar-se, simplesmente, sendo, acontecendo a partir de si mesmos.

Cada um dos sentidos está ligado a todos os outros *por uma relação complementar saudável e por um permanente ajustamento criativo*. Sem perder sua individualidade e singularidade, se fundem, material, natural e ontologicamente, criando um campo energético de corporalidade e de corporeidade, gerando um sentido único: o corpo humano em cujo funcionamento não existe certo ou errado. Eles simplesmente são e existem. Nossos cinco sentidos são a mais clara e visível explicitação de nossa humanidade.

Do paladar: palatizar/gosto/sabor

> Nossos outros sentidos podem ser apreciados, em toda a sua beleza, quando estamos sozinhos, mas o paladar é extremamente social. Os seres humanos dificilmente escolhem jantar em solidão e a alimentação possui um poderoso componente social. (Ackerman, 1990, p. 161)

Falar, portanto, de paladar é falar do ato de comer nas suas mais variadas formas, incluindo tipo de comida e costumes. Desde sempre, um dos grandes problemas da humanidade é a questão da comida. O ter com que alimentar as pessoas movimenta a economia mundial. A história humana caminha paralela à história da produção de alimentos. Comer é tão necessário quanto respirar, e o paladar está muito além do simples gesto de comer. Este *além* fez do ato de comer um processo, que, embora corriqueiro, é também complexo, porque traz, na sua simplicidade, a possibilidade de muitos desdobramentos.

O paladar ou o gosto, o prazer, as sensações que as pessoas sentem ao chupar, ao comer, ao mastigar, ao engolir, ao digerir e até ao defecar fazem desse sentido, cujo instrumento principal é a boca, um dos processos mais complexos que o ser humano tem experienciado ao longo de sua evolução. A busca desse paladar, desse prazer, dessa sensação, desse sabor levou o ser humano a praticar os mais diferentes modos de se satisfazer, incluindo desde comer como um gesto de ação de graças até comer insetos, carnes em estado de decomposição, temperadas com as mais diferentes ervas para produzir sabores inusitados, esconder o cheiro, comer animais assados vivos com torturas inimagináveis até verdadeiros rituais macabros nos quais sobretudo mulheres virgens e jovens guerreiros eram mortos e servidos em banquetes, em meio a orgias que demoravam dias.

Paladar vem de latim *palatum*, que é a abóboda da cavidade bucal, também chamada de céu da boca. Assim como o olho, o ouvido, o nariz e a pele, também a cavidade bucal tem dezenas de órgãos, substâncias, como saliva, língua, dentes, que, juntos, são responsáveis pela produção das respostas adequadas ao nosso bem-estar e prazer. Todos os sentidos têm os órgãos de sua responsabilidade, os quais, de algum modo, excetuando a pele, que é o maior de todos os órgãos, se localizam no rosto, dando a cada ser humano uma face, uma fisionomia esteticamente delineada. Diferentemente dos outros sentidos que têm um órgão "sede" – a visão tem os olhos, a audição tem os ouvidos, o tato tem a pele, o olfato tem o nariz –, *o paladar não tem na boca seu órgão "sede", pois a função principal e específica da boca é proteger e guardar a língua.*

> A boca é o que mantém fechada a prisão de nossos corpos. Nada entra no corpo, seja para o bem seja para o mal, sem passar pela boca, o que representou um dos primeiros desenvolvimentos do corpo humano na evolução [...] A boca é mais do que apenas o início do longo tubo que leva ao ânus: é a porta para o corpo, o instrumento com que cumprimentamos o mundo, a fronteira dos grandes riscos. (Ackerman, 1990, p. 179)

Embora a boca não seja imediatamente o órgão responsável pelo paladar, ela é a porta para nosso corpo, é o doce aconchego dos bebês famintos, é a responsável por discursos que mudaram o curso da humanidade, é o instrumento da paixão estética de cantores, de poetas e de grandes pintores. É também a testemunha silenciosa, às vezes envergonhada, dos mais apaixonantes beijos, como também de gestos "proibidos", os quais, juntando cheiro e paladar, fizeram da felação e da cunilíngua, o coito bucal, a máxima provocação da sexualidade humana. Todos esses fenômenos nada mais são do que a mais pura expressão da sensibilidade de pessoas que sentem, na boca, o *sabor* do ouvir, o *gosto* do olhar, o *paladar* de um cheiro de mulher, o toque de uma pele macia.

O palato é uma parte, como um órgão da cavidade bucal, por isso se diz que algo é palatável, isto é, grato ao paladar, tem gosto, é comível; e compete a ele, como órgão do sentido da percepção do gosto, definir o que nos é prazeroso ou não do ponto de vista do sabor e do gosto.

> O paladar é um sentido íntimo: não podemos sentir gosto à distância. E o gosto que sentimos das coisas, assim como a composição exata de nossa saliva, pode ser tão individual quanto nossas impressões digitais [...] As pessoas que têm bom gosto são aquelas que apreciam a vida de maneira intensamente pessoal, descobrindo sua parte sublime: o resto não tem gosto. (Ackerman, 1990, p. 162-63)

Comendo do mesmo prato, saboreando a mesma fruta ou beijando a mesma boca, duas pessoas jamais vão sentir a mesma coisa, porque a intensidade do gesto não nasce simplesmente do gesto, *mas de um sentido de totalidade, de uma autoecorregulação entre o gesto e sua relação com o mundo, formando uma unidade operacional e emocional* através do sentido do gesto, da cumplicidade com que o gesto é feito, da entrega ao objeto em questão, da percepção da realidade do objeto no mundo, enfim, da subjetividade que marca a diferença entre duas pessoas.

O olho não é livre de ver, o ouvido de ouvir, a pele de sentir, o nariz de cheirar, pois, uma vez em contato com o objeto em questão, o órgão cumpre sua função de fazer chegar ao cérebro a mensagem que vem de fora, obedecendo ao velho adágio aristotélico de que nada vai ao cérebro sem antes passar pelos sentidos. Tal axioma não vale para o paladar, porque, como diz Ackerman (1990), "Nem sempre comemos os alimentos pelo gosto que têm, mas, muitas vezes, pela sensação que nos provocam". (p. 207)

Por fim, o paladar, além de também se prestar a pequeninas metáforas, como: "fulano é uma pessoa gostosa", nos convida, em uma transposição analógico-emocional, a *saborear, a sentir o gosto* da beleza de uma noite estrelada, o canto de um sabiá solitário, a sonoridade de um mar revolto em noite de lua cheia.

Os sentidos resultam de sua estrutura de natureza. Manifestando-se através de sua forma, seguem seu impulso, seu movimento de se atualizar, de passar da potência ao ato. Eles não agem contra sua própria natureza, não têm intencionalidade, estão em potência para atualizar sua natureza sempre que movidos a isso. Funcionam em inter e intrarrelação, como em um campo unificado à procura da melhor configuração. Não usurpam a função um do outro, embora colaborem com outros sentidos na produção de um efeito específico.

Falar de paladar, portanto, é falar de comer, e comer é falar de boca, de prazer, de sabor, de gosto, de língua, é falar de um campo bio-fisio-psiquicamente unificado. Como observamos, o paladar não tem um órgão sede, como a visão, a audição, o tato. A função precípua da boca é, antes de tudo, de protetora e guardiã da língua. O paladar, por sua vez, depende da língua, da saliva, dos dentes e de outras substâncias presentes na boca para seu normal exercício.

No caso do paladar, cabe à boca se responsabilizar pelo que ele é, como um portal de entrada. O paladar é fruto de muitas variáveis, o que o transforma num ente "sem dono", que está sempre à procura de se reconhecer, de testar todas as suas possibilidades, e tal fato fez que o ser humano, consciente e inconscientemente, tenha procurado e ainda procure as mais variadas formas de prazer, de gosto, de sabores.

Imagine alguém sem o sentido do paladar.

Apesar de toda a sua inocência, o paladar tem sido sujeito e objeto de comportamentos que tanto revelam a absoluta normalidade de suas funções – como as de promover saúde e bem-estar corporais – quanto seu descompasso quando é usado no exercício da satisfação de prazeres em total desrespeito à sua função original, como nos excessos de manipulação do prazer a todo custo, provocando uma desconstrução do seu uso normal. Nessa perspectiva, também por analogia, podemos falar das relações inadequadas do paladar com a *ética* e com a *estética* dos prazeres. Um sentido é *eticamente* exercido quando seu uso se enquadra nas funções para as quais ele foi naturalmente criado, isto é, obedece à natureza das funções para as quais ele foi desenhado.

A naturalidade da ética e a ética da naturalidade se transformam em berço da estética, da beleza e do belo sempre que os sentidos fazem sentido para quem procura se enraizar como ser humano. A partir de uma cumplicidade com o desprendimento, com o desapego de formas e de atitudes que, embora potencialmente produtoras de prazer, *são deixadas de lado* em nome de uma melhor configuração pessoa-mundo e de uma totalidade emocional – os cinco sentidos em ação, raízes ontológicas do sagrado –, é possível experienciar e vivenciar o paladar como legítima fonte de crescimento pessoal.

Do tato (sentir/tatear/apalpar/tocar)

Tato é o sentido pelo qual se percebe a extensão, a consistência, a forma, a temperatura de algo; através dele "se percebem as sensações mecânicas, dolorosas, térmicas de contato" (Ferreira, 2009).

> Nossa pele é uma espécie de roupa espacial, dentro da qual nos movemos em meio a uma atmosfera de gases agressivos, de radiação solar, de obstáculos de todos os tipos [...] Nossa pele é viva, respira e produz secreções [...], protege-nos contra os raios malignos [...] metaboliza a vitamina D [...], isola-nos do calor e do frio, regula o fluxo sanguíneo, atua como uma moldura para nosso tato [...], auxilia-nos na atração sexual, definindo nossa individualidade [...]. (Ackerman, 1990, p. 93)

> Nossa pele é o que fica entre nós e o mundo. Se pensarmos sobre o assunto, verificamos que nenhuma outra parte nossa entra em contato com outra coisa, além de nós, como a pele [...] É o maior órgão que possuímos e o mais importante para atração sexual. (Ackerman, 1990, p. 94)

O tato é exercido na, com e através da pele. É a alma, a respiração da pele. Somos a nossa pele, em ação. Quando dizemos "sentir na pele" é como dizer sentir na alma, por inteiro, nada fica fora. É o órgão do *com-tato*. Quando algo nos toca, de dentro ou de fora, sentimos todo o nosso ser mergulhando no sentido das coisas. O tato nos acompanha, nos sinaliza, nos arrepia, e, nas nossas caminhadas mais profundas, de cujo sentido, às vezes, não temos consciência, ele exige presença, cuidado com o que está a vir ao nosso encontro.

Ackerman (1990) afirma: "Esquecemo-nos de que o tato não é básico somente para nossa espécie, mas é a própria chave da mesma" (p. 105). Dados de pesquisas recentes nos afirmam que, quando uma pessoa é impossibilitada de tocar ou ser tocada, não importa sua idade, pode adoecer por carência de toque. Quando somos tocados, tudo em nós se altera, porque nenhum outro sentido desperta tanto as pessoas quanto o tato, dado que ele representa uma parte fundamental de nossa vida biológica. O recém-nascido, por exemplo, quando é normalmente tocado, sente-se mais seguro, cresce mais rápido e, quando massageado, ganha mais de 50% de peso com relação aos não massageados.

Todos os animais, inclusive o homem, reagem, quando são tocados, acariciados. A própria vida não teria evoluído sem o tato, pois através dele formam-se combinações de reagentes químicos fundamentais para o equilíbrio humano. O tato é, sem dúvida, o mais antigo e o mais emergente de todos os sentidos. Lembremo-nos de que o bebê está, durante nove meses, em intenso *com-tato* com a mãe. Precisamos do tato como precisamos da luz solar (Ackerman, 1990, p. 98-106).

> A pele tem olhos. O tato, auxiliando e esclarecendo o que os olhos veem, ensina-nos que vivemos em um mundo tridimensional [...]. O tato preenche nossa memória com informações detalhadas de como fomos formados. Um espelho nada significa sem o

> tato [...]. O tato ensina-nos que a vida tem profundidade e contornos: faz com que sintamos o mundo e nós mesmos tridimensionalmente. (Ackerman, 1990, p. 123-25).

Falar do sentido do tato é falar todo o tempo da pele, da nossa pele, dos milhares de modos como experimentamos ser pele, pura e simplesmente. Falar de pele é falar de carícia em forma de cabelo, de mãos, de dor, de prazer, de beijo, de sexo – enfim, de ser um corpo.

> É necessário um conjunto de receptores para formar a delicadeza sinfônica do que chamamos carícia. Entre a epiderme e a derme, existem minúsculos corpúsculos de Meissner, que são nervos dentro de cápsulas. Parecem concentrar-se em locais do corpo que não apresentam pelos: sola dos pés, ponta dos dedos, clitóris, pênis, mamilos, palmas das mãos e língua – as zonas erógenas e outros pontos de respostas ultrassensíveis e que reagem rapidamente ao estímulo mais suave. (Ackerman, 1990. p. 111)

O tato e os demais sentidos trabalham juntos em absoluta e harmoniosa cumplicidade. São poderosos veículos de cura, porque, através deles, nos apropriamos de nosso corpo, de nosso corpo próprio, como diz Merleau-Ponty. O olho é apenas o olho, o ouvido é apenas uma orelha, mas quando juntos, quando em inter e intrarrelação, trabalham como um todo, assumem sua função holística, permitindo que cada sentido afete todos os outros e que todos tenham ligação entre si, constituindo uma unidade funcional, uma configuração perfeita. Assim, não obstante a singularidade de cada um dos sentidos, eles formam um só conjunto em ação, transcendem a si mesmos, penetram nosso mundo subjetivo, e, através de uma desconhecida *irtersubjetividade corporal*, se entendem, se incluem um no outro, potencializando nosso corpo para que também ele atinja os altos níveis para os quais foi criado. Afinal, todos os sentidos funcionam na pele e através dela. Mais que os outros sentidos, a pele é o órgão do contato, facilitador das *awareness* corporais, dos ajustamentos criativos, pois tudo começa e acontece ali, nela, ela cobre, reveste todos os outros sentidos, estabelecendo uma verdadeira relação complementar, se antecipando, se colocando de prontidão para receber os estímulos que vêm de fora.

> Nesse sentido [...] o sexo é intimidade em seu grau mais elevado, é o tato em seu mais alto nível quando, como paramédicos, duas pessoas engolem-se. Brincamos de devorar-nos mutuamente, digerindo um ao outro, mimando-nos, e, bebendo os fluidos do outro, penetramos realmente na pele do outro. Quando beijamos, dividimos o hálito do outro, abrimos a fortaleza lacrada do nosso corpo a nosso amado. Abrigamo-nos sob uma rede tépida de beijos. Bebemos do poço que é o a boca do outro [...] É uma

espécie de peregrinação através *do tato, que nos leva ao templo de nosso desejo.* (Ackerman, 1990, p. 140)

Diz Ackerman (1990, p. 144): "Nossos lábios são deliciosamente macios e reagem prontamente". E também: "Um beijo é o menor movimento executado pelos lábios, embora possa conter emoções tão selvagens quanto uma centelha, ou representar um contrato, ou deslanchar um mistério" (p. 142).

E nossas mãos? Kant dizia que nossas mãos são a parte visível do cérebro. Elas registram imediatamente os caminhos e as saídas que nosso cérebro dita ao nosso corpo. Elas não têm opções pessoais, simplesmente obedecem. São o elo simbólico que explicita nossas silenciosas intencionalidades, revelando, através de simples movimentos, os desejos secretos de nossa alma. Nossas mãos, como outras partes de nosso corpo sem pelo, são altamente sensíveis. Através delas se opera, de um modo muito especial, o que Kurt Goldstein chama de *centragem, de equalização, de autorregulação organísmica,* no sentido de que nos colocam, imediatamente, em contato com o mundo, fornecendo através do tatear as sensações de que necessitamos para nos equilibramos. Ficam frias, ficam quentes, tremem, suam, antes mesmos que tomemos qualquer atitude. Elas estão explicitando pensamentos que o cérebro se recusa a explicitar. Elas pensam, sentem, choram. Elas tocam violino, plantam uma semente, escrevem poemas amorosos, trocam as fraldas de um bebê, assinam acordos internacionais, detonam uma bomba atômica, masturbam, dedilham os dedos no corpo nu da mulher amada.

O tato é tão importante em situações emocionais, que somos levados a tocar-nos da maneira que gostaríamos que os outros nos tocassem. As mãos são as mensageiras da emoção. (Ackerman, 1990, p. 151).

Estamos revestidos de pele, é ela que nos apresenta ao mundo, é para ela que as pessoas olham quando se aproximam de nós, embora alguns de nossos órgãos disputem a primazia de serem vividos como sendo os mais "cheguei", como nossas mãos e nossos lábios. Nossas mãos são mensageiras da emoção, nossa pele, a mensageira da beleza e do belo. Nosso cartão de visita, que informa quase tudo a nosso respeito.

Imagine alguém sem nenhuma sensação tátil.

É maravilhoso tocar e ser tocado, dar as mãos, beijar, andar descalço, sentir a terra sob os pés. Estes gestos se revestem de mais valor e beleza quando emanam de uma conexão que confere a todos os outros órgãos a credibilidade de uma experiência de corpo, de fato, vivo, que imprime neles a força de sua totalidade, fruto de um sentido, de um significado. A pele tem olhos, tem olfato, tem tato e reconhece de longe o que é bom e o que não é. Como é um órgão exposto, ela sempre sabe das coisas, nada a substitui, é garantia de um contato simples e nutritivo.

A pele é a beleza exposta, não importa a cor ou idade, ela é a própria beleza em forma de corpo/pessoa. Ela nos reveste. O tato, através da pele, nos transporta ao mundo da *estética* pela beleza silenciosa desse sentido; *da ética*, testemunha também silenciosa de nossas andanças pelos caminhos das nossas certezas e verdades; mas, sobretudo, do *sagrado*, pelo desprendimento e desapego que a pele, por ser nossa roupagem, desempenha na nossa vida, tornando-se a guardiã silenciosa de nosso corpo e de nossa carne que o constitui.

Pele!?... Que pele!?
Sou cor, maciez, perfume...!
Sou a beleza da pele, a pele da beleza.
Sou sutil, fina, aveludada.
Chego tão devagar...
Toco, sou tocada, não me dou conta.
Não tenha medo... é assim mesmo, pode tocar-me.
Sou pele sua, pele minha, pele nossa.
Nos une, nos confunde.
Olha... sou pele em forma de amor.
Escuta, porque não?
Sou AMOR em forma de pele.
Sinta... sinta... SINTA.
É só isso.

Concluindo

> Assim, a natureza não é mais considerada como desordem, passividade, meio amorfo: ela é uma totalidade complexa; por sua vez, o homem não constitui mais uma entidade fechada em relação a essa totalidade complexa, ele é um sistema aberto, relação de autonomia-dependência organizadora no seio de um ecossistema; por fim, a sociedade pertence a uma complexidade em que tudo é, simultaneamente, mais e menos que a soma das partes. (Pena-Vega, 2003, p. 35)

Procurei escrever sobre os cinco sentidos a partir de um quádruplo olhar: 1. do seu funcionamento natural; 2. de como o olhar humano os vê em ação; 3. de suas possibilidades de funcionamento; e 4. na medida do possível, partindo do meu olhar, conectá-los com *o humano*, com *a estética*, com *o sagrado* e com *a ética* que eles representam e revelam na relação pessoa-mundo.

Duas teorias de base estiveram sempre presentes como figura: a *teoria do campo*, sobretudo através do conceito de campo e de espaço vital, e a *teoria holística*, através dos princípios heraclitianos de que tudo está ligado a tudo, tudo muda e tudo é um, e, como teoria de fundo, a *fenomenologia*, através da qual procurei descrever a realidade dos sentidos e o sentido da realidade como uma expressão do resgate da experiência humana, no aqui-agora, de nossas experiências, a partir do olhar da abordagem gestáltica.

> *Sua visão se tornará clara somente quando você olhar para dentro de seu coração. Quem olha para fora, sonha, quem olha para dentro, acorda.*
>
> (Carl Jung)

> *A ciência não é uma ilusão, mas seria uma ilusão acreditar que podemos encontrar noutro lugar o que ela não nos pode dar.*
>
> (Sigmund Freud)

Vivemos, permanentemente, em uma quádrupla dimensão. Somos *biopsicosocioespirituais*. São os existenciais constituintes, fundantes de nossa essência. Pensar o ser humano sem uma destas dimensões é pensá-lo parcialmente, porque cada uma destas dimensões nos coloca em distintos, porém definitivos campos existenciais. Trazemos, na nossa evolução, os genes próprios de nosso único e não delegável processo evolutivo. Nossos cinco sentidos ocultam e revelam, em cada pessoa, o modo como ela usa e administra cada uma destas quatro dimensões, que, por sua vez, estão ligadas entre si pela nossa pele, que é o que nos dá um rosto e um sentido. Assim como cada órgão do nosso corpo tem uma "pele" que o separa, o distingue do outro e, não obstante, trabalha em absoluta harmonia com os demais, também estas dimensões têm uma pele que as distingue, e, ao mesmo tempo, lhes permite trabalhar em absoluta harmonia.

Essas dimensões, entrelaçadas pela pele, vivem um duplo e substancial processo: *um ajustamento criativo e uma relação complementar existenciais*, através dos quais, não obstante serem processos distintos, convivem em uma absoluta e harmoniosa intrarrelação, o que lhes permite, porque são vestidas da e com a mesma pele, adquirir um rosto, formar uma configuração humana, se expressar como Gestalten plenas e, por fim, se transformar em pessoas distintas, singularizadas.

Não somos ilhas humanas, somos penínsulas cercadas de "peles" por todos os lados. Por isso, quando me olho no espelho, vejo, além de mim e da minha pele própria, uma multidão. Conviver com a diferença, no encontro humano, é solidificar raízes não apenas de pessoa para pessoa, mas de beijo para beijo, de cabelo para cabelo, de mão para mão, de dor para dor, de pele para pele.

Os cinco sentidos têm um papel fundamental, insubstituível, no modo como nos apropriamos de nós mesmos, no modo como nos constituímos e construímos nossa singularidade, no modo como aprendemos a ser *seres humanos*, uma categoria além de ser pessoa.

Nossos sentidos dão vida à nossa vida. Como é relaxante contemplar uma noite de lua cheia, o nascer do sol em uma manhã fria de inverno, ouvir os sons do oceano sacudido pelas ondas, sentir o perfume da mãe terra, o cheiro gostoso de terra molhada após as primeiras chuvas – que não se compara a nenhum perfume –, saborear o gosto das mais diferentes comidas, o sabor e o perfume de um vinho envelhecido em tonéis de carvalho, a suavidade da pele de um bebê, a textura das frutas, o pelo dos nossos animais de estimação...

Na medida em que nos apropriamos dos nossos sentidos, experienciamos, vivemos o sagrado, a estética e a ética presentes no nosso agir no mundo; é como se os sentidos formassem, configurassem, "gestaltizassem" estruturas permeáveis, através das quais o ser humano experiencia mais facilmente uma sensação de liberdade – e, consequentemente, de felicidade. O sagrado, a estética e a ética existem nas coisas, nas pessoas, não existem por si sós, são configurações, Gestalten, atos de pessoas que precisam ser apontados, revelados. Porém, para que expressem aquilo que verdadeiramente são, precisam passar pelos sentidos: a música pelo ouvido, as artes pelos olhos, a culinária pelo olfato e pelo paladar e praticamente tudo pelo tato para só então, como expressão de uma configuração, de uma totalidade emocional, de uma Gestalt plena, ser percebidos como expressão de nossa humanidade.

É por meio dos cinco sentidos que percebemos, fenomenologicamente, a existência das coisas, que nos damos conta delas, que uma *awareness* corporal nos remete a nós mesmos a partir do mundo, e é através do resgate de nossa experiência imediata, via consciência, que alcançamos sua essência, e só então, via intencionalidade, ou seja, quando lhe atribuímos um sentido, a realidade se torna realidade para nós. É nessa lógica de movimento que os sentidos se tornam objeto e sujeito do sagrado, da estética e da ética. É, também, neste aqui-agora, no qual a realidade dos sentidos aparece como organizada, articulada e indivisível, que o fenômeno Gestalt acontece, e, nessa condição, dá sustentação ao sagrado, à estética e à ética para que se tornem elementos básicos de nossa humanização.

Nossos sentidos simplesmente são. Somos nossos sentidos em funcionamento, eles são os instrumentos através dos quais a vida acontece em nosso corpo, é através deles que todo nosso corpo se movimenta, se descobre e escolhe.

O sagrado, a estética e a ética não têm vida própria. São possibilidades de ser. Humanizam-se na razão em que são recebidos ou em que nossos sentidos se apropriam deles. Nesse instante, acontece uma nova criação, é como se estrutura e forma se constituíssem em uma nova configuração, surge uma Gestalt, uma totalidade na qual as partes, os sentidos de um lado e o sagrado, a estética e a ética do outro, formasse um todo organizado, articulado e indivisível, um novo ser, o Humano, no qual essas duas realidades se fundem e se confundem, constituindo-se como uma nova criatura, esse ente Mulher-Homem.

Referências

Ackerman, D. *Uma história natural dos sentidos*. Rio de Janeiro: Bertrand do Brasil, 1990.

"Beleza". In: Houaiss, A.; Villar, M. *Dicionário Houaiss da língua portuguesa*. Rio de Janeiro: Objetiva, 2001.

Belmino, C. M. *Fritz Perls e Paul Goodman – Duas faces da Gestalt-terapia*. Fortaleza: Premius, 2014.

"Estética". In: Ferreira, A. B. de H. *Novo dicionário Aurélio da língua portuguesa*. Curitiba: Positivo, 2009.

Merleau-Ponty, M. *Conversas*. São Paulo: Martins Fontes, 2004 [1948].

______. *A natureza*. São Paulo: Martins Fontes, 2000.

______. *Fenomenologia da percepção*. São Paulo: Martins Fontes, 2006.

Pena-Vega, A. *O despertar ecológico – Edgar Morin e a ecologia complexa*. Rio de Janeiro: Garamond Universitária, 2003.

Ribeiro, J. P. *Gestalt-terapia – Refazendo um caminho*. São Paulo: Summus, 1985.

______. *Ruídos: contato, luz, liberdade. – Um jeito gestáltico de falar do espaço e do tempo vividos*. São Paulo: Summus, 2006.

______. *Conceito de mundo e de pessoa em Gestalt-terapia – Revisitando o caminho*. São Paulo: Summus, 2011.

Robine, J-M. *O self desdobrado – Perspectiva de campo em Gestalt-terapia*. São Paulo: Summus, 2006.

Stevens, J. O. "Trabalho corporal". In: *Isto é Gestalt*. Stevens, O. J. (org.). São Paulo: Summus, 1977, p. 211-49.

12. QUANDO O HÍFEN FAZ DIFERENÇA

A Gestalt-terapia é um campo fértil de conceitos que provêm de suas teorias e filosofias de base, entre elas a Psicologia da Gestalt, rica em conceitos com os quais lidamos diariamente. Numa mistura de poesia e teoria, apresento a vocês três desses conceitos mais importantes, com os quais espero mostrar como faz diferença vê-los na sua forma fragmentada e de conexão.

Aqui e agora
Sou o espaço
Tu és o tempo
Te encontro às vezes

Sou espaço, espacialidade

Visibilidade
Estabilidade
És tempo, és temporalidade
Qualidade
Movimento
Fluxo
"Eu sou eu
Você é você
Faço minhas coisas
Você, as suas"
Entretanto
Em algum lugar
Nos encontramos
E, embora eu exista sem ti
E tu sem mim
Nosso desencontro é nosso desencanto
Nossa fragmentação

Aqui-agora
Relação espaço-tempo
Tempo em relação
Espaço-tempo em conexão,
totalidade em movimento
Espaço é presença, quantidade,
imanência que transcende
Resgate de experiência
Um tempo com tempo
Sem espera
Espaço no tempo
Indivisibilidade
Sucessão ininterrupta de momentos
Instantes se eternizam
E, como elos de uma corrente,
Espaço-tempo
Coexistem
Conexão
Pregnância que se completa
Aqui-agora. Realidade presente
Aqui-agora. Um nós existencial
Um mútuo, eterno sim
Aqui-agora

O universo se olha por inteiro

Parte e todo
Olho para mim
Perco-me de ti
Sou caminhante solitária
Tu te perdes de mim
Sem sentido
Não faço sentido
Sem ti, tento existir
Olho-te
Tu me olhas
Não te acolho
Não te recebo, te procuro
Não te incluo
Tristeza e desencontro
Não te incluo
Ausência de completude
Tento existir por mim mesma
Sem ti não existo
Um todo sem totalidade
Uma Gestalt inacabada
Sem ti me perco
Sou desencontro
Contigo me encontro

Figura e fundo
Vejo-me através de ti
Encontro-me em ti
Sou presença
Movimento
Necessidade. Escolhas, minha
razão de ser
Nado na tua abundância
Estou sempre à espera
Da espera de tua chegada
Se não chegas, não chego
Existo para que tu existas
Sou tua condição de existência
Disfuncional quando não estás
Síntese de tua presença ausente

Parte-todo
Vejo-me em ti
Reciprocidade
Estou segura do caminho
Incluída em ti
Tu és o todo que habito
Encontramo-nos
Tu és meu caminho de chegada
Respiramos o ar um do outro
Vivemos um no outro
Me apavoras
Eternizamo-nos
Morada infinita
Existência de um ser total!
Somos um no outro
Ar, vento, fogo, luz
Terra, estrelas, água, mar
Existimos na nossa indivisibilidade
Somos parte-todo
Um campo de presença
Somos tudo em todos
Sem partes, sem todos
Simplesmente somos

Figura-fundo
Sou possibilidades
Igual, diferente,
Pequeno, grande
Bonito, feio
Sou energia do aqui-agora.
Sou espera
Pressa e perfeição são opostos
Vem...
Portas abertas acolhem
Entra, mergulha, nada
Disponível para acolher
Todo meu sentido está aqui
Perguntas... solte-as
Respostas... tenho todas

Acordo-te
Moro na tua abundância
Quando gritas ou te moves
Estou presente
Satisfazer-te, minha função
De minhas necessidades és a fonte

O possível mora no teu ser
Existe no teu vazio
Fértil

A fronteira é tua
O diferente fascina
A escolha da escolha
É escolha
Sou fundo-figura
Ausente-presente, atento.
Fundo-figura
Sou hoje e sempre
Não se apresse
No fundo do fundo estás

13. Relação complementar: a pessoa como ser-no-mundo — Um estudo sobre relações humanas

Jorge Ponciano Ribeiro
Celana Cardoso Andrade[1]

Nenhum ser se basta a si mesmo. Dependemos, estruturalmente, de coisas e pessoas. O conceito de *contato*, que em princípio significa que tudo está ligado a tudo e que, portanto, vivemos em estado de mudança, antecede, ontologicamente, o conceito *relação complementar* – processo temporal segundo o qual a existência não ocorre sem complementaridade e, por sua vez, descreve como as pessoas *com-vivem* na realidade. Através do contato, a relação complementar junta e dá sentido à relação de pessoas diferentes, que, pela convivência e/ou aproximação, terminam por ver nas diferenças possíveis caminhos de soluções concretas, embora não necessariamente positivas.

"Seres de relação, vivemos uma permanente interdependência, de tal modo que nada pode ser concebido como absolutamente isolado. É de nossa essência depender do outro" (Ribeiro, 2006, p. 166).

O encontro faz parte das relações humanas. A pessoa cresce à medida que se reconhece, reconhece o outro e vivencia a interdependência e a responsabilidade compartilhadas. Somente pelo contínuo encontro consigo mesma, com o outro e como mundo é que a pessoa se percebe pessoa e se vivencia como tal.

Duas reflexões serão apresentadas para iniciar a discussão desse conceito.

> Aos poucos, o reconhecimento nasceu, cresceu e se consolidou. [...] A incerteza não é expulsa, mas integrada, em que a dúvida não é desvalorizada, mas tomada em consideração, em que o limite do dizível é o prenúncio de um novo conceito. (Pena-Vega, 2006, p. 12)

> Alguns de nós compreenderam rapidamente que, subjacente ao enfoque que nos era oferecido, havia provavelmente uma reflexão e um potencial teórico de grande qualidade que mereciam ser trazidos à tona. O que nos foi apresentado como "ausência de teoria" não era senão o desconhecimento dessa teoria, desconhecimento das práticas clínicas realizadas na sombra por alguns dos pioneiros que haviam contribuído com a elaboração do projeto "original". (Robine, 2006, p. 18)

1 Psicóloga e professora adjunta da Universidade Federal de Goiás (UFG).

Um construto é algo elaborado, sintetizado a partir da contínua observação de dados que fazem sentido entre si. Emerge da observação cuidadosa da realidade, de uma prática ordenada, de uma teoria cujos pressupostos formam uma totalidade significante. O construto, como conceito, implica na representação de um objeto pelo pensamento, cujas características, no seu conjunto, formam uma unidade de sentido. Algo, portanto, compreensível. Não é fruto do acaso, mas vai se constituindo, lentamente, como uma categoria, transformando-se, filosoficamente, em um construto que lhe dá uma universalização de sentido.

Diz Perls (1977, p. 68): "Nós não olhamos mais o mundo em termos de causa e efeito: olhamos o mundo como um processo contínuo em andamento. Estamos de volta a Heráclito, às ideias pré-socráticas de que tudo é um fluir".

As teorias, como seus conceitos, aparecem, desaparecem e evoluem porque, como hipóteses, são antecipações de certezas e quiçá de verdades. Essa fluidez lhes permite o aparecimento de novos conteúdos e, consequentemente, de novos conceitos, epistemologicamente constituídos.

A Gestalt-terapia se constitui a partir de conceitos de teorias como psicologia da Gestalt, teoria do campo, teoria holística organísmica, humanismo, existencialismo e fenomenologia, adquirindo, a partir desse contexto teórico, algo que poderia ser definido como sua principal característica: ela é, supõe, exige uma postura fenomenológico-existencial. A fenomenologia existencial é a linha que costura essas teorias entre si, as quais se expressam através de três palavras-chave: *que*, *como* e *para quê*. De maneira simples, estas permitem tanto ao cliente quanto ao psicoterapeuta criar um espaço para a experiência e a vivência da realidade no aqui-agora da situação, ou seja, no presente transiente concreto.

O *que* nos remete à essência da realidade observada, ao dado enquanto tal; o *como* nos remete à natureza do objeto observado enquanto ser de sentido, de significados; o *para que* nos remete ao sentido das coisas observadas, a uma intencionalidade de ação, operacional. Assim, o *que* nos remete à essência das coisas, do objeto observado; o *como* nos remete à maneira como esse dado se manifesta à nossa consciência; o *para que* nos remete à intencionalidade das coisas observadas.

Existe entre essas palavras, que se completam naturalmente, uma complementaridade de lógica sequencial e de dependência funcional, *o que* e o *como* do objeto se oferecem à consciência para ser definidos como um processo de compreensão da realidade, de tal modo que um, implicitamente, chama a existência do outro, podendo-se dizer que existe aí uma relação complementar de sentido. Exemplificando: um cliente me diz que está na dúvida se termina ou não seu casamento. O raciocínio é o seguinte: de *que* duvida, *como* vai lidar com essa dúvida, *para que ou a que* serve esta dúvida. O *como* é a palavra que existencialmente une o *que* ao *para quê*. O *como* é como o fiel de uma balança. O cliente coloca o *que* ele quer em um prato, o *para que* ele quer em outro prato e o *como* é a palavra-chave, o fiel da balança, que estabelece a complementaridade entre o *que* e o *para quê*. Dependendo da relação que o *que* e o *para que* fizerem com o *como*, o casamento poderá ou não se desfazer.

Traduzindo para a prática clínica, Perls (1977, p. 68-69) afirma:

> A essência da teoria da Gestalt-terapia está na compreensão destas duas palavras. *Agora* engloba tudo que existe. O passado já foi e o futuro ainda não é. *Agora* inclui o equilíbrio de estar aqui, é o experienciar, o envolvimento, o fenômeno, a consciência. *Como* engloba tudo que é estrutura, comportamento, tudo o que realmente está acontecendo ao processo. [...] O *como* mostra que uma das leis básicas, a identidade da estrutura e da função, é válida. Se modificarmos a estrutura, a função mudará.

O conceito de *relação complementar* advém da convicção de que o homem é, essencialmente, um ser de relação, um ser em e de contato. Independentemente do modo como se relaciona, há uma relação, e se há relação há uma pessoa interagindo com outra, complementando-se.

Todo construto deve ter, *a priori*, consistência interna, deve expressar teoricamente a realidade, demonstrar a que de fato veio. A gênese, a evolução de um fenômeno devem transformar-se em um dado para a consciência, e dado que a consciência é sempre consciência de alguma coisa, portanto intencional, o construto é o ponto de encontro, de união da relação organismo-mente-mundo. Não é autoexplicativo, autodemonstrável, não é resultado de uma geração teórica espontânea; ele nasce de algo e deve ter sua gênese claramente explicitada.

Um conceito, portanto, emerge de uma série de variáveis intervenientes que se somam umas às outras e produzem um fio, uma linha, algo como uma estrutura teórica interna que, quando usado, adquire corpo, significado, sentido, uma visibilidade que nos permite usá-lo tendo segurança de seu significado. Tomemos como exemplo a palavra *todo* – "que não deixa nada de fora; a que não falta parte alguma" (definição do dicionário Aurélio). Ou seja, na compreensão da palavra *todo*, é fundamental que a palavra, não só pelo contexto em que ela é colocada, mas pelo significado já adquirido pelo uso, possa transmitir a ideia que se quer passar. Portanto, não só que o todo é diferente da soma de suas partes, mas que a ele não lhe falte parte alguma do que deveria ter. É, portanto, da natureza das partes de um conteúdo conceitual que se complementem, porque o todo, enquanto guardião das partes, exige essa complementação, sob pena de não poder se constituir.

Segundo Perls, Hefferline e Goodman (1997, p. 44), "o fenômeno em que baseamos nosso trabalho chama-se 'contato'. O contato é definido como '*awareness* do campo ou resposta motora no campo' [...] Isto inclui apetite e rejeição, aproximar e evitar, perceber, sentir, manipular, avaliar, comunicar, lutar etc.".

A palavra "contato" vem do verbo latino *contigere,* que lembra um encontro quase físico entre pessoas, semelhante ao nosso verbo *tocar.* A preposição "com" do substantivo *com-tato* nos diz que não existe contato de si para consigo mesmo no sentido etimológico da palavra, pois "com" supõe, necessariamente, o *outro* em relação, como presença, e, consequentemente, como encontro.

A Gestalt-terapia tem sido definida como *psicoterapia do contato,* o qual, por sua vez, é uma "categoria" humana, composta de várias "unidades de sentido" – entre elas, a "relação complementar", processo que dá circunstancialidade à grande, geral e abstrata noção de contato.

Mais do que uma interdependência, vivemos uma intradependência, não estamos apenas um ao lado do outro, mas num estado de confluência estrutural, de tal modo que nossa própria evolução passou e continua passando pela imersão de todos os seres em todos os outros seres, nos mais diferentes níveis. Complementar-se é da ordem do natural, da natureza; nos constituímos através de complementações, nenhum de nós é uma totalidade. Configurações que somos, nossas partes demandam a possibilidade de – não obstante cada uma dessas partes serem individualizadas e, consequentemente, singulares – que sua existência demande uma ontológica complementaridade, sob pena de não poderem funcionar como um todo. Nossa complementaridade rompe com a clássica fragmentação parte *e* todo, pois, quando ela não ocorre, a existência também não ocorre, se rompe o em-si-da coisa.

"Assim, podemos falar de uma complementaridade funcional organísmica, por meio da qual se cria um apelo a um nível de transcendentalidade que supera a simples relação de algo que complemente o outro" (Ribeiro, 2006, p. 167).

Os construtos clínicos da Gestalt-terapia nasceram das diversas teorias que permeiam o seu enraizamento epistemológico; assim também o conceito de *relação complementar* emerge de uma série de variáveis intervenientes que se somam umas às outras e produzem uma linha, algo como uma estrutura conceitual, que vai adquirindo consistência na razão em que seu significado vai se consolidando na compreensão subjetiva das pessoas.

O conceito de relação complementar nasce, também e naturalmente, de uma concepção holística de mundo, pois "a essência da concepção holística da realidade é de que a natureza é um todo unificado e coerente" (Latner, 1973, p. 4). Consequentemente, tudo está em estado natural de complementaridade, tudo está em estado de mudança e, não obstante, tudo existe como uma unidade ontológica, da qual nasce também o conceito de contato como *sistema* – "associação combinatória de elementos diferentes (Morin, 1990, p. 28 –, como campo em ação, *em que tudo presente no campo está em relação* e essa relação dá visibilidade à realidade tal como nos aparece.

Tudo no universo – seja por falta, por abundância ou simplesmente por um controle a partir de uma necessidade de ser – está em relação, em complementação relacional. Complementar-se é a lei natural do universo, seja através de um ajustamento criativo, seja através de uma autoecorregulação organísmica. Complementar-se é da ordem do existir, uma necessidade ontológica, pois sem complementaridade a existência é impossível, dado que nenhum ser é uma unidade essência-existência. Quando se quer sentir como uma totalidade em processo, complementar-se é um instinto que brota das partes procurando a conexão que torna a realidade possível, uma totalidade.

O conceito *relação complementar* se fundamenta, como os demais conceitos da Gestalt-terapia, em pressupostos que, juntos, formam um sólido sistema conceitual/experimental/experiencial/existencial e transcendental que emana das diversas teorias que compõem o campo epistemológico da Gestalt-terapia. Por exemplo:

- Psicologia da Gestalt – parte-todo, figura-fundo, aqui-agora;
- Teoria do campo – relação constituída pelo conceito de interação organismo-ambiente;
- Teoria holística – tudo está ligado a tudo, tudo muda, tudo é Um;
- Fenomenologia – lidar com a realidade como ela é, como ela acontece e como chega até nós. "Nenhum ser basta a si mesmo. Dependemos de ideias, de afetos, de coisas, de pessoas, e o instrumento que junta e, às vezes, unifica o diferente é o contato" (Ribeiro, 2006, p. 166).

Seres de relação, vivemos uma permanente interdependência, uma complementaridade social, política e espiritual, de tal modo que nada pode ser concebido como absolutamente isolado. É de nossa essência depender do outro. O contato é o instrumento pelo qual suprimos nossas necessidades e por ele passamos a ter, paradoxalmente, a sensação da interdependência.

Mais do que uma interdependência, vivemos uma intradependência; não estamos apenas um ao lado do outro, de tal modo que nossa própria evolução passou e continua passando pela imersão de todos os seres em todos os outros seres, nos mais diferentes níveis.

O universo é composto de minerais, vegetais e de animais não humanos e humanos. Sou, portanto e também, parte universo, assim como os minerais, os vegetais e os animais não humanos. *A consciência desse processo cósmico/evolutivo e sua vivência consciente é o que estou chamando de ambientalidade.* Palavra que sintetiza *uma complementaridade ontológica*, ou seja, somos partes essenciais de um todo chamado Universo.

A relação complementar nasce da necessidade de que diferenças se encontrem para formar totalidades coerentes; não ocorre, portanto, entre iguais, sendo da natureza dela que os iguais não se complementem, mas se somem. Ela une diferentes que estão à procura da melhor forma de se ajustar criativamente, de se autoecorregular – e esse é o processo natural da evolução. Ela emerge de um fundo, porque o fundo tem o instinto de se tornar uma figura à espera de ser satisfeita. É fruto de uma necessidade, em que um tem para dar e o outro precisa receber. *Como* esse processo ocorrerá vai depender da capacidade subjetiva de ambos tanto de compartilhar quanto de se comprometer. E ocorrem espontaneamente no universo. Nenhum ser é autossuficiente, por isso *inter-agir* e *intra-agir* são demandas naturais para que o ser passe da potência ao ato como exigência evolutiva de autorrealização.

Os pares buscam um no outro o que lhes falta, às vezes de maneira silenciosa e natural, às vezes numa clara forma de dominação, sobretudo entre pessoas que buscam se sentir inteiras, estabelecendo assim uma forma de relação complementar neurótica e disfuncional.

A relação complementar é uma configuração de partes, de pessoas, coisas, ideais ou emoções. É como um campo, na linguagem lewiniana, em que as partes ora se fundem, ora se agregam, ora se manipulam, formando configurações saudáveis e/ou disfuncionais, às vezes até antagônicas, quando o campo é ambíguo.

Para Morin (1990, p. 133-134), "a desordem constitui a resposta inevitável, necessária, e mesmo frequentemente fecunda, ao carácter esclerosado, esquemático, abstrato e simplificador da ordem".

Numa relação complementar antagônica, a questão, por exemplo, entre liberdade e desordem não fica clara, e as pessoas funcionam sem saber exatamente onde estão, podendo o resultado ser sucesso ou fracasso total (Morin, 1990).

Segundo Perls, Hefferline e Goodman (1997, p. 44-45), "o contato é a experiência, o funcionamento da fronteira entre o organismo e o ambiente. [...] É *awareness* da novidade assimilável e comportamento com relação a esta; e rejeição da novidade inassimilável [...]. Todo contato é ajustamento criativo do organismo e ambiente".

Viver em contato, responder às demandas do meio ambiente, caminhar juntos na complementaridade da vida são instrumentos fundamentais de sobrevivência. Estar em contato é, essencialmente, tornar-se presente no mundo por intermédio do cuidado consigo, com o outro, com o planeta. Esse cuidado passa pela interação, pela troca, pela negociação natural à relação complementar. Somos necessitados, precisamos do outro, não temos a capacidade de viver sozinhos. Para preencher esse vazio, para suprir, compensar nosso inacabado, para fechar a Gestalt, para potencializar essa configuração, negocia-se, troca-se das mais diversas formas. *A esse processo, absolutamente humano, chamamos de relação complementar.*

Somos singulares, indivíduos, únicos. Somos ontologicamente uma unidade, o que demanda a existência do outro, porque nossa unicidade, nossa singularidade, só se sustenta a partir da existência dele, que por sua vez proclama minha própria existência. Complementar-se é da natureza humana. E a relação complementar, nas suas formas diversas de se manifestar, atualiza a potencialidade humana de se deixar existir através do contato. A relação complementar, enquanto necessidade humana de experienciar nossa totalidade, é uma das formas mais humanas de contato. Tem que ver com pregnância, com ajustamento criativo, com autoecorregulação organísmica, com homeostase, princípios fundantes da Gestalt-terapia.

Para Latner (1973, p. 10), "a Gestalt-terapia começa com a natureza. Sua inspiração e seus princípios básicos procedem do livre funcionamento na natureza, no nosso corpo e no nosso comportamento saudavelmente espontâneo".

A relação complementar se baseia na ideia de que a Gestalt-terapia começa com a natureza", a qual nos ensina um movimento humano de busca da sensação de completude, de se fecharem Gestalten em interrupção, de caminharmos por caminhos nunca dantes percorridos – embora possamos vivenciar momentos de dualidade humana, de desamparo e desilusão. É o lado sombra de ambos.

Relação complementar é, pois, uma *subcategoria* do conceito máximo e maior da Gestalt-terapia: o conceito de *contato*, que se refere essencialmente à apropriação da pessoa por ela mesma e, ao mesmo tempo, é a base de qualquer relacionamento. O contato leva à aproximação da pessoa de si mesma e à sua experiência com o outro e com o mundo, culminando em transformação. É a partir dele que se dá o intercâmbio saudável entre pessoas ou entre a pessoa e o ambiente, pois o ato de contatar abarca a percepção de si, do outro e da situação.

Contato é um processo de se reconhecer e ao outro em um duplo movimento: o de se conectar ao diferente e o de se afastar dele. É viver, sentir, pensar, agir, falar, experienciar-se na situação presente. Com isso, o contato consiste em *relacionar-se* com a vida e com o imediato aqui-agora. Em suma, o contato é expressão da própria existência; no jeito merleau-pontiano de falar, é experienciar-se como um corpo vivo e próprio, é estar em estado de *awareness* em perene resgate da própria experiência imediata. Envolve a "sensação clara de estar em, de estar com, de estar para" (Ribeiro, 2006, p. 93). Por outro lado, a "diminuição do contato vincula o homem à solidão" (Polster e Polster, 2001, p. 101).

Considerando a evolução da epistemologia das ciências humanas em anos recentes e, em especial, a evolução do pensamento e da prática psicanalíticos, não podemos

> deixar de nos surpreender *com o caráter profético da Gestalt-terapia*. Ao colocar a fenomenologia da fronteira de contato como paradigma do ser humano, ela estabelece, já desde o início, uma coerência fundamental entre sua teoria e seu método. (Robine, 2006, p. 25, grifo nosso)

Portanto, a essência da relação complementar é complementar enquanto manifestação diferente em um mesmo fenômeno relacional, que pode ser estudado separadamente, como uma hipótese de trabalho, mas não ao mesmo tempo. Quando duas pessoas vivenciam uma relação complementar disfuncional ou antagônica, ambos têm um olhar diferente sobre o mesmo objeto, mas o observam ou manipulam a partir de razões idênticas (por exemplo, não querem se separar), o que torna a solução do problema ou a permanência na relação praticamente impossível. Por fora, querem ficar juntos, por dentro querem se separar. Como lembra Morin (1990, p. 161), "a objetividade diz igualmente respeito à subjetividade". Estamos diante do consenso e do conflito. A uniformidade operacional é impossível, porque, como diz Adorno (*apud* Morin, 1970, p. 140), "a totalidade é a não verdade". A complementaridade é, assim, ontologicamente necessária.

Quando ambas as pessoas se mantêm na mesma posição com visões diferentes, o resultado é um impasse, ou seja, o que se tem não serve e o que se deseja ainda não está disponível, levando-as a se radicalizar na evitação.

Existe uma sutil complementaridade, uma demanda de busca de sentido por identidade entre o *que* e o *como* e o *para que* das coisas de uma relação, que se oferece à consciência para ser definida. E, como essas três palavras coexistem na formação de uma linha de pensamento na direção de algo comum, uma não existe sem a outra. Desse modo, estamos diante de uma complexa e diferente *relação complementar de sentido*, dado que o *que* demanda a existência do *para que* e do *como* para que essa lógica se identifique com o que a realidade está pedindo.

Ribeiro (2006, p. 167-168) define relação complementar na clínica gestáltica como o processo pelo qual

> duas pessoas se encontram a fim de se dar ou trocar mutuamente aquilo de que sentem falta, para, então, se sentir plenas, inteiras, na cumplicidade do partilhamento. Esta troca ocorre nos níveis cognitivo, emocional, motor e linguístico e, nesta troca, profunda e dinamicamente humana, as pessoas vivem no outro a beleza daquilo que nelas falta.

Essa interdependência é autorreguladora, promove variadas formas de contato, ajuda-nos a perceber nossas contingências, facilita o contato com o outro ser humano para que este, de alguma forma, lide com ela, seja através de suas privações ou de sua abundância, o que torna as relações mais ou menos funcionais.

O ser humano busca uma complementação relacional. Sua incompletude passa não só pela sensação de que as pessoas são formadas de partes isoladas umas das outras, mas da própria dificuldade de elas vivenciarem a própria vida como uma totalidade. Quando queremos nos sentir como totalidades em processo, acionamos imediatamente o instinto de busca de completude. Por isso, os pares buscam um no outro o que lhes falta. Às vezes, o fazem de maneira silenciosa e natural; em outras, em uma clara forma de dominação, sobretudo de pessoas mais frágeis, tentando se sentir completos pelo exercício do poder, relação que resulta numa forma de *relação complementar neurótica e disfuncional*.

Ao longo dos anos, fomos sentindo, cada vez mais, que somos seres nunca acabados, porque o outro é a parte que nos falta para sermos a pessoa que queremos ser. E o contato humano, como processo fundamental de nossa sobrevivência, é o único caminho possível que nos mantém na estrada de volta para casa.

Estar em contato é, essencialmente, tornar-se presente no mundo através do cuidado consigo, com o outro com o planeta, e uma relação complementar saudável é o único caminho que nos possibilita uma volta real para nós mesmos.

Esse cuidado passa pela interação, pelo diálogo, pela negociação. Somos necessitados, precisamos um do outro. Para preencher esse vazio, para suprir, compensar esse nosso inacabado, negociamos, trocamos, nos damos das mais diversas formas para fechar nossas Gestalten e para finalizar nossas configurações.

Chamamos esse processo absolutamente humano de relação complementar.

A prática clínica tem sido, ao longo dos anos, nossa conselheira e mestra maior. Ela nos ensina a observar, a aprender, a procurar as melhores soluções, a não repetir erros, a intuir, a teorizar.

Operacionalmente, a pessoa vive em busca de sentido, e, como parte constitutiva do universo, precisa complementar-se nessa totalidade, por isso "nada pode ser concebido como absolutamente isolado" (Ribeiro, 2006, p. 166).

> O ambiente não é um espaço circular fechado, mas é o lugar onde as coisas se dão. É o nicho ecológico no qual vive e se reproduz uma única espécie, embora ela pareça estar rodeada por muitas outras espécies; [...] A experiência é anterior ao "organismo" e ao "ambiente", que são abstrações da experiência. [...] Não existe nenhuma função de um organismo qualquer que não suponha, de modo essencial, um ambiente. Reciprocamente, o ambiente real, o lugar, é aquele que é escolhido, estruturado e apropriado pelo organismo. (Goodman, 1972)

A relação complementar pertence à ordem do existir; é uma parte daquele todo que constitui o universo. No universo, tudo é constitutivamente parte de um outro. Entre seres criados, nada existe, ontologicamente, pleno, completo, total.

Temos feito uma reflexão da relação complementar em si mesma – enquanto um ente estudado, refletido, visto do prisma abstrato, universalizante – e entre não humanos, como sói acontecer na natureza, onde tudo está ligado a tudo em permanente mudança, formando uma unidade ontologicamente total, embora fenomenologicamente individualizada.

> [...] fundamentalmente um organismo vive em seu ambiente por meio da manutenção de sua diferença e, o que é mais importante, por meio da assimilação do ambiente à sua diferença; e é na fronteira que os perigos são rejeitados, os obstáculos superados e o assimilável é selecionado e apropriado. (Perls, Hefferline e Goodman, 1997, p. 44)

Temos aqui, de outra maneira, "por meio da assimilação do ambiente à sua diferença", uma colocação que pode ser feita par a par com o conceito de relação complementar, no sentido de que nada no universo é só e completo e tudo naturalmente se completa, se complementa pela diferença.

Vamos agora falar de modos de existência de relações complementares que nos permitirão um olhar clínico sobre a realidade de nossos encontros com o outro.

Relação complementar funcional

Parceria que se desenvolve fluidamente e transcende a simples relação formal de algo ou alguém que complementa o outro e provoca o crescimento e o desenvolvimento de ambos, tanto no âmbito individual quanto na relação a dois. Uma relação complementar funcional é fruto do contato em forma de encontro; nasce da percepção clara de que somos seres de relação e, por conseguinte, incompletos, não nos bastando um ao outro. Uma relação complementar se estabelece de maneira funcional quando algumas atitudes primordiais, como *presença*, *cuidado*, *encontro*, *inclusão* e *confirmação* são experienciadas e vividas pelas pessoas envolvidas como condições fundamentais para um ajustamento criativo, fruto de um contato funcional, saudável e sem o qual nenhuma interação real ocorre.

Relação complementar de manipulação e controle

Implica um dominador e um dominado, um que tem para dar e outro que precisa receber; por vezes, jeitosamente, o necessitado é o dominador. Não existe, aqui interação, mas negociação, sempre ligada a condicionar um comportamento a uma resposta já determinada que o outro deve emitir. Nesse tipo de relação, há um ajustamento disfuncional ou um desajustamento operativo, pois não existe diálogo, mas um contexto dominado por uma pessoa que controla e outra que é controlada. O controle costuma estar associado a uma aparência de proteção e interesse pelo outro, e pode produzir no necessitado uma sensação de entrega aos "cuidados" do outro sem que ele perceba que está sutilmente ao serviço do dominador.

Relação complementar compensatória

Nela, a pessoa se sente no dever de dar sem ter sido solicitada, muitas vezes levada pela culpa ou por um sentimento de reparação a um dano provocado na vida do outro, fazendo com que este retorne à situação em que se sentia bem. A ação se dá em função de um sentimento de reparação e não em virtude daquilo que o outro possa de fato merecer. A dupla tem uma sensação de dívida silenciosa, sem cobrança, mas que precisa ser quitada para que a relação volte a se equilibrar; é como um caminho que saiu de um lugar desconhecido, mas deve chegar a outro lugar. Com isso, perde-se a capacidade de realizar uma ação clara, talvez reparadora, ficando uma sensação de vazio para ambas as partes, não obstante a sensação vaga de se ter recebido alguma coisa. A ação deriva da culpa, não da tentativa de prestar atenção ao que foi (ou não) feito ou ao que aquela ação provocou, de fato, no outro.

Relação complementar de integração

Implica a busca de uma unidade de atitude, sendo constituída por um diálogo operativo, por uma experiência em que as partes se integram e se entregam na expectativa de uma reconsolidação de algo que se tinha perdido ou que se imaginava perdido. As pessoas participam inteiramente da vida um do outro, embora às vezes vivam silenciosamente, uma sensação de que devem alguma coisa um ao outro. Os dois se veem, interagem, constroem um jeito novo de relacionamento, o que possibilita a formação de uma nova integração, sem se perderem. Não esperam nenhuma recompensa pessoal: ambos querem que suas metas sejam conquistadas, mesmo que estas pertençam a apenas um dos partícipes. Embora seja uma relação funcional na maioria do tempo, em alguns casos pode haver uma lentidão na efetivação desses processos pessoais e, por vezes, uma inaptidão para mudar e adaptar-se a acontecimentos e fenômenos novos na busca de uma nova integração prazerosa.

Relação complementar antagônica

Aqui, as demandas das pessoas em questão não estão claras, mostram-se ambíguas, não se cruzam. Por fantasias mal elaboradas, por medo, por interesses não claros, não deixam a situação real vir à tona. Em geral, ambos sabem da verdade dos fatos, mas vivem uma relação complementar defletora, fazendo de conta que os fatos não existem ou que, se existem, podem ser desconsiderados. Trata-se de uma postura retrofletora, em que ambos sabem o risco que estão correndo, mas esperam que, "em algum lugar", os fatos possam andar em diferentes direções.

Trata-se de uma postura sem chance de acusação recíproca; ambos sabem que estão jogando cartas erradas, embora esperem que o jogo dê certo. A natureza de uma posição antagônica não necessariamente significa oposição frontal, pois pessoas numa relação complementar antagônica podem tentar conviver, não apenas para consolidar sua própria posição, mas também para mover o outro da posição dele. Uma postura sem raiz, cujo fracasso está anunciado.

De acordo com Perls, Hefferline e Goodman (1997, p. 45), "contato, o trabalho que resulta em assimilação e crescimento, é a formação de uma figura de interesse contra um fundo ou contexto do campo organismo-ambiente". Assimilação e crescimento: esse é também o movimento da relação complementar, enquanto novidade assimilável na relação de campo organismo-ambiente.

Normalmente, uma dessas relações predomina na maneira de funcionar das pessoas, o que não as impede de passar por outras formas de se relacionar. Existem, portanto, como vimos, relações complementares funcionais e disfuncionais, dependendo de como cada pessoa entra em contato com o que está acontecendo consigo e com o outro, e de como se engaja na situação. Engajamento na situação se dá quando não há qualquer "sensação de nós próprios ou de outras coisas a não ser nossa experiência da situação" (Perls, Hefferline e Goodman, 1997, p. 183).

Por outro lado, "o contato não pode aceitar a novidade de forma passiva ou *meramente* se ajustar a ela, porque a novidade tem que ser assimilada. *Todo contato é ajustamento criativo do organismo e ambiente*. (*ibidem*, p .45)

Parodiando esses autores, eu poderia dizer que toda relação complementar é uma tentativa de "ajustamento criativo do organismo e ambiente". A relação complementar supõe um ajustamento criativo entre as pessoas, que elas possam administrar o fato natural de ser diferentes e que o meio do qual recebem a diferença funciona como elemento sintetizador da relação.

Existem, portanto, relações complementares disfuncionais, baseadas na relação de "fome, na privação e na desigualdade" (Ribeiro, 2006, p. 168). Tais relações provocam sensações de incompletude; uma incompletude que leva à paralisação, pois, quando a conexão saudável desaparece, a interação torna-se prejudicada. Acerca dessa disfuncionalidade das relações, dissemos antes que

> a relação complementar é uma relação de contato, um sistema de contatos, que, como toda relação, pode apresentar seus bloqueios, fazendo a energia deixar de fluir, constituindo, assim, uma relação complementar neurótica, na qual duas pessoas se nutrem ou nutrem o outro daquilo que não lhes pertence. (*ibidem*)

Assim, entendemos que estudar a natureza da relação complementar, propor esse conceito como um processo constituinte coadjuvante da relação ambiente-

-organismo humano, básica a todos nós – sem a qual a comunicação e o encontro humano dificilmente poderiam se sustentar – e analisá-la ainda como integrante da teoria da Gestalt-terapia é mais que um ajustamento criativo teórico: é simplesmente evidenciar uma configuração humana que, juntamente com o conceito de contato, torna-se um dos componentes do vasto campo teórico da nossa abordagem.

Relação complementar, na relação de campo ambiente-organismo, é uma condição da ordem do existir. Nenhum ser é uma totalidade absoluta e nenhuma parte, na ordem do existir, cumpre sua função plenamente se não constituir parte de uma totalidade através de uma relação de complementaridade.

Relação complementar é um movimento dentro da existência, é complementar-se, é relacionar-se, é uma forma operacional de contato, pois nenhum ser subsiste sozinho, é a existência do outro que permite a consciência de minha existência e a existência de totalidades.

Complementaridade é um princípio metafísico através do qual um fenômeno é visto como fundante de uma realidade cujos elementos de natureza diferente constituem uma totalidade.

> Na verdade, os sistemas vivos são sistemas abertos, o que significa que mantêm uma troca contínua de energia, de matéria e de informação com o seu meio para permanecer vivos. [...] como uma relação integrativa entre dois sistemas abertos, na qual cada um é parte do outro, constituindo uma totalidade. (Pena-Vega, 2003, p. 32-33)

Pena-Vega descreve como, no âmbito dos seres vivos, existe uma relação complementar estrutural, da ordem ontológica do natural e/ou da natureza, integrativa de diferentes sistemas, sem a qual cada ser se constituiria em uma totalidade individual e singular, impedindo assim que o processo holístico funcionasse na sua plenitude e que a evolução continuasse seu curso.

Se Gestalt-terapia é da ordem do natural, começando com a natureza, se uma relação complementar é também da ordem do natural e da natureza, segue-se que o construto relação complementar cabe perfeitamente entre os conceitos que diretamente compõem a natureza holística da Gestalt-terapia.

Se esse silogismo procede, podemos afirmar, epistemologicamente, que o conceito de relação complementar contém um conteúdo da mesma natureza que o conceito de contato, intrínseco à natureza da Gestalt-terapia, no sentido de que o contato nasce naturalmente da complementaridade existente entre todos os seres, sendo tal complementaridade o elemento constituinte da essência do contato.

A relação complementar, uma organização viva de diferentes elementos, nasce de uma ordem intrínseca que preside a existência, a complementaridade entre os seres. Sem se relacionar, a natureza não avança, pois a relação complementar é um complexo sistema de contatos pelo qual seres de diferentes naturezas, dado o processo holístico que preside o universo, se complementam, formando o grande sistema que permite que a vida aconteça.

A Gestalt-terapia é um sistema aberto, implicado com a vida, com a relação ambiente-organismo, através do qual o contato, como sistema operante de experiências, é a grande entrada que permite que a diferença faça diferença na direção de mudanças consistentes.

O funcionamento estrutural das *relações complementares*, onde quer que estejam, alimenta o processo evolutivo humano e não humano. As relações de campo organismo-ambiente, entre as quais ocorre o processo das relações complementares, evoluem dos mais variados modos – sempre, entretanto, como uma experiência de contato, de assimilação, de ajustamento criativo, de crescimento. As relações complementares revelam as possibilidades de ser, sendo cada vez mais presentes na sua complementaridade, o que promove a assimilação, a evolução, o crescimento da natureza como um ser de possibilidades.

Referências

Abbagnano, N. *Dicionário de filosofia*. 6. ed. São Paulo: WWF Martins Fontes, 2012.

Latner, J. *The Gestalt-therapy book*. Nova York: The Gestalt Journal, 1973.

Morin, E. *Introdução ao pensamento complexo*. Lisboa: Piaget, 1990.

Pena-Vega, A. *O despertar ecológico – Edgar Morin e a ecologia complexa*. Rio de Janeiro: Garamond, 2006.

Perls, F. *A abordagem gestáltica e Testemunha ocular da terapia*. Rio de Janeiro: Zahar, 1977.

Perls, F.; Hefferline, R.; Goodman, P. *Gestalt-terapia*. São Paulo: Summus, 1997.

Polster, E.; Polster, M. *Gestalt-terapia integrada*. São Paulo: Summus, 2001.

Ribeiro, J. P. *Vade-mécum de Gestalt-terapia – Conceitos básicos*. São Paulo: Summus, 2006.

Robine, J-M. *O Self desdobrado – Perspectiva de campo em Gestalt-terapia*. São Paulo: Summus, 2006.

14. Culpa e vergonha: "A tarefa de dar conta do impensado"

Estamos sempre na pré-história do espírito humano [...] Estamos lançados na aventura indefinida ou infinita do conhecimento [...] O mérito da complexidade é denunciar a metafísica da ordem.
(Morin, 1990, p. 23 e 151)

Vergonha e culpa... o que são esses dois sentimentos, que tipo de emoção despertam na pessoa humana, como lidar com a vergonha, quase sempre responsável pelo surgimento da culpa? Dois processos da ordem do humano, fazem parte de nossa estranheza diante da realidade, sobretudo quando não se sabe como lidar com eles. Fugindo de minha subjetividade, procuro a objetividade do dicionário Aurélio, que me dá uma primeira resposta.

Vergonha: "Sentimento penoso de desonra, humilhação, [...] insegurança provocado pelo medo do ridículo [...] ou rebaixamento diante de outrem". Culpa: "Conduta negligente ou imprudente, sem propósito de lesar, mas da qual proveio dano ou ofensa outrem".

Analisando esses dois conceitos, ocorre-me, de imediato, que a vergonha implica "uma perturbação da ordem existente, e a culpa, uma consciência objetiva de ter falhado" e que, sobretudo, "o sentimento de culpa [...] nasce da consciência da efetiva responsabilidade do homem"; trata-se, assim, de "uma autolimitação infligida à liberdade humana".

Quando a consciência moral se interpõe imediatamente entre a liberdade humana e a objetividade da ação, não se pode escapar à subjetividade da culpa, pois a liberdade é movimento de expansão, caminha na direção de um horizonte que se locomove sempre, exatamente para não deixar a pessoa humana parar antes que tente conhecer suas possibilidades de mudança.

Heidegger (*apud* Abbagnano, 2012, p. 224) acrescenta: "A culpa é um modo de ser do ser-aí", uma determinação essencial da existência humana enquanto tal.

Jaspers colocou a culpa entre as situações-limites da existência humana, isto é, entre as situações às quais o homem não pode fugir.

Isso nos remete à inevitabilidade da culpa. A razão pela qual estaríamos todos condenados à culpa é que, ao mesmo tempo que temos a paixão pela liberdade e o instinto de perfeição na nossa carne, os quais nos conduzem experimental e existencialmente à busca das melhores formas, não conseguiremos atingi-las, pois, como partes de uma totalidade, jamais conseguiremos alcançá-las. É desse paradoxo que nasce nosso instinto de liberdade, o qual nos leva, por sua vez, à fantasia de experienciar e viver a liberdade como uma totalidade possível.

Nessa linha, estaríamos também condenados à vergonha, uma vergonha de origem, incrustada na nossa carne, no nosso inconsciente coletivo e cósmico. Esse é o paradoxo: vivendo, inevitavelmente, entre o desejo e a ação, portadores de uma impotência ontológica de seres-aí, estamos necessariamente condenados à culpa e à vergonha, pois somos provocados a algo que, por natureza, não podemos atingir, o que nos impede de vivermos o apelo à totalidade para a qual fomos criados.

Seres existencialmente inacabados, convivemos com a angústia e a ansiedade de não conseguirmos ser aqueles que, de fato, almejamos ser. Estamos falando de uma culpa ontológica, existencial, de origem, até pelo fato de não sermos deuses. Essa culpa de origem pode se transformar num desejo, num apelo silencioso, inconsciente, de superá-la através da *awareness* de que nascemos para coisas grandes; assim nos livraríamos da impotência de nossa ontológica fragilidade e, consequentemente, de nossa vergonha de existência.

Liberdade, culpa e vergonha andam muito juntas. O exercício da liberdade nos leva, paradoxalmente, a caminhar na direção da culpa e, consequentemente, da vergonha, pois estamos submetidos a um processo do qual pode resultar, para além de nossa vontade, uma sensação de humilhação, "uma auto imitação infligida à liberdade humana", no sentido de que essa liberdade tem o carimbo da condicionalidade. Trata-se de uma liberdade que não se sustenta e morre a meio caminho da nossa relação ambiente-organismo.

Nesse contexto, fica clara a distinção feita por Heidegger: podemos ter culpa, sentir-nos culpados e ser culpados sem estar em débito. E se pode dever sem ter culpa, pois somente uma liberdade clara, objetiva, consistente poderia nos responsabilizar pelas nossas ações. É difícil saber se o processo de vergonha e culpa está interligado, se emana de dada cultura, de um sistema moral e religioso, ou se é fruto de um processo psicológico incorporado, datado de quando assimilávamos o mundo sem nenhuma possibilidade de discriminar o certo do errado.

Pouco conhecemos da natureza constituinte da vergonha e da culpa, mas sabemos que o que as provoca não funciona por identidade; não sabemos também se a natureza da culpa está ligada ou não à subjetividade de quem pratica uma ação, bem como se ambas se constituem, subjetivamente, na fronteira da relação ambiente-organismo.

Considerando que o *self* é um sistema de contato, no campo ambiente-organismo a experiência da culpa e da vergonha será vivida, portanto, de maneira diferente de pessoa para pessoa, porque experimentamos o movimento da vida nas funções id, ego e personalidade a partir de como processamos nossos dados, de como o sentido da existência real chega a até nós e de como a vivência de campo ocorre aqui-agora.

Vergonha e culpa são fenômenos de fronteira, ou seja, modos de contato em que ora o ambiente, ora o organismo se sobrepõe como figura e/ou como fundo. Avançando um pouco mais, digo que a culpa é um fenômeno de fronteira localizado no fundo e que vem de lugares mais silenciosos, mais escondidos, ao passo que a vergonha é um fenômeno de fronteira localizado na figura, em estreita relação com o outro, com valores da comunidade.

A vergonha se autorregula através da relação ambiente-organismo e de como a pessoa vive subjetivamente sua relação de campo. É um processo de ajustamento criativo, que mexe com a função e a forma de como a pessoa vive o fato provocador da vergonha na sua relação ambiente-organismo ou na sua realidade imediata, sem mexer, entretanto, com sua estrutura emocional.

A culpa, diferentemente da vergonha, e como função reguladora desta, é um processo de ajustamento criativo, pois além de mexer na forma e no funcionamento da relação provocadora da culpa vivida pela pessoa na sua relação ambiente-organismo, mexe na própria estrutura interna de como ela é afetada pelo fato em questão. A culpa, através de um complexo processo de subjetivação e de atribuição de sentido, gerados pela angústia da impotência de não poder voltar atrás no já vivido, nasce dos meandros da alma. Paradoxalmente, quanto mais alguém se identifica com a culpa, menos sente vergonha – ou seja, quanto maior a culpa mais se alivia o peso da vergonha.

Quando colocamos vergonha e culpa no contexto dos mecanismos de interrupção do contato da Gestalt-terapia, como processos de fronteira, percebemos que alguns mecanismos, como fixação, deflexão, introjeção e retroflexão dialogam com vergonha e culpa, mas não fica claro o papel da confluência, como afirmado por alguns autores. Perls, Hefferline e Goodman (1997, p. 151) definem confluência como "a condição de não contato, nenhuma fronteira do *self*". Robine (2006, p. 115) completa dizendo que a confluência designa a indiferenciação da figura e do fundo, que, na ausência de uma figura de contato, permanece em estado fora da consciência.

Quando analiso a afirmação da função da confluência na experiência de vergonha, penso na lógica que explicaria essa relação. Se confluência é "indiferenciação de figura e fundo", ou seja, figura e fundo se justapõem no contato, a vergonha fica sem lugar na confluência, porque surge exatamente do processo vivido como figura pela pessoa na sua relação ambiente-organismo. Embora de naturezas diferentes, vergonha e culpa se relacionam. Vejo a culpa ligada à função id do *self*, e a vergonha ligada à função personalidade do *self*, tendo a função eu do *self* como administradora da situação.

Na verdade, penso que ambas têm natureza diversa. Acredito que a vergonha é um ajustamento criativo, experienciado na etapa retroflexão/contato final da função personalidade do *self*, pois supõe uma negociação silenciosa, insistente às vezes, entre o mal-estar e o desejo de aparecer, enquanto a culpa é um ajustamento criativo, vivido na etapa *awareness*/deflexão da função id do *self*, pois é um sentimento constituído, que surge *a posteriori*, quando a pessoa passa a olhar um fato que, no passado, lhe pareceu normal, mas com os olhos de agora lhe parece fora da normalidade.

Tanto a vergonha quanto a culpa podem apresentar dimensões de neutralidade, de indiferença, dessensibilizadas, como na experiência de um egotista ou de pessoas que não aceitam qualquer tipo de frustração – como sói acontecer hoje com certo tipo de juventude, criada longe de que qualquer experiência de limite.

Nesse contexto de relação vergonha e culpa, autores como Robine, Yontef e Wheeler introduzem a questão do narcisismo, estabelecendo uma conexão com a confluência. Como pensar, então, o narcisismo à luz da Gestalt-terapia? Diz a lenda: "Narciso, coberto de perfeições e enamorado de si mesmo, apaixonou-se por si mesmo de tal forma que não tinha olhos nem ouvidos para ninguém além dele mesmo [...] e, sem o amor da ninfa Eco e sem satisfazer sua paixão, permaneceu junto ao arroio [riacho] até se consumir".

Entendo que o narcisista vive em estado de confluência entre ele e o mundo. No seu enamoramento está tudo incluído, pois no narcisismo não existe um fundo que espera ser convocado pela figura. Enamorado de si mesmo, o narcisista é soberano em si mesmo. Nesse sentido, entendo que ele viva uma indiferenciação da relação figura-fundo, o que significa que não dialoga com a vergonha e muito menos com a culpa. Desconhece a ansiedade como filha desses dois sentimentos.

Vergonha e culpa existem em complexa relação com o distúrbio do narcisismo. No caso da vergonha, como o Narciso experienciaria interiormente seu processo de identificação consigo mesmo? Afinal, se não sente vergonha de si, sentiria do outro? No caso da culpa, como ele vivenciaria seu processo de identificação introjetiva, considerando que, ao enamorar-se de si mesmo, dirige toda sua força para seu ego? Nessas condições, distante de sua racionalidade, ele não estaria propenso a vivenciar nem a vergonha nem a culpa.

Assim, ele *deflete* quando não consegue ter consciência/*awareness* de sua realidade e de uma relação objetiva ambiente-corpo; ele *conflui* quando se identifica apaixonadamente com sua imagem refletida na água, rompendo com a distinção entre ele e o mundo; e *retroflete* quando permanece na dor até se consumir, não aceitando ou entendendo que sua possível amada, Eco, não o esquecera, mas fora apenas afastada dele.

Culpa e vergonha são e registram fenômenos de campo, maneiras pelas quais minha relação ambiente-corpo-organismo interage – ou seja, registram a experiência de mim mesmo, meu *self*, meus sistemas de contato na relação ambiente-corpo-organismo e seguem as leis que regem o campo. Vergonha e culpa não são construtos abstratos, dependem de como os fatos de que eles nascem se organizam no campo. É da relação viva, espontânea, ambiente-corpo que podemos intuir a natureza da vergonha e da culpa.

Vergonha e culpa, teoricamente, constituem conceitos universais – todos as experienciam –, mas apesar disso são analógicos: ninguém as experimenta como processos idênticos, mas análogos. Todos sabem qual é a natureza de ambas, mas as experimentam parcialmente com relação a seu significado e a seus efeitos. Assim como o campo da pessoa é único, pois nasce de uma relação única com o ambiente, também vergonha e culpa têm um caráter intransferível e a cara de quem as experimenta.

Culpa e vergonha são experiências de sentido próprias da condição humana de existência; são filhas do provisório, das nossas travessias, da mudança que a experiência provoca em cada pessoa, não se podendo generalizar a natureza desse tipo de experiência humana. Por isso, sobretudo no consultório, é fundamental que na análise da vergonha e da culpa estas sejam incluídas na nossa relação ambiente-corpo, pois o ambiente e corpo/organismo do cliente e do psicoterapeuta fazem parte da informação e da organização que ambos vivenciam entre si.

Vergonha e culpa me transportam para o mundo da pura subjetividade, da percepção de mim mesmo, das minhas certezas, do que me constitui como pessoa. Não existem como valores definidos, universais, fruto da sensação, do sentimento, da emoção, do movimento, nem como valores de um *self* acima de qualquer concepção ética ou estética. O que existe é um eu aqui-agora, experimentando, vivendo uma realidade diferente – que, no caso da vergonha e da culpa, dialoga com a estranheza de nós mesmos.

Vejo a vergonha como algo que me é imposto de fora, que se intromete nos meus valores, que me afugenta de mim mesmo e do outro. É socializada, comunitária, pertence ao mundo das regras que se criam e se chamam de bom comportamento, educação. É, entre outras coisas, o que alimenta a fofoca social. Culpa e vergonha se constituem diferentemente. A culpa, nasce de dentro da caminhada existencial da pessoa, enquanto a vergonha nasce de fora, do encontro com o diferente que nos habita. Ambas são etapas complexas de ajustamento criativo, devido aos processos internos entre consciência, medo, raiva, dor e o outro que, silenciosa ou implicitamente, nos fazem face.

Vergonha e culpa ora são fruto de relações complementares, de uma intersubjetividade prevista, suposta; ora de situações, às vezes sofridamente consolidadas e em outras voluntariamente vantajosas, nas quais o sujeito sabe do não dito, do suposto; e ora são fruto de um ajustamento criativo que nasce de uma subjetividade a ser colocada no campo, mas já atuante na relação, já comprometida, entre duas pessoas

A culpa é diferente. Silenciosa, subjetiva, calada, machuca e nasce do desequilíbrio entre a realidade e uma subjetividade que se objetiva por si mesma – e, diferentemente da vergonha, pede reparação. A vergonha é filha da racionalização, do social, da percepção imediata do outro; a culpa é filha da *awareness*, nasce de nossa carne, de uma sensação corporal no mundo, que invade o corpo e o aprisiona.

A culpa é frequente no meu consultório, seja como emoção, seja como dimensão religiosa, e sempre pede reparação. A culpa é como uma estrada de mão única, sem saída; por isso, quando se entra na culpa, ou a culpa entra em nós, a saída de volta é sempre complexa e difícil. O fato de a culpa pertencer à esfera do espírito faz que sua vivência seja profundamente transformadora. A vivência da reparação equilibra o sentimento de mudança.

Diferentemente da culpa, a vergonha pelo que se é ou se fez habita menos vezes o meu consultório. A culpa nasce das entranhas de nossa carne; a vergonha das salas, das ruas, do medo, de possíveis suspeitas de perdas sociais. Conviver com a vergonha pode ser mais suportável do que conviver com a culpa. A culpa é uma companheira silenciosa. Uma caminhante sutil, sensível, que habita os meandros da alma, da existência humana.

Vergonha e culpa são experiências de humanidade, uma condição humana. E, como muitas vezes trazem o peso de uma profunda reflexão sobre nós mesmos, podem se tornar experiências saudáveis, formas curativas de contato, de presença, encontro, cuidado e inclusão na busca de se entrar em contato com o mistério nosso, com o pouco saber de nossa existência humana.

A sensação consciente da vergonha leva a um processo de ajustamento criativo, a uma experiência autopedagógica: mexendo com a forma e o funcionamento do comportamento humano, leva a pessoa a uma maior consciência da necessidade de mudanças. A sensação consciente de culpa gera um processo de ajustamento criativo, uma homeostase entre percepção e realidade, pois mexe também com a própria estrutura do comportamento – e, através da consciência emocionada da necessidade de reparação, torna-se um processo profundamente transformador.

Vergonha e culpa são vivências humanas das esferas psíquica e espiritual, comunicando-se intersubjetivamente, ambas constituintes da singularidade de cada um através da vivência do incômodo que produzem. Afinal, somos corpo-psique-espírito, uma totalidade viva.

Entendo que a vergonha está na esfera da mente, do sensível, do corpo, enquanto a culpa está na esfera do espírito, de valores que transcendem a simples realidade objetiva. Vergonha e culpa, psique-espírito andam juntos, uma vez que habitam constitutivamente o mesmo corpo. E, embora tenham naturezas diferentes, podem ser formas sensíveis de autorregulação organísmica, de pregnância, de homeostase e ajustamento criativo – portanto, momentos saudáveis de recuperação da autoestima e da autoimagem perdidas pela imersão ora em uma angústia social, ora num processo demolidor de culpa, que sinalizam cada vez mais a presença silenciosa e ativa de um outro ameaçador introjetada no interior de cada um de nós.

Culpa e vergonha funcionam como sínteses de nossa condição humana, vivida singularmente por cada um de nós. Ninguém as experiencia por igual. São filhas do contato da relação ambiente-corpo, e cada um as vive a partir do modo como se coloca no mundo, como uma experiência temporal que se exprime na espacialidade de nosso corpo.

Tudo que nasceu nasceu para continuar vivendo. Vergonha e culpa são desvios de estrada. Nada mais que isso. A natureza foi dotada do que precisa para ser aquilo para o qual foi criada. Não necessita de empréstimos. Como títulos de capitalização ou juros, os ganhos podem demorar a chegar. Nascemos da barriga do universo. Somos seus filhos. O universo é uma configuração cujas partes estão organizadas, articuladas, para funcionar com uma unidade cósmica. Somos natureza, a natureza somos nós. Regidos pela "ordem, pela *des-ordem*, pelo acaso e pela indeterminação", como afirma Morin (1990, p. 157), cada um de nós funciona sob a dinâmica da informação e da organização universal.

Apesar da profunda estranheza que nos envolve a todos, fomos criados para dar certo, para sermos felizes; por isso, coincidência é uma palavra que o cosmo desconhece. Por mais estranhos que possam ser nossos sentimentos e emoções, a experiência da vergonha e da culpa são processos de travessia e nos ensinam, às vezes através da dor e do sofrimento, caminhos que nos conduzem ao encontro de nossa máxima verdade: transformarmo-nos em nós mesmos. Essa é a mais complexa Gestalt, ser-ente, plenitude-vazio, tudo-nada.

A palavra mágica é contato, tudo está intrínseca e harmoniosamente interligado. O contato, nas suas mais variadas funções, ora é polaridade, ora é parte-todo, figura-fundo, pregnância, ajustamento criativo, mudança paradoxal, relação complementar, vergonha e culpa. Essa organização conceitual emana das informações que a relação ambiente-organismo produz, conduzindo a pessoa, na sua subjetividade, a optar por uma objetividade conceitual na forma de um contato específico.

De forma objetiva, visível e, tanto quanto possível, simples, tentarei explicitar para você, meu leitor, como vejo a questão da vergonha e da culpa no ciclo do contato, instrumento de compreensão psicodiagnóstica em Gestalt-terapia. O ciclo do contato é uma proposta de diagnóstico processual através dos mecanismos de interrupção do contato, como introjeção e confluência (são nove), e dos mecanismos de saúde ou saudáveis (também nove). Funciona como uma proposta de processos de cura ou prognóstico.

De novo, coloco-me diante da noção de campo para apreender e aprender de lá qual é a relação entre culpa e vergonha. As "definições" de cada interrupção dadas a seguir funcionam – *neste contexto* e para a finalidade de melhor entender vergonha e culpa – como uma espécie de *síntese operacional* de cada mecanismo.

Da culpa

- O fixado: não vê dano nem ofensa no seu gesto. Não tem por que se *des-culpar*.
- O dessensibilizado: não sente as razões da culpa.
- O defletor: escapa de mansinho da sensação de culpa. Todo mundo pode errar.
- O introjetor: convive com a culpa, filha do medo, da mágoa e da raiva, mas não age.
- O projetor: coloca a culpa no outro.
- O profletor: negocia a culpa do outro como se fosse sua.
- O retrofletor: se treina para sentir a culpa sozinho, pois não consegue colocar a culpa no outro.
- O egotista: desconhece a mera possibilidade de culpa.
- O confluente: a culpa é dos dois, é nossa, a gente erra e sente junto.

Da vergonha

- O fixado: convive penosamente com o sentimento, mas não percebe razões para mudar.
- O dessensibilizado: vê a vergonha a distância.
- O defletor: não se apercebe da vergonha.
- O introjetor: morre de vergonha.
- O projetor: procura a responsabilidade da vergonha no outro, ela não lhe diz respeito.
- O profletor: divide a responsabilidade da vergonha com o outro.
- O retrofletor: gostaria de se envergonhar como o outro se envergonha.
- O egotista: não sente vergonha.
- O confluente: convive com a vergonha do outro como se fosse sua.

O ciclo do contato é visto e estudado holograficamente; isso significa que na natureza nada é sozinho, que a complementaridade entre as diferenças é condição essencial de sobrevivência, que o ciclo é visto holisticamente como um todo, no qual tudo afeta tudo, cada mecanismo tem relação com todos os outros e todos os mecanismos têm que ver holisticamente com cada um desses mecanismos. Nesse contexto, vergonha e culpa ganham dimensão diferente, conceitual e operativa.

Culpa e vergonha são processos de contato, podendo assumir formas e funcionamentos dos mais variados construtos conceituais, dependendo de como a pessoa constrói sua estrutura interna no mundo. A dinâmica da relação complementar e do ajustamento criativo – por exemplo, na sua relação com vergonha e culpa – ocorre quando se mexe na forma e na função do fenômeno que se apresenta à consciência da pessoa, sem que a estrutura fundante de tal fenômeno seja alterada.

Imagino que isso aconteça na constituição da vergonha, uma reação humana à surpresa do diferente e da qual não se consegue fugir, tornando-se a pessoa prisioneira da percepção do outro. Por outro lado, estamos diante de um ajustamento criativo quando, além da forma e da função, a estrutura interna da pessoa é afetada, no sentido de que, quando alguém vivencia realmente a culpa, esta pode se transformar num complexo e potente processo de mudança.

Indo além, vergonha e culpa podem ter uma função didática, pedagógica, ser mestras na condução da vida diante da imprevisibilidade da contingência humana. Somos campos vivos, somos uma ontológica relação ambiente-organismo, somos ambientalidade, nossa dimensão perdida, copartícipe com animalidade e racionalidade na constituição de nossa essência humana.

Somos vergonha, somos pessoas; somos culpa, somos gente; somos os dois, somos Um. Não me sirvo do meu corpo, eu sou meu corpo e meu corpo é a condição de possibilidade mesma de toda posse. O homem está imerso no mundo através de seu corpo. Meu corpo, aquele que eu vivo, é o ponto de partida em relação ao qual as coisas e os existentes se ordenam.

Dessa mesma forma, a existência do(s) outro(s) me é dada na experiência da encarnação, por ela acedo (tenho acesso) à dor, e, inclusive, compreendo a morte... A forma do ser-no-mundo vem definida pela nossa corporalidade; através de meu corpo me abro para o outro, para o mundo, e é aqui que tem lugar minha liberdade e meu amor.

Aqui, e só aqui, culpa e vergonha encontram um lar.

Referências

Morin, E. *Introdução ao pensamento complexo*. Porto: Piaget, 1990.

Perls, F.; Hefferline, R.; Goodman, P. *Gestalt-terapia*. São Paulo: Summus, 1997.

Robine, J-M. *O self desdobrado – Perspectiva de campo em Gestalt-terapia*. São Paulo: Summus, 2006.

15. NUDEZ SOCIAL E O CORPO RE-VESTIDO NA PERSPECTIVA DA ABORDAGEM GESTÁLTICA[1]

Jorge Ponciano Ribeiro
Marta Azevedo Klumb Oliveira[2]

Introdução

Os pássaros cantavam e rendiam as corujas na barra da madrugada. O dia envelopava a noite e a endereçava para o outro lado do mundo, anunciando sua chegada implacável. A experiência humana faz que cada dia contenha o infinito em si mesmo, tal qual somos infinitos na nossa jornada diária do tempo de existir.

Assim, fui adentrando a magia daquele dia. Passo a passo, sentia a textura do toque dos meus pés no chão, o ar adentrava meus pulmões com a delicadeza de quem pede licença, meus olhos se sentiam tocados pela beleza dos mil tons de azul do céu, minha pele sentia a aragem fresca a envolvendo e a convidando para um abraço em demora. Por vezes, percorria um arrepio espasmódico por toda minha extensão de pele e as águas do corpo ameaçavam se lançar do abismo dos olhos, delatando ao universo minha emoção incontida.

Naquele eterno instante, fui retirando de mim tudo que em mim excedia: as impurezas, a blusa, o embaraço, o jeans, as falsas verdades, tudo. Tudo que compõe a dimensão inesgotável do exagero da sociedade urbana tecnológica que transforma seres em reses. Acaso percebeste tu que "seres", lido de trás para diante, não altera a grafia? Somos tão únicos! Tão inteiros! Tão humanos!

A noção de tempo nesse momento já se havia alterado, e, no agora daquele instante, era com kairós que eu dialogava. À medida em que caminhava, fui me deixando des-cobrir por tudo que de mim ou para mim emergia. A nudez, a natureza e eu nos fundíamos em uma só presença. Eu sou a nudez. Me vinha aos lábios uma vontade ingênua de simplesmente sorrir, me entregar ao momento e seguir com ele para o núcleo do tempo.

1 Texto originalmente publicado em *Phenomenological Studies – Revista da Abordagem Gestáltica*, v. 23, n. 3, set.-dez. 2017, p. 267-77.

2 Psicóloga e mestre em Psicologia. Especialista em Gestalt-terapia, Processos socioeducativos com crianças e adolescentes, Educação de jovens e adultos e Educação a distância.

Peço licença ao leitor para iniciar este diálogo com o relato dessa experiência própria com a nudez em espaço aberto, acercado pela natureza do Cerrado, para que a descrição da sensação sirva de mote para a compreensão de acontecimentos – como o sentido do corpo-presença em situação de nudez social e o sentido que assume quando tra-vestido por vestes outras que não a pele e que ora desejo discutir à luz de uma perspectiva fenomenológica.

A partir do momento em que somos lançados no mundo, cada um de nós passa a possuir a autoria de sua vida, inicia a construção do percurso de sua existência, aproxima-se de si mesmo em uma espécie de enamoramento, de autocontemplação, ou se afasta de si em uma confluência disfuncional com o outro. Essa experiência não nos afasta, entretanto, da responsabilidade que temos sobre nós mesmos. E, aqui, talvez a indumentária que nos reveste seja mais uma forma de nos distanciarmos de nós mesmos, do outro, perdendo a originalidade de nos sentirmos pura e simplesmente vestidos de pele.

Este estudo não pretende fazer uma discussão sobre quem somos, embora a petulância existencialista seja intrínseca a nós, pois essa busca é quase uma emergência derivada da consciência de sabermos que somos únicos neste mundo, diferentes de todas as outras pessoas, e de sabermos que essa busca não está nem um tempo atrás nem à frente desse instante de nós mesmos.

Caminhando em uma praia naturista, conversei com uma pessoa que acabara de se tornar praticante de nudismo social. Quando interpelada sobre o sentido de usar roupas, ela me confessou que a roupa é uma "extensão de nossa personalidade" e que, "pelo modo como nos vestimos, damos aos outros pistas de quem somos".

"Pistas de quem somos". Fiquei tomada por essa explicação, pois as roupas, ao contrário do que possa parecer, são muitas vezes pistas mais evidentes de quem não somos. Intrigou-me a ideia de que a roupa possa sinalizar uma "extensão de nossa personalidade", pois o estilo da indumentária talvez me permita conhecer mais acerca da faixa salarial da pessoa do que do modo como se sente no mundo.

A roupa tem sido, entretanto, um jeito milenar de intermediar nossa relação com o mundo, e esse fato cria uma espécie de segunda natureza na nossa relação com as pessoas. Nossas vestes estão incrustradas no nosso DNA psicológico e social. A roupa comunica. A roupa nos comunica, e é importante que não se perca essa perspectiva. No que diz respeito ao uso do corpo, seria ingenuidade negar quão difícil é para muitos, mulheres e homens, desnudar-se socialmente – sobretudo quando se sente estar rompendo com costumes seculares de ter e ver a roupa como proteção, como defesa e, muitas vezes, como uma expressão clássica de uma visão religiosa de mundo e de pessoa.

Postos esses arrazoados, reafirmo a importância da experiência e da vivência da nudez social, do equilíbrio que ela é capaz de produzir em muitas pessoas quando em harmonia com a natureza, sobretudo pelas vantagens que a prática pode lhes proporcionar por meio do resgate do sentido de serem um corpo vivo e próprio, de ser pessoas no seu estado original, tal como a natureza as criou, sem os disfarces que a sociedade terminou por impor ao corpo – às vezes com consequências inimagináveis. Some-se a isso a escassez de literatura sobre tais benefícios.

Assim, o objetivo deste estudo é, por meio de uma reflexão fenomenológica, de um jeito fenomenológico de pensar a realidade, aproximar-me do que seria a essência do corpo-presença que me chama, que me provoca a viver a partir de minha pele e, então, inferir algumas assertivas acerca da dimensão humana nesse tempo-espaço tortuoso no qual está contido o "tornar-se humano", considerando o corpo nu e o corpo-[re]vestido, um corpo enraizado, ao mesmo tempo, na natureza[3] e na cultura.

Nesse sentido, tanto quanto possível, suspendo meu sujeito empírico e psicológico, retendo, entretanto, meu sujeito da experiência vivencial. Esse percurso sensação-razão-ação diz muito de cada um de nós, de mim e de ti, embora não se possa saber quanto de ti habita em mim e quanto de mim habita em ti.

Convido-o então, dileto leitor, a mergulhar comigo nesse mar de possibilidades, na esperança de que, passando por lugares nunca dantes navegados, possamos descobrir no corpo nu belezas nunca dantes exploradas.

Caminhando na direção de si mesmo

Proponho que testemunhemos juntos algumas trilhas cognitivas que me permitem escolher e, talvez, como asseverava Edith Stein (*apud* Bello, 2000, p. 83), possamos, ao final do percurso, chamar este estudo de nossa "propriedade espiritual".

Inicio, pois, por uma compreensão do conceito de *epoché* em Husserl, para, em seguida, entender como Merleau-Ponty constitui o corpo-presença e, em seguida, ir tecendo saberes outros, que coexistam a partir da experiência pré-reflexiva descrita acima. Assim,

> em nossas afirmações fundamentais nada pressuporemos, nem sequer o conceito de Filosofia, e assim queremos ir fazendo adiante. A *epoché* filosófica, que nos propusemos praticar, deve consistir, formulando-a expressamente, em nos abstermos por completo de julgar acerca das doutrinas de qualquer filosofia anterior e em levar a cabo todas as nossas descrições no âmbito desta abstenção. (Husserl *apud* Zilles, 2002, p. 22)

3 Aqui, tomo o referencial de "natural" para toda e qualquer nudez, ainda que haja um corpo nu enraizado na cultura, seja por cicatrizes cirúrgicas resultantes da evolução da ciência curativa ou estética (plásticas, próteses de silicone e/ou outros artifícios).

Observo que o conceito *epoché,* conforme cunhado por Husserl, é básico para uma atitude fenomenológica que implica "pôr de lado" o mundo físico (objetos espaço-temporais) e passar a lidar com o "mundo da consciência", formado por minhas próprias vivências.

Cabe aqui perguntar o que é, o que se entende por corpo-presença? Ao falar de nudez, falo de corpo, do corpo desnudo. Mas o que é ser-corpo?

Para Merleau-Ponty (1999, p. 269),

> corpo é sempre outra coisa que aquilo que ele é, sempre sexualidade ao mesmo tempo que liberdade, enraizado na natureza no próprio momento em que se transforma pela cultura, nunca fechado em si mesmo e nunca ultrapassado. Que se trate do corpo do outro ou de meu próprio corpo, não tenho outro meio de conhecer o corpo humano senão vivê-lo, quer dizer, retomar por minha conta o drama que o transpassa e confundir-me com ele.

Em Merleau-Ponty, é preciso "viver o corpo", "confundir-me com ele", ser ele. Para além, entretanto, da inequívoca poética do filósofo sobre o corpo, pergunto-me como é, de fato, viver o meu corpo?

Por implicar subjetividade, o corpo, senhor silencioso do próprio sentido, é talhado pela historicidade cultural, regido pela noção de autoeco-organização, carimbado pelo paradigma ecológico vida-natureza-homem-sociedade. E, por ser feito de igual matéria do mundo (água, terra, fogo e ar), deixa-se naufragar no tempo de Cronos e imputa sentido aos fatos, tornando-se autor de seu acaso.

Vem-me à mente a assertiva de William Blake (*apud* Villamarín, 2003, p. 92) quando afirma que "o homem não tem um corpo separado da alma. Aquilo que chamamos de corpo é a parte da alma que se distingue pelos seus cinco sentidos", ou seja, a noção de realidade nos é dada pelo corpo, um corpo que toca e é tocado pelo mundo, um corpo-consciência. Um corpo cujos sentidos não são meros receptores passivos do real, mas ativos na percepção do mundo, na relação única que se estabelece com o mundo. A percepção é um acontecimento da corporeidade[4], e, como tal, da existência.

Pensando fenomenologicamente, essa ideia traz ao debate a questão da intencionalidade do movimento, porque as sensações, nessa perspectiva filosófica, se associam a movimentos que acenam para a manifestação de um gesto que se configura em uma criação, em novas possibilidades de compreensão de diferentes situações existenciais. Para Ghiraldelli Jr. (2014, p. 5),

4 Destaco que o conceito de "corporeidade", neste estudo, se assenta na exata medida da compreensão de Husserl sobre o conceito, ou seja, na expressão: "'eu sou um corpo" e não "eu tenho um corpo".

> são múltiplos os sentidos que a intencionalidade motora pode expressar [...] Corpo sem intenção ou sem que se possa cogitar sobre sua intenção não é *body*, mas *corpse*. O corpo humano que é sempre corpo-e-movimento é intencional, um conjunto que envolve sons e gestos.

Nessa mesma linha, Merleau-Ponty (1975) reforça a teoria da percepção fundada na experiência do sujeito encarnado, do sujeito que olha, sente e, nessa experiência do corpo fenomenal, reconhece o espaço como expressivo e simbólico. "Pode-se dizer ao pé da letra que o espaço se sabe a si mesmo através do meu corpo" (p. 437). Não haveria espaço para mim se eu mesma não fosse um corpo no mundo, ou seja, eu sou no espaço. Falar de sujeito encarnado implica, portanto, falar de corpo, de tempo, do outro, da afetividade, do mundo da cultura e das relações sociais. A experiência perceptiva é, portanto, uma experiência corporal.

Segundo Ribeiro (2006, p. 123), "figura-fundo são dois processos que se alternam, no qual ora um, ora outro se mostra ou se revela ao sujeito como uma possibilidade de inclusão perceptiva". Considerando que a figura assinala a aparência que as coisas tomam, tal como se revelam, e sob a qual a identificamos, e considerando que o fundo é um campo perceptivo total, entendo que a relação figura-fundo é constitutiva da forma como percebemos a realidade, sendo o corpo a resultante dessa relação.

Um encontro com pessoas em situação de nudez social pode ser percebido de um modo tão verdadeiramente simples, tão desprovido de erotismo, de desejo, que a figura que emerge é de total equilíbrio e integração, onde cada parte de seu corpo e seu corpo em cada uma de suas partes se apresenta como uma única configuração, uma Gestalt. Assim, seios e glúteos não são mais relevantes na inteireza de seu corpo do que nariz e cotovelo.

Essa consciência é fundante de um estilo de vida que se assenta numa visão de saúde baseada no princípio holístico de que "tudo está ligado a tudo, de que tudo muda e, sobretudo, de que tudo é um". É uma vivência "nua e crua", com o perdão do trocadilho, do método da *epoché*, quando, numa experiência radical, excluo todo saber e experiências anteriores e, sem desejo nem memória, estabeleço um contato "ingênuo" com a própria nudez, buscando compreendê-la a partir do sentido que emerge da percepção da própria totalidade, das inter-relações entre as partes do corpo e destas com sua totalidade no mundo.

A prática do nudismo, da nudez social, desperta na pessoa uma nova consciência de aceitação do outro, assim como eu sou, assim como ele é. Os chamados "defeitos do corpo", nossas imperfeições, são percebidos como as inscrições de cada um e de todos na vida, resultado da nossa relação com o mundo. Traduzem a cada um de forma única.

A experiência da vergonha.

A vivência do naturismo como nudez social, coletiva, me permite expandir e viver a seguinte expressão de Merleau-Ponty (1974, p. 142): "Todo outro é um outro eu mesmo" Quando meu corpo-consciência toca teu corpo-consciência, te sinto em mim e me sinto em ti. Essa percepção se consolida quando, entre meus pares, em um ambiente onde se pratica o nudismo, que integra o naturismo, sinto meu duplo errante mais inteiro em mim e me integro com os "comigos de mim mesma" de modo próprio.

Para Merleau-Ponty (1974), o corpo-presença é, ao mesmo tempo, uma estrutura psicológica e histórica, um entrelaçamento de tempos distintos: do tempo natural, do tempo afetivo e do tempo histórico. O sentido que atribuo ao que vivo vai tecendo estreito diálogo entre o tempo, o espaço, meu corpo, o mundo que habito e as outras pessoas. E, embora o mundo já existisse antes de mim, ele não está inteiramente constituído, depende também de minhas ações para se constituir como mundo.

Assim, nas teias do agora, busco um diálogo com os testemunhos religiosos, históricos-antropológicos e filosóficos sobre o ser-nu, na intenção explícita de ouvir as vozes dos tantos tempos do Ser.

Perscrutando nossa origem, a origem do ser-corpo lançado no mundo a partir de um viés cristão, encontro nos registros Bíblicos (Gênesis 2, 15-18 e 3, 1-14) uma passagem de Adão e Eva em diálogo com Deus, quando foram expulsos do Paraíso por terem comido o fruto proibido da Árvore do Conhecimento. Até então, eles não tinham o sentimento de "vergonha" associado à nudez. Somente depois que comeram do fruto proibido da Árvore do Conhecimento é que sua consciência despertou para o fato de estarem nus – e essa consciência trouxe, em seu bojo, o sentimento de "vergonha".

> Adão e Eva descobrem a vergonha da nudez depois de provar o fruto da Árvore do Conhecimento ("No dia em que comerem desse fruto, seus olhos se abrirão..."). A vergonha é a consequência direta do conhecimento – da *awareness*, diríamos nós, da consciência de si –, e é imediatamente associada à exposição de si mesmo, à nudez, ao olhar do outro. (Robine, 2006, p. 155)

Aqui, vale destacar a sábia expressão do papa João Paulo II a respeito da vergonha, segundo a *John Paul II's theology of the body*:

> Sua nudez, longe de ser desimportante, indica o imenso amor de um pelo outro e a pureza de seus corações. Uma vez que a vergonha é resultado de ser visto como um

objeto a ser usado por outra pessoa, a falta de vergonha de Adão e Eva demonstra-nos que ambos viam e recebiam um ao outro como um dom e procuravam apenas dar-se um ao outro, não usar um ao outro. Eles contemplaram o outro com os olhos de Deus, que "viu tudo que fizeram, e eis que era muito bom" (Gênesis 1, 31). Eles leram um no corpo do outro o que era um sinal da outra pessoa, uma linguagem de amor que cada um acolhia e retribuía.

A vergonha (ou a falta dela), estabelecida como uma "função interior", segundo afirma Sua Santidade, poderia ser compreendida também a partir da teoria lewiniana do espaço vital, na qual fica claro que a variável psicológica "vergonha" não fazia parte da totalidade do campo, dos fatos que determinavam o comportamento de Adão e Eva no Paraíso naquele momento.

> Assim, desde a origem mitológica de nossa condição humana, encontram-se associados com a experiência da vergonha: consciência, conhecimento, olhar do outro, sedução, desejo, nudez, ruptura de confluência, introjeção, projeção, culpa... fenômenos que o Homem nomeia: "VIVER". (Robine, 2006, p. 156)

O campo psicológico não incluía a "vergonha" como pressuposto da nudez social. Quão real, talvez até poético, me parece o *insight* de que o campo do nudismo social, na medida em que também não inclui a "vergonha" como dinâmica do campo psicológico, nos remete à ideia do Paraíso.

Do ponto de vista histórico-antropológico, um importante testemunho foram as cartas de Pero Vaz de Caminha ao chegar às terras de Santa Cruz e mirar, ao longe, as cenas da fluidez dos seus habitantes nativos com a natureza tropical. Infiro um regozijo de cor, calor e espanto para os anos de 1500, quando o olhar europeu toca as cenas do atlântico sul. Assim relata sua visão à corte portuguesa segundo consta no acervo digital do Departamento Nacional do Livro (Brasil):

> [...] eram pardos, todos nus, sem coisa alguma que lhes cobrisse suas vergonhas. (p. 2)

> [...] Ali andavam entre eles três ou quatro moças, bem moças e bem gentis, com cabelos muito pretos, compridos pelas espáduas, e suas vergonhas tão altas, tão cerradinhas e tão limpas das cabeleiras que, de as muito bem olharmos, não tínhamos nenhuma vergonha. Ali por então não houve mais fala ou entendimento com eles, por a barbaria deles ser tamanha que se não entendia nem ouvia ninguém. (p. 4)

> [...] E uma daquelas moças era toda tingida, de baixo a cima daquela tintura; e certo era tão bem-feita e tão redonda, e sua vergonha (que ela não tinha) tão graciosa, que

> a muitas mulheres da nossa terra, vendo-lhe tais feições, fizeram vergonha, por não terem a sua como ela. (p. 5).
>
> [...] também andavam, entre eles, quatro ou cinco mulheres moças, nuas como eles, que não pareciam mal. Entre elas andava uma com uma coxa, do joelho até o quadril, e a nádega, toda tinta daquela tintura preta; e o resto, tudo da sua própria cor. Outra trazia ambos os joelhos, com as curvas assim tintas, e também os colos dos pés; e suas vergonhas tão nuas e com tanta inocência descobertas, que nisso não havia nenhuma vergonha. (p. 7)

De acordo com o *Michaelis Dicionário brasileiro da língua portuguesa* (online), "vergonha", palavra recorrente no léxico da nudez, é a "manifestação de desconforto mediante uma atitude indecente ou indigna; rubor". Também: "Sentimento de humilhação ou de desonra; vexame" e "senso da própria dignidade ou honra".

> É verdade que a vergonha é parte integrante da experiência humana da vida, na dialética exibir-inibir, e que o Homem soube inventar inúmeros meios para tentar contorná-la. Assim, para *viver no campo da vergonha*, a Sociedade nos oferece, por vezes, a possibilidade de *morrer no campo da honra*. (Robine, 2006, p. 168)

Se a nudez está ligada à desonra, as vestimentas, em um olhar merleau-pontiano, podem ser uma espécie de recalcamento do corpo próprio, da integralidade do sistema "eu-outro". Há, aqui, uma referência necessária à alteridade ou à nossa relação com um mundo comum. Segundo Merleau-Ponty (1999, p. 474), "é justamente meu corpo que percebe o corpo do outro, encontrando nele um prolongamento milagroso de suas próprias intenções, uma maneira familiar de se relacionar com o mundo". Esse posicionamento me leva a refletir que, se tocar e ser tocado, tal qual o entrelace das mãos esquerda e direita, é um gesto único, meu corpo-des-vestido e meu corpo-social, de igual modo, também o são. Meu corpo social é um prolongamento do meu corpo-des-vestido. Somos síntese de corpos vários, em intrínseca relação no mundo.

Do ponto de vista filosófico, é importante recordar o romantismo do "mito do bom selvagem" de Rousseau, quando afirmava que o ser humano[5] é bom por natureza, mas viver em sociedade pode causar sua degradação moral. O processo civilizatório seria, portanto, degenerativo da espécie humana, na medida em que o distanciaria de sua natureza. Leopoldi (2002, p. 159-60) fazendo alusão ao filósofo, destaca:

5 Permito-me, por uma questão de atualidade e gênero, substituir o termo "homem" de Rousseau por "ser humano".

Rousseau [...] atribui àquele estado [de natureza] características positivas a ponto de ser chamado o filósofo do *bom selvagem*, em alusão às qualidades superiores que, a seu ver, exibiam os indivíduos que viviam no estado de natureza. Uma de suas características básicas é, para Rousseau, o ambiente natural extremamente abundante e acolhedor, a ponto de parecer ter sido criado na medida exata para servir ao homem [...]. "Suas módicas necessidades", diz Rousseau, "encontram-se tão facilmente ao alcance da mão e ele está tão longe do grau de conhecimentos necessários para desejar adquirir outros maiores, que não pode ter nem previdência, nem curiosidade. O espetáculo da natureza, à força de se lhe tornar familiar, torna-se-lhe indiferente". A relação homem-natureza é, portanto, permeada por um ingrediente idílico marcado por uma complementaridade absoluta entre aqueles elementos. O equilíbrio dessa relação só vai-se romper quando ela começa a inserir-se num contexto dominado pela sociedade e pela civilização com as consequências necessariamente negativas que elas trazem. A "nostalgia" do estado de natureza é tão mais profunda quanto é para Rousseau a impossibilidade de o homem viver em sociedade de maneira tão pacífica e sadia quanto vivia naquele estado. Afinal, "a maioria de nossos males é obra nossa e [...] os teríamos evitado quase todos conservando a maneira de viver simples, uniforme e solitária que nos era prescrita pela natureza".

A natureza em harmonia com a natureza

Em Rousseau (1978), a natureza prescreve um modo de vida saudável, mas nós terminamos por realizar uma "socialização da natureza" ao transformá-la e ao manter com ela uma relação doentia de usurpação, de agressão e até mesmo de finitude, sem perceber que ambos nascemos e morreremos a um só tempo, dado que são entes de um só e mesmo ato relacional: ser humano-natureza – embora me pareça mais própria para expressar a dicotomia a seguinte expressão: ser humano/natureza, dada a cisão que temos visto ocorrer em atos insanos genocidas. Sim. Para que a grafia materialize a cisão.

Quando deslocamos o olhar dos discursos hegemônicos da religião e histórico-antropológicos do colonizador, identificamos, na atualidade, pelo menos três grupos humanos que não percebem a nudez com vergonha ou desonra: as crianças, os indígenas, e, em certa medida, os naturistas. Quem sabe não seriam estes uma espécie de "bons selvagens"?

A criança, muito discutida por Merleau-Ponty – talvez por sua percepção aquém da nossa percepção habitual, objetiva e cristalizada –, me provoca a reativar essa percepção de origem, quando a separação entre eu e o outro não era tão marcante. A infância, adolescência, o estado adulto e a própria velhice são encaradas, no naturismo, como estados naturais do desenvolvimento físico e psíquico, nos quais o corpo nu, mais que o corpo re-vestido, pode ser experienciado, visto, exatamente como é, a partir desses específicos momentos do desenvolvimento humano, não cabendo espaço para nenhuma ação de vergonha ou espanto.

A apresentação dicotômica do mundo infantil pré-objetivo e harmonioso, por um lado, e do mundo adulto objetivo, por outro, não deve ser vista a partir de uma afirmação dialética que foca a atenção ora em um ponto do pêndulo, ora em outro, impedindo a compreensão do caminho que é preciso fazer para se ir de um a outro ponto. Na compreensão gestáltica da realidade, o conflito é visto como uma oportunidade criativa de expansão do *self*. Nesse sentido, "[...] as dualidades podem ser observadas como aspectos diversos do mesmo fenômeno e não como contradições irreconciliáveis" (Ribeiro, 1997, p. 72).

Dessa forma, quando se chega à idade adulta, próxima do outro extremo do pêndulo, ao que tudo indica, nossa candura se desfaz, ou a trocamos por um maço de sentimentos introjetados, associados à "vergonha"; quando se embota nossa percepção aberta e criativa, passamos a adotar uma lente fosca, opaca e empoeirada por um excesso de mundo, um exagero de normas, métricas sociais, padrões culturais espessos; inegavelmente, um desajustamento criativo ao campo.

Somente voltando "às coisas mesmas", transcendendo, é possível reencontrar a inocência perdida, voltar além ou aquém de toda separação entre sujeito e objeto, eu e o outro e vislumbrar o vir-a-ser de algo que já é, o corpo des-vestido, nu, ao reproduzir o sentido original bíblico – "ora um e outro, isto é, Adão e sua mulher estavam nus e não se envergonhavam" (Gênesis 2, 25). A experiência e a vivência do nudismo se apresentam, aqui-agora, como caminho à integração de tais polaridades e abertura para novas configurações de campo.

Quanto aos *indígenas*[6] cuja prática é a nudez, ressalta-se que também ali há os aspectos socioculturais. Identificamos por meio da pintura corporal, em quase todas as sociedades indígenas, um significado amplo e diverso, que vai desde a expressão da beleza à preparação para a guerra. A ornamentação corporal é uma segunda "pele" e se caracteriza como um atributo sociocultural. O estilo, a cor e o local da pintura no corpo expressam o "status" de cada pessoa na aldeia. A pintura corporal é figura, o corpo nu, fundo, não existindo nenhuma orientação voltada para a pintura dos órgãos genitais como um modo de escondê-los ou proibi-los ao olhar do outro.

Tanto na vivência da infância quanto na vivência indígena, a nudez é uma espécie de confirmação do ser-nu, um modo de concessão da nudez em todo e qualquer espaço social. Aqui o corpo-pessoa é figura, a nudez é fundo.

6 O termo "indígena" é tratado aqui, como referência às diversas etnias, sem distinção, por considerar que no bojo deste estudo importa a percepção da nudez de modo abrangente, não sendo relevantes aspectos distintos de uma ou outra cultura. Registre-se que de modo algum desrespeito as particularidades dos povos.

O terceiro grupo humano são os *naturistas*. Ao contrário da criança e do indígena, que não vivenciam a consciência da proibição moral da nudez, os naturistas a experimentam e, por isso, criam espaços-refúgio identificados como legítimos para prática da nudez social, nos quais convivem com a necessidade de um encontro com seu ser-nu no tempo e no espaço coletivos.

Um lugar de permissão onde a vergonha social que, em tese, acompanha a adultez seja um elemento emocional inexistente, "proibido", interdito para a felicidade plena dos que experienciam o corpo nu. Afinal de contas, à luz de um olhar ecocomplexo que comporta ordem, interação, desordem e organização, o naturismo é uma forma possível de expressão do conceito de adaptação ao tentar reproduzir o paradigma de um viver próximo ao modo como a natureza nos apresenta à vida, corpos-nus.

A nudez, vivida naturalmente em sociedade e nas circunstâncias aqui referidas, é uma experiência libertadora. O fato de se estar nu junto de outras pessoas auxilia na compreensão de diversos processos relativos às experiências vividas no antes do nosso agora, provoca uma maior e profunda *awareness* corporal, desperta a exata dimensão de quem a pessoa é, gera nela uma verdadeira sensação do sagrado pela sensação de desapego e desprendimento de ser um corpo simplesmente terra, altera sua percepção de contato diante dela e do mundo que a observa. A vivência ora da nudez, ora do corpo re-vestido diz muito ao naturista, cuja experiência com o corpo nu e com o corpo re-vestido se alternam em constante movimento de formação de figura e fundo, processos que explicitam nele alguns dos processos básicos de ser ser humano, como o medo, a coragem, o proibido, a liberdade.

O corpo nu por um olhar teórico

Ribeiro (2006, p. 74) explicita essas experiências do ponto de vista gestáltico:

> *Awareness* é uma consciência de apreensão de totalidades, como se todo meu ser se resumisse em um único ato de cognição emocional. [...] é a expressão vivenciada e consciente de que somos seres de relação, em um profundo dar-se conta por meio de uma sensação de integração de todas as minhas partes em um único ato de percepção interna.

No estado de nudez colocamo-nos na posição radical de *"ir às coisas mesmas"*, pois minha nudez é minha totalidade consciente, está tudo ali, nada falta, não se pode ir além da própria pele. Meu estado de nudez me possibilita vivenciar um dos mais fundamentais princípios da fenomenologia, "resgatar a experiência imediata", pois meu corpo nu é *agora* e só *agora* ele é capaz de me colocar radicalmente diante de mim mesma, sem subterfúgios nem mentiras. Isso equivale a dizer que estar *aware* é ser e estar responsável por dar sentido a toda forma de experiência e por formar novas Gestalten, as quais me conduzem a uma *intencionalidade corporal* – ou seja, dar sentido ao que de fato tem sentido naquele aqui-agora de um corpo nu. Nesse estado de nudez, o corpo está em profundo contato consigo, com o outro, com o mundo à sua volta. Assim, *o contato* é um processo psíquico por meio do qual a pessoa entra em relação consigo, com o outro e com o mundo em busca de uma diferenciação física, psíquica e emocional.

A partir dessas reflexões, infiro que o naturista cria um campo próprio ao ajustamento criativo, ou seja, "processo pelo qual o corpo-pessoa, usando sua espontaneidade instintiva, encontra em si, no meio ambiente ou em ambos soluções disponíveis, às vezes aparentemente não claras, de se autorregular" (Ribeiro, 2006, p. 64).

Um campo, um estado psicoemocional no qual o proibido passa a ser o desejável, o vergonhoso volta a ser natural, o mundo da fantasia é sentido com fronteiras mais definidas, um contato mais saudável consigo mesmo se estabelece, uma capacidade aprimorada de mergulhar em si mesmo e de perceber o mundo se concretiza. O contato com a própria nudez e com a do outro representa, assim, um processo ativo e consciente de ajustamento criativo, de autoecorregulação organísmica pela harmonia que se estabelece entre sujeito-objeto, pessoa-mundo.

A experiência da nudez cria, assim, um campo relacional holístico por meio da *autoecorregulação organísmica*, ou seja,

> o respeito à totalidade funcional do organismo, [...] o olhar-se e o comportar-se como um todo organizado e eficiente, o privilegiar as necessidades que gritam dentro de nós para serem saciadas, o olhar-se como uma pessoa inteira no mundo, o amor ao corpo como a casa na qual habitamos. (Ribeiro, 2006, p. 56)

Essa experiência faz que a vivência do contato aconteça e se torne visível à atividade dinâmica de ciclos sucessivos de satisfação de necessidades, nos quais figuras que surgem de um fundo opaco se tornam configurações perfeitas, Gestalten cheias.

O naturista reconhece a necessidade hegemônica do mundo humano urbano de vestir o corpo-pessoa, reconhece essa necessidade dominante, aceita o fato de que a roupa satisfaça uma necessidade urbana e, de modo harmônico, consegue se retrair após o fechamento dessa Gestalt cultural. Por outro lado, vivencia sua relação com a nudez, atualiza sua necessidade de vivenciar a nudez plenamente e fecha essa Gestalt vivendo prazerosamente sua experiência de estar em ação em um corpo nu.

Assim, ao ter liberdade a partir de uma visão natural do corpo nu, inibida para a atitude de "desnudar-se em praça pública" – sob pena de cometer um ato reprovável de atentado ao pudor – e ao introjetar o "não pode" para o "ajustamento" social, o naturista, de certa maneira, entra em "acordo" com as normas sociais e deixa de produzir uma generalização do sentimento de proibição que afeta seu campo socioambiental.

Consciente das proibições sociais e da importância de viver o natural, ele cria um campo novo, propício para a livre expressão de seu corpo, isto é, ambientes, campos naturistas que se espalham por cada canto deste mundo em diferentes culturas. Nesses espaços, ele reconfigura sua realidade existencial, resgata a possibilidade de uma experiência imediata com seu corpo e divide com outras pessoas a recuperação do sentido original do corpo humano des-vestido.

A necessidade do naturista de criar um campo de ação novo, que, entre outros benefícios, resgate o sentido existencial da nudez e supra a falta de uma literatura apropriada sobre o tema, que dê sustentação ao modo de "ser natural" no mundo contemporâneo, desemboca na busca da compreensão e aceitação do naturismo em sociedades diferentes.

Carvalho (2013), em sua tese de doutorado, nos dá pistas que, ao mesmo tempo que inquietam, instigam um melhor entendimento sobre a natureza da ecopsicologia e seu papel de ampliação da participação nas discussões sociais sobre os destinos da espécie humana e do planeta. Ele assim se expressa, quando faz alusão à Perls, Hefferline e Goodman (1997) e ao conflito entre pessoas e sociedade: "Sociedades antipessoas surgem por meio de muitas formas de violência, desde as fisicamente brutais em relação à liberdade de seus membros até as sutilmente brutais, que lhes tolhem a consciência de si, tornando a sobrevivência uma carga (p. 70)".

Assim, no mesmo trilho, correm a explosão da ciência e do capital. Paralelas ligadas pelos dormentes da humanidade, que, paradoxalmente, ao mesmo tempo que conecta este naquela, se aprisiona entre ambos e se estreita de modo tão ilusório que crê ser a eternidade um pertencimento pessoal, não conseguindo assentar o olhar para as complexas e múltiplas possibilidade de cuidar do patrimônio natural das gerações futuras. "O pós-moderno, enquanto condição de cultura nesta era, caracteriza-se exatamente pela incredulidade perante o metadiscurso filosófico-metafísico, com suas pretensões atemporais e universalizantes." (Lyotard, 2015, p. viii).

Essa reflexão é importante porque dela deriva a inferência de que a falta do sentimento de pertencimento das pessoas ao que lhes é próprio e de respeito por si e pelo mundo nos distancia, cada vez mais, do sentido do corpo-presença – e, por extensão, da nudez de cada um e de todos nós. O naturismo, dentro dessa perspectiva da ecopsicologia, faz todo sentido.

Ribeiro (2006, p. 133) afirma que o homem não pode ser pensado sem o meio e discorre sobre a "autoecorregulação organísmica" como forma de tornar possível a vida humana no planeta. Partindo do conceito heraclitiano de que "tudo está ligado a tudo, de que tudo muda e tudo é um", o autor afirma que a relação do ser humano com o ser humano exige uma conexão urgente para evitar o ponto de saturação e estrangulação do planeta.

Nessa perspectiva, estamos diante de um campo inovador, porque nele as mais diferentes pessoas experienciam a si próprias e aos outros com harmonia, respeito e cumplicidade. Este campo gerado pelos naturistas é, em si, revelador da busca da boa forma, da melhor configuração organismo-ambiente por meio do autocuidado e da consciência de que vida, natureza, homem e sociedade são interligados. Um campo de convergência entre pessoas forma um fenômeno único, um todo organizado, articulado, indivisível, e gera uma realidade nova, o encontro respeitoso e harmonioso entre as diferenças existentes em um mundo que busca se reencontrar como uma configuração nutritiva.

O naturista almeja criar uma sociedade que respeite a pessoa, que não a desloque da sua condição de "natureza" viva, que beba a água da chuva e dance ao sol, ouvindo a música do vento, que não torne o planeta um simples objeto. Esse sentimento vem conquistando cada vez mais pessoas no mundo, talvez por uma saturação da mercantilização humana, talvez por uma exaustão da padronização artificial de nossos corpos.

A legislação do naturismo: um pouco de história

Segundo Pereira (2000), a Federação Internacional de Naturismo, que na década passada, coordenava 34 federações nacionais, responsáveis por 850 clubes e mais de 1.500 praias, relata que, no início do século XX, na Alemanha, um professor de uma escola primária realizava, diariamente, exercícios nus ao ar livre com intuito de promover a saúde aos alunos. Aos poucos, segundo o referido autor, as crianças demonstraram um estado mais benéfico e saudável. Assim, os pais ficaram entusiasmados e começaram também, nas horas vagas, a praticar exercícios totalmente nus. Essa prática teria crescido e fundado o movimento "Culto do Corpo Livre[7]", sendo considerado a origem do naturismo na Europa.

O naturismo, segundo Deschênes (2016) foi definido pela Federação Internacional de Naturismo em 1974 como "um modo de vida em harmonia com a natu-

7 Frei Körper Kultur (FKK). Pouco depois, o nazismo teria proibido esse movimento por questões mais políticas do que morais.

reza, caracterizado pela prática da nudez social, que tem por intenção encorajar o autorrespeito, o respeito pelo próximo e o cuidado com o meio ambiente" (p. 2).

Nessa definição, o que se torna figura nas sociedades urbanas é o termo "nudez social", porque o conceito guarda em si uma espécie de filosofia de vida, uma postura provocativa para que o mundo mude, para a construção de uma sociedade mais harmonizada na sua relação eu-mundo, em contraposição às sociedades urbanas, tecnológicas, consumistas, "antipessoas" (Perls, Hefferline e Goodman, 1997, p.141), baseada numa noção de corpo simplesmente revestido a qualquer custo.

Essas sociedades vêm se caracterizando, cada vez mais, como "antipessoas", com seu rigor inalcançável e exigente de padrões corporais estéticos que têm provocado um verdadeiro massacre nos indivíduos. Difícil sair desse personagem construído para movimentar bilhões de dólares das indústrias da moda, das chamadas "roupas de marca", da beleza comprada e até mesmo dos fármacos. Não é de admirar que o consumismo tenha se tornado uma das causas mais importantes na geração dessa neurose de angústia baseada numa visão de corpo ungida por alto investimento financeiro.

Tomada por essas inquietações, como não fazer referência a Dora Vivacqua, mais conhecida como Luz Del Fuego, uma das responsáveis pelo movimento naturalista brasileiro. Segundo Pereira (2006, p. 125),

> em 20 de novembro de 1954, um ano após a fundação da INF [Federação Internacional de Naturismo], em Montalivet, surge o marco definitivo do movimento naturista brasileiro: Luz Del Fuego cria, no Rio de Janeiro, o Clube Naturalista Brasileiro. Os assentamentos do partido e do clube estão, conforme a lei, no Registro Civil de Pessoas Jurídicas, nos livros A-3 e A-1. São fatos estabelecidos, inteiros e de fé incontestável. Luz Del Fuego publicou dois diários, *Trágico blackout* e *A verdade nua*, e a *Revista Naturalismo*. Nesta última afirmou: "A natureza nos exemplifica a vida [...]. A hipocrisia e o preconceito, por conveniências e interesses, adoecem o corpo e a alma da humanidade. [...] Nascemos nus e nus vivem os índios no mais afervorado respeito a seus preceitos de moral. O naturismo exprime o caráter de tudo o que é real, do que é natural".

Pela coragem e novidade de suas ideias, ela foi internada em hospitais psiquiátricos por força da determinação dos irmãos, que a julgavam insana. Havia uma transgressão impensável naquela acepção de moralidade, e sabemos que toda transgressão se esvai uma vez que haja sua legitimação. Para a sociedade de então, um corpo exposto era algo absurdamente impensável. Interessante lembrar o romance *A pata da gazela*, de José de Alencar, o qual faz referência ao jovem Leopoldo, que se apaixona pelo tornozelo de uma moça. Partes do corpo não vistas, não expostas, sejam elas quais forem, se revestem de uma espécie de desejo proibido, desperto por uma parte do todo que se torna figura proibida. Um desejo regido pela sedução do véu, do tecido que cobre e esconde e se transforma na cena da sedução e da fantasia, que provoca sensações ligadas ao erotismo.

Essas reflexões nos permitem afirmar que o corpo nu não é, *per se*, indecente ou erótico. Em um espaço naturista, o estar nu me parece naturalmente mais confortável do que em campos de nudismo facultativo. A sensação de unidade, de interconexão de todas as pessoas que ali estão, é facilitada pelo corpo único que se forma estando todos nus.

Tramita na Câmara dos Deputados, o Projeto de Lei n. 1.411/1996, de autoria do deputado Fernando Gabeira, que fixa normas gerais para a prática do naturalismo e dá outras providências.

> Art. 2º Denomina-se naturismo o conjunto de práticas de vida ao ar livre em que é utilizado o nudismo como forma de desenvolvimento da saúde física e mental das pessoas de qualquer idade, através de sua plena integração com a natureza.
> Parágrafo único: A atividade definida no *caput* deste artigo, em áreas autorizadas, não constitui ilícito penal.
> [...]
> Art. 3º Denominam-se espaços naturistas as áreas destinadas à prática do naturismo nas praias, campos, sítios, fazendas, áreas de campismo, clubes, espaços para esportes aquáticos, unidades hoteleiras e similares em que seja autorizada a prática do naturismo, em âmbito federal, estadual ou municipal.

O referido PL retira da categoria de "ilícito penal" áreas que sejam concedidas pelo Estado para a prática de naturismo. Trata-se de um modo de regular o "como" e o "onde" ser nu e o modo e o espaço do corpo despido. Inevitáveis leis regulatórias que, embora na contramão do "bom selvagem", nos conduzem à prescrição regulatória necessária à própria segurança dos participantes do naturismo.

Considerações finais: trilhas abertas entre linhas e letras nuas

Caro leitor, aqui me despeço tecendo algumas considerações finais a respeito dessa nossa caminhada. Não foi minha intenção seduzi-lo ou mantê-lo cúmplice desse modo de sentir, pensar, agir e expressar minhas inquietações, nem tampouco pretendi conduzi-lo a evidência alguma sobre a nudez social. Todavia, confesso meu profundo respeito por nosso encontro nestas trilhas de linhas e letras à procura de sentidos que se travestem na nudez social.

Se Merleau-Ponty me faz compreender que a percepção é pré-conceitual, que nosso corpo tem a dimensão de nossa percepção, que o mundo estético se forma com a experiência e com a atividade do corpo próprio e, ainda, que este se constitui na convergência da percepção do mundo, como me parece ingênua a denegação da nudez social.

O corpo nu, em meio a outros em igual condição, talvez seja uma oferta única e generosa da natureza em busca de conter o potencial grau de destruição do humano em sua relação com o mundo.

A minha nudez se parece com a sua nudez. Somos iguais na busca de uma relação harmônica de simplicidade, beleza, equilíbrio e paz. É uma forma de contato com o mundo na qual não basta a mim me ver como tal: eu preciso me doar e ser vista entre os meus iguais. Trata-se de uma troca, e essa troca cria um campo experimental, experiencial, existencial e, às vezes, até transcendental. Refiro-me a um campo de força que emerge da relação das pessoas com a natureza em estado de homeostase, no qual a realidade relacional é produzida por variáveis psicológicas ligadas ao sentimento de conexão com a paz, a tranquilidade e a alegria de simplesmente existir. É essa a realidade fenomênica do *naturista*.

Nesse campo, me dou conta de mim, sou capaz de resgatar minha experiência de sentir a mim mesma por meio de um processo de centragem, alargo minhas fronteiras da percepção própria, percebo-me como instrumento de cura e mudança, enraízo a noção de mim mesma, amplio minha consciência do meu corpo próprio e me faço sujeito de minha própria consciência.

A passagem de Merleau-Ponty (1975) quando discorre sobre "a percepção e o diálogo" é magnífica e assim se expressa:

> O olhar que eu lançava pelo mundo, como o cego tateia os objetos com seu bastão, alguém os pegou pela outra ponta e os retorna contra mim para, por sua vez, tocar-me também. Não me contento mais em sentir, sinto que me sentem, e me sentem enquanto estou sentindo. [...] como posso ver uma coisa que se põe a ver? (p. 168)

Foi unindo pensamento e sensibilidade como caminho para a compreensão do ser naturista que, para aquém da nudez cotidiana, em espaço reservado do mundo privado, necessito da nudez social porque, talvez, não mais me *baste sentir, preciso sentir que os outros me sentem.*

Assim, imagino, aos moldes de Husserl, que cada momento do tempo possui uma fecundidade absoluta, sobretudo a arte das qualidades de ser único e de jamais deixar de ser sem ter sido. De igual modo, sei que o naturismo tem a petulância do tempo: jamais deixará de ser sem ter sido. Pois que assim seja.

Retomando meu objetivo delineado para este estudo, qual seja, o de me aproximar da essência do corpo-presença em Merleau-Ponty e, a partir daí, inferir algumas assertivas acerca da dimensão humana nesse tempo-espaço tortuoso no qual está contido o "tornar-se humano" na contemporaneidade, considerando o corpo nu e o corpo-[re]vestido, me é possível afirmar que a prática do naturismo tem a potência vital de me tornar mais humana, mais saudável em minha relação eu-mundo, mais livre para ser quem quero ser, mais respeitosa com outro e, sobretudo, mais feliz comigo mesma – pois no naturismo encontramos um viés para a reconciliação entre nossas partes apartadas pelas sociedades antipessoas. No naturismo, sou uma totalidade existencial, de sentido, e a totalidade sou eu.

Assim, tenho a honra de convidar Jorge Ponciano Ribeiro (2006, p. 21) para proferir as palavras finais deste estudo: "Tentar resgatar o ser humano sem levar em conta que ele é, essencialmente, corpo-mente-meio ambiente é desconhecer a verdadeira essência da pessoa e torná-la inatingível [...]".

E Chang-Tzu (*apud* Merton, 1969, p. 28) para, por meio da poesia, nos enlevar e nos conectar com a voz dos ventos, das montanhas e das águas:

Sopro da natureza

Quando a Natureza magnânima suspira
Ouvimos os ventos
Que, silenciosos,
Despertam as vozes dos outros seres,
Soprando neles.
De toda fresta
Soam altas vozes. Já não ouvistes
O marulhar dos tons?
Lá está a floresta pendente
Na íngreme montanha:
Velhas árvores com buracos e rachaduras,
Como focinhos, goelas e orelhas,
Como orifícios, cálices,
Sulcos na madeira, buracos cheios d'água:
Ouve-se o mugir e o estrondo, assobios,
Gritos de comando, lamentações, zumbidos
Profundos, flautas plangentes.
Um chamado desperta o outro no diálogo.
Ventos suaves cantam timidamente,
E os fortes estrondam sem obstáculos.

E então o vento abranda. As aberturas
Deixam sair o último som.
Yu respondeu: Compreendo:
A música terrestre canta por mil frestas.
A música humana é feita de flautas e de instrumentos.
Que proporciona a música celeste?
Mestre Ki respondeu:
Algo está soprando por mil frestas diferentes.
Alguma força está por trás de tudo isso e faz
Com que os sons esmoreçam.
Que força é esta?

Referências

Alencar, J. de. *A pata da gazela*. 15. ed. São Paulo: Ática, 1998.

Bello, A. A. *Fenomenologia do ser humano – Traços de uma filosofia no feminino*. São Paulo: Edusc, 2000.

Brasil. Câmara dos Deputados. *Projeto de lei n. 1.411, de 10 de janeiro de 1996*. Fixa normas gerais para a prática do naturismo e dá outras providências. Brasília: Câmara dos Deputados, 1996. Disponível em: <https://www.camara.leg.br/proposicoesWeb/fichadetramitacao?idProposicao=16688>. Acesso em: 20 jul. 2022.

Brasil. Ministério da Cultura. Biblioteca Nacional. Departamento Nacional do Livro. *A carta de Pero Vaz de Caminha*. Disponível em: <http://objdigital.bn.br/Acervo_Digital/livros_eletronicos/carta.pdf>. Acesso em: 8 abr. 2022.

Carvalho, M. A. B. *Ecopsicologia e sustentabilidade – De frente para o espelho*. Tese (doutorado em Desenvolvimento Sustentável). Universidade de Brasília, Brasília (DF), 2013.

Deschênes, S. "The official INF-FNI definition of naturism". 4 jan. 2016. Disponível em: <https://ia600205.us.archive.org/15/items/OfficialINFFNIDefinitionOfNaturism/Official%20INF-FNI%20Definition%20Of%20Naturism.pdf>. Acesso em: 8 abr. 2022.

"Gênesis". In: *Bíblia – Tradução ecumênica*. São Paulo: Paulinas, 2002.

Ghiraldelli Jr., P. *Intencionalidade corporal?* 2007. Disponível em: <http://ghiraldelli.files.wordpress.com/2007/11/paulo_verss_jurandir.pdf>. Acesso em: 7 abr. 2022.

João Paulo II. *Theology of the body*, 14 maio 1980.

Leopoldi, J. S. "Rousseau – Estado de natureza, o 'bom selvagem' e as sociedades indígenas". *Alceu*, v. 2, n. 4, jan.-jun. 2002, p. 158-72.

Lyotard, J-F. *A condição pós-moderna*. Rio de Janeiro: José Olympio, 2015.

Merleau-Ponty, M. *O homem e a comunicação: a prosa do mundo*. Rio de Janeiro: Bloch, 1974.

______. "O filósofo e sua sombra". In: *Textos escolhidos*. São Paulo: Abril Cultural, 1975 (Coleção Os Pensadores).

______. *Fenomenologia da percepção*. São Paulo: Martins Fontes, 1999.

Merton, T. Via de Chuang Tzu. Rio de Janeiro: Vozes, 1969.

Pereira, P. *Corpos nus – O testemunho naturista*. 2. ed. Rio de Janeiro: Leymarie, 2000.

Perls, F.; Hefferline, R.; Goodman, P. *Gestalt-terapia*. São Paulo: Summus, 1997.

Ribeiro, J. P. O ciclo do contato. São Paulo: Summus, 1997.

______. *Vade-mécum de Gestalt-terapia – Conceitos básicos*. São Paulo: Summus, 2006.

Robine, J-M. *O self desdobrado. Perspectiva de campo em Gestalt-terapia*. São Paulo: Summus, 2006.

Rousseau, J.-J. *Do contrato social; Ensaio sobre a origem das línguas*. 2. ed. São Paulo: Abril Cultural, 1978 (Coleção Os Pensadores).

"Vergonha". In: *Michaelis Dicionário brasileiro da língua portuguesa*. São Paulo: Melhoramentos, 2015 (versão *online*).

Villamarín, A. J. G. *Sucesso, paz interior e felicidade*. Porto Alegre: AGE, 2003.

Zilles, U. *Introdução de "A crise da humanidade europeia e a filosofia"*. Porto Alegre: EDIPUCRS, 2002.

16. AS BEM-AVENTURANÇAS: UMA DEMANDA PARA HOJE

Introdução: a natureza do amor

O amor é um processo, uma construção, um estado, uma virtude, uma energia. Supõe determinação e coragem para vivê-lo.

O mandamento divino do amor desvela algo que é inato em nós, mas que precisa ser redescoberto e, então, cultivado. Não nascemos amando, nem o nascer é fruto necessário do amor, embora o nascer seja meu primeiro momento de amor, meu primeiro momento de encontro com a vida. O amor não é um gesto, embora existam muitos gestos de amor. Amar supõe um encontro ontológico comigo, em primeiro lugar, pois para amar tenho de ser. Sou também e então, cronologicamente, minha primeira fonte de amor. Primeiro me encontro, pois perdido de mim mesmo não encontrarei a estrada que me leva ao outro.

O amor é, em primeiro lugar, um encontro dentro, um olhar profundo para minha própria alma, tentando dar um nome, um sentido a ela. Quando me enxergo, nesse primeiro instante existencial, consigo, através do meu olhar, enxergar o outro. Quando não me enxergo, vejo o outro como uma figura desfocada, como a visão do motorista, em noite de neblina, trocando os faróis alto e baixo para se localizar e descobrir os detalhes da estrada.

O Senhor fez do Amor o primeiro e maior dos mandamentos: "Amarás teu próximo como a ti mesmo". É próprio do amor sair de si e encontrar o outro, mas o amor não é, essencialmente, um olhar para o outro, mas um olhar para si mesmo. Se eu não me enxergar primeiro, não terei olhos para ver o outro, pois a beleza do amor está no transcender do olhar: quando de fato olho o outro, descubro nele tudo que sou e muito mais, tudo aquilo que não sou.

Amar é encontrar a diferença no outro e, mais que isso, investir nela. Quando invisto na diferença do outro, eu me amplio, cresço existencialmente, comungo com a alteridade do outro, torno-me ele e ele se torna eu. Esse é o mais divino dos processos ecológicos, pois nessa comunhão de diferenças torno-me um só, em espírito e em verdade, e passo a ser com o outro um só coração e uma só alma.

Deus é definido como O Amor porque Ele é a síntese ontológica das diferenças de todos nós.

Fazer amor não é amar. Amar é fazer amor com a diferença do outro e transar com ela, deixando todas as forças de nossa alma e de nosso corpo encontrarem às dele até que, num murmúrio divino de sons, gemidos, suores, alegria e, às vezes, dor, chegamos ao orgasmo existencial, que é o encontro das diferenças de dois corpos se fundindo em uma só alma.

Por isso transar, quando há a comunhão de diferenças de um encontro pleno, pode ser um dos caminhos mais curtos e eficientes para se chegar a Deus. Nessa transa, síntese dialógica e dialética de dois seres, opera-se uma troca maravilhosa de diferenças através do gesto criativo, que é movimento e vida. Transar se transforma em amar. Desaparecem os nomes, fica o dado.

Porém (e aqui abro parênteses), transar no sentido popular da palavra, sem amor, sem o sentido existencial do outro, sem comungar as diferenças e amá-las é agir no vazio, é frustração, é egoísmo.

Vou mais longe: fazer amor, ainda que num casamento formalmente realizado, sem transar o sentido existencial do outro, mantendo as diferenças pela não aceitação interna do outro, num gesto de não entrega, é também agir no vazio, é sonegação e desordem, enquanto quebra da harmonia eu-outro, eu-mundo. O casamento, por si só, não gera o direito ao ato de amor; ao contrário, é o amor que constitui e legitima a união entre duas pessoas.

O transar verdadeiro é um *trans-ar*, é troca de ar, de sopro, de espírito de um para com o outro.

Assim proponho, jocosa e respeitosamente, fazer uma alteração linguística no mandamento divino: "Transarás o outro como transas a ti mesmo". Esse é o mandamento experiencial, sendo "Transarás com o outro, seja em que sentido for, como transas contigo mesmo", o mandamento experimental. A junção desses dois momentos, experiencial e experimental, forma o amor existencial, que é síntese e virtude, prazer e gozo. Trata-se da mais alta expressão da ecologia interna, processo pelo qual eu e o mundo entramos numa permanente transa existencial pelo respeito das diferenças um do outro, o que significa também comunhão permanente do corpo (matéria) e do sangue (alma) um do outro.

Ecologia, como o amor, é só parceria e cumplicidade.

O amor, portanto, não é uma palavra, mas uma virtude, uma força, um processo que experimento e experiencio. O amor é um "que" e um "como", supõe procura, dá trabalho para ser entendido, sentido, feito e, mais ainda, falado. Quanto mais falo do amor, menos o experiencio e o experimento, e quanto mais o experiencio e o experimento, menos falo do amor – nesse caso, ele deixa de ser uma mera palavra, um gesto ou uma coisa para ser a expressão pura e simples de meu existir humano.

Amar, mais que um ato de entrega ao outro, é um ato de entrega a mim mesmo. Só quando me possuo por inteiro estou pronto, de fato, para dar e receber amor. É difícil dar se não sei receber, é difícil receber se não sei dar.

Amor é aqui e agora. Quando amo preocupado com as interferências do passado ou do futuro, apenas parte de mim está presente. Atomizo o amor, porque em um único ato faço amor envolvendo as três dimensões do tempo.

O amor unifica passado e futuro. O orgasmo existencial ou o físico, fruto do amor, é a plenitude do aqui-agora. Se estou no passado ou no futuro, ou nos dois, menos no aqui, o amor se ausenta, escorraço o amor; e o orgasmo, síntese maravilhosa de duas diferenças se encontrando, não ocorre – se perde em reações secundárias.

Se olho o presente com os olhos de ontem ou com os olhos do amanhã, perco a riqueza da experiência imediata, que é o elemento essencial da transformação, do contato, da consciência emocionada.

O amor é holográfico, isto é, o amor de um ser por outro tem a mesma essência do amor divino, pulsante no coração do Mestre quando diz a Marta que Maria escolhera a melhor parte ao se colocar enamorada aos seus pés e que esta não lhe seria tirada (Lucas 10, 38-42).

O amor é holotérmico, isto é, o calor que os amantes sentem ao olharem embevecidos um para o outro é da mesma natureza do amor divino quando, num gesto de infinito poder, cria o primeiro homem e a primeira mulher e entrega um ao outro, dizendo: "Crescei e multiplicai-vos" (Gênesis 1, 28).

O amor é holodinâmico, isto é, a força e o movimento que invadem o agricultor ao lançar sua semente à terra, na esperança da colheita, são a mesma força e movimento que impulsionam o poder do Mestre ao gritar, à beira do túmulo de Lázaro, morto havia quatro dias: "Lázaro, vem para fora". E Lázaro foi (João 11, 1-45).

Quando junto essas três dimensões no mais íntimo do meu ser, tenho o amor consubstanciado em Deus e tenho Deus, em forma de amor, dentro de mim. E, se eu tiver fé do tamanho de um grão de mostarda de que, naquele momento, Deus é em mim, eu serei todo Ele, sem passado nem futuro, porque Ele é um eterno presente; nele, passado e futuro desaparecem. Afinal, precisamos do passado e do futuro como garantias humanas para pensar que existimos. O presente só não basta.

Cotidianidade e amor: um dia do mestre

Eram cerca de quatro horas da tarde quando Jesus chegou a Cafarnaum, depois de uma longa caminhada de 40 quilômetros. O sol se punha brilhante e colorido sobre as águas do lago de Genesaré. Apesar do cansaço, Jesus resolveu ir até as margens do lago. Tirou as sandálias, caminhou um pouco, lavou os pés empoeirados, banhou o rosto com a água fria de inverno, enxugou-o com as pontas de seu manto e se assentou num velho tronco de carvalho.

Como sempre, as pessoas o encontraram, ávidas por ouvi-lo e tocá-lo. E Ele, com um belo sorriso, começou a falar livremente para as pessoas, que o ouviam embevecidas.

O sol se punha lentamente. Apesar de sua disposição, podia-se notar, no rosto de Jesus, sinais do cansaço daquele dia.

Ele falava despreocupadamente quando Jacó, um fariseu que o vinha seguindo, meio às escondidas, lhe perguntou, sem chamá-lo de mestre: "Qual é o primeiro de todos os mandamentos?" (Mateus 22, 36-40).

Jesus se pôs de pé. O vento da tarde sacudiu seus cabelos castanhos. Seus olhos brilhavam com o brilho de Sua Majestade. O timbre de sua voz parecia ligeiramente alterado. Era como se ele encarnasse o próprio Filho do Pai. E disse: "Ouve, ó Israel, o Senhor, o nosso Deus, é o único Senhor. Ame o Senhor, o Seu Deus, de todo o seu coração, de toda a sua alma, de todo o seu entendimento e de todas as suas forças. O segundo é este: 'Ame o seu próximo como a si mesmo'. Não existe mandamento maior do que estes" (Marcos 12, 28-31).

Recolheu os braços e fez um gesto de profunda introspecção. Ele sabia que, naquele instante, havia mudado o rumo da história. Olhou para Pedro e perguntou: "Posso me hospedar em sua casa esta noite?". O discípulo respondeu: "Claro, Senhor, a casa é toda sua".

No caminho, Jesus perguntou pela sogra de Pedro, que ele havia curado de uma intensa febre poucos dias antes (Mateus 8, 14-15). "Ela está bem, Senhor, e certamente ficará feliz de lhe preparar uma bela ceia".

Suzana, sogra de Pedro, esboçou um grande sorriso ao ver Jesus entrar casa adentro. Raquel, mulher de Pedro, cumprimentou Jesus, fazendo-lhe uma reverência e recebendo dele o cajado que ele sempre levava nas suas caminhadas. Jesus se assentou num pufe de couro de camelo e Pedro lhe trouxe água morna para lavar os pés e o rosto. Feitas as abluções de praxe, Jesus se acomodou confortavelmente e Raquel trouxe dois pratinhos, um com tâmaras do Mar Morto e outro com azeitonas secas de Getsêmani, além de uma jarra com delicioso vinho de Caná.

O Mestre parecia com fome e misturava livremente tâmaras e azeitonas, saboreando de vez em quando o vinho tinto de Caná.

"Sabe, Pedro", perguntou Jesus suavemente, "o que é o amor?"

Pedro, que estava em pé, sentou-se olhando atentamente o Mestre e de soslaio para Raquel. Jesus esperou que Pedro se acomodasse e, com meio sorriso nos lábios, percebendo a dificuldade de Pedro, se calou, como se nada houvesse perguntado.

Raquel, porém, interveio e disse ao marido: "O amor, Pedro, é diferente do amar. O amor é um sentimento profundo que nasce do encontro do coração com a mente e com a vontade de fazer. Quando alguém é possuído por ele, se eleva a um alto nível de contemplação. O amor nos dá a consciência transformadora de quem somos, pois quando amamos desaparece a diferença entre a pessoa e o outro, e a pessoa se sente um com ele. As pessoas, Pedro, são feitas de amor, porque Deus é amor, e saímos dele como fagulhas divinas em forma humana".

Pedro olhava para o Mestre no mais absoluto silêncio, ele era só ouvidos. Estava perplexo com a fala da mulher. Não sabia como nem onde aprendera tais coisas. E era sua responsabilidade ser depositário de tal doutrina, que ele expressaria maravilhosamente bem em suas duas cartas, escritas muitos anos depois.

Raquel se aproximou. Parecia querer dizer alguma coisa, mas se calou ao ver o rosto concentrado do Mestre. Jesus olhou para ela e disse: "Amar, Raquel, é fazer o amor interior de cada um acontecer em si em primeiro lugar, depois nos outros. Amar é praticar a igualdade, a misericórdia, a compaixão, é dividir os dons, os talentos que o Pai colocou no coração de cada um. Amar é também fazer multiplicar tais talentos e dons".

Raquel interrompeu: "Por isso disseste há pouco, que amar é amar com o coração, com a alma, com o espírito, com toda a força".

Pedro olhava perplexo para Raquel, vendo sua coragem e até a intimidade com que interrompera a fala do Mestre.

"Sim", respondeu Jesus amigavelmente. "Amar com o coração é amar com a inocência de uma criança, sem medo da entrega, sem esperar vantagens, é amar com alegria, como se seu irmão fosse, de fato, uma parte de si mesma. Amar com a alma é amar com calor, com energia, com vibração pela vida, é deixar as emoções apontarem a estrada que é o outro, não esquecendo que o outro é apenas o outro lado da medalha que é você mesma". "Amar com o espírito é amar o universo todo e tudo no universo, é amar com a inteligência, com a vontade, com a memória, com o poder de entrega e transformação sem sonegar na troca, porque sonegar no amor é a pior ação que você pode fazer contra si mesma".

"Sim, Pedro" – e parece que Jesus antevia o futuro de Pedro – "amar com força. O amor é forte, é ousado, é corajoso, vai sem olhar para trás, é decidido, destemido".

Um cheiro delicioso, vindo da cozinha interrompeu a fala. Jesus olhou para Raquel, levantou-se e se dirigiu para a cozinha.

"Que cheiro delicioso", disse ele a Suzana, destampando uma grande panela de barro. Jesus de fato se sentia em casa.

"Tem fome, Mestre?", ela perguntou.

"Sim, um pouco. Andei muito hoje e já é tarde".

"A ceia será servida já e espero que goste. Preparamos uma sopa de lentilhas do campo e postas de carneiro assado com ervas amargas".

O jantar foi servido. O Mestre estava descontraído e falava amorosamente. Quando todos terminaram, ele sorveu um último gole de vinho, limpou as mãos com uma alvíssima toalha de linho e disse: "É tarde. O jantar estava ótimo. Amanhã temos muito trabalho". E, com um largo sorriso, disse: "Obrigado pela ceia e boa noite". Pedro acompanhou Jesus até seu quarto.

As bem-aventuranças

As bem-aventuranças são a mais dinâmica expressão do amor de alguém por si mesmo. Trata-se de um processo consciente de retroalimentação que, partindo da privação de algo, produz a bem-aventurança do seu oposto.

As bem-aventuranças são um processo de equalização interior através do qual o organismo, como um todo, se autonutre a partir de suas próprias reservas, funcionando dialeticamente.

As bem-aventuranças são um processo de contato com o sagrado de cada um através do qual o organismo plenifica suas potencialidades, criando um movimento no qual um processo interior transcende o dado externo, produzindo uma energia de autocura por intermédio de uma mudança paradoxal, pelo encontro cognitivo-emocional com seu oposto.

As bem-aventuranças têm duas partes, sendo a relação da segunda parte com a primeira que as torna uma boa-nova. Na primeira parte, Jesus abençoa uma privação, que na segunda é remunerada generosamente. Assim, a novidade das bem-aventuranças não está na primeira parte – por exemplo, "Bem-aventurados os pobres" –, mas na segunda – "porque deles é o reino dos céus".

A novidade do Sermão da Montanha é que as bem-aventuranças, mais do que legitimar a primeira parte – "Bem-aventurados os que choram" – constituem processos de libertação e liberação na promessa através da segunda parte.

Penso que as oito bem-aventuranças poderiam ser os oito mandamentos da ecologia humana, por serem expressões claras de um comportamento que reverencia a dor, a pobreza, a mansidão, a pureza, produzindo um processo de libertação e liberação internas. Elas contêm uma ética essencial e planetária, como processo, pelo incentivo a uma vivência interior que transforma a realidade perversa, fruto da violência, em crescimento pessoal.

As oito bem-aventuranças juntam a prática e a teoria dos direitos humanos à prática e à teoria dos deveres humanos, porque estabelecem condições de sustentabilidade, de convivência e de ética humanas.

As bem-aventuranças são o fiel retrato do caminhar humano e do planeta. Falam da pobreza, do choro, da dor, dos injustiçados, da mansidão, da misericórdia, da pureza e da paz – todos grandes lenitivos de que os humanos e o planeta precisam para deixar de sobreviver e passar a supraviver neste limiar do terceiro milênio.

Eram 10 horas. Jesus já caminhara alguns quilômetros. Caminhava em silêncio. Suas passadas eram largas e firmes. Respirava intensamente quando andava, observava tudo à sua volta. Tudo era vivo para ele, podia-se ver o prazer nos seus olhos; pela expressão de seu olhar, o Mestre parecia se encontrar e se encantar, a cada passo, com tudo que via, como se a natureza fosse reflexo dele.

As pessoas perderam o hábito de sentir porque perderam o hábito de enxergar. Sentir é enxergar com todo o corpo e com toda a alma. Se conseguirmos sentir com os olhos do corpo e da alma, veremos o mundo fora de nós como um céu estrelado de mil emoções, de mil caminhos, como uma floresta de mil árvores e mil sons, como uma praça com mil pessoas, com mil corações cantando as mais variadas canções. E veremos a nós mesmos como um imenso candelabro de mil lâmpadas iluminando nosso próximo passo com a luz que emana da energia das batidas de nosso coração.

Primeira bem-aventurança

Jesus se dirigia a Tiberíades, mas antes faria uma parada no Monte Tabor, perto de Cafarnaum. Apesar do calor do dia, uma pequena multidão o seguia curiosa de seus gestos, de sua fala, de seus milagres.

Depois de uma pausa para uma pequena refeição com mel, queijo de leite de cabra e pão, que ele trazia em seu alforje, dirigiu-se a uma pequena elevação e olhou firmemente para a multidão. Seus olhos eram tão penetrantes que cada um sentia que Jesus falava diretamente para si.

Elevou os olhos ao céu e, com voz clara e firme, disse:

"Bem-aventurados os pobres de espírito, pois é deles o reino dos céus" (Mateus 5, 3). "Não acumulem para vocês tesouros na terra, onde a traça e a ferrugem destroem, e onde os ladrões arrombam e furtam. Mas acumulem para vocês tesouros no céu, onde a traça e a ferrugem não destroem, e onde os ladrões não arrombam nem furtam. Pois onde estiver o seu tesouro, aí também estará o seu coração" (Mateus 6, 19-21).

E, olhando para um grupinho de fariseus que estava ali para observá-lo, fulminou: "Mas ai de vocês, os ricos, pois já receberam sua consolação. Ai de vocês, que agora têm fartura, porque passarão fome. Ai de vocês, que agora riem, pois haverão de se lamentar e chorar" (Lucas 6, 24-25).

É interessante observar como as atitudes de Jesus eram claras, assertivas, centradas no aqui-agora. Fazia o que pensava e sentia, exercia plenamente sua liberdade, indiferente ao que as pessoas pudessem falar ou pensar. Optar pelas consequências de um gesto é o último momento de um ato de liberdade. Jesus não vivia em dois mundos, o dele e o dos outros. Seu mundo era o mundo à sua frente.

Mateus diz: "Bem-aventurados os pobres em espírito", isto é, limpos, abertos, simples, agradecidos pelo que surge, sem ganância, vazios de desejos materiais.

Lucas (6, 20), no entanto diz: "Bem-aventurados vocês os pobres", e eu entendo pobre no sentido diferente de Mateus, isto é, pobre de dinheiro, de riquezas.

É difícil saber o significado exato dos termos "pobreza" e "pobre" na palavra de Jesus, mas em ambos a promessa é a mesma: "pois a vocês pertence o Reino de Deus".

A recompensa é função da liberdade de ação: quanto maior a liberdade, maior a recompensa interna e externa. Por um gesto obrigatório se agradece, por gestos fruto de trocas na espontaneidade se recompensa. Assim, a recompensa de uma pobreza livremente aceita pode ser o "Reino dos Céus", que é paz de espírito, iluminação, abertura para o todo, convivência com o sagrado, com o divino, luminosidade interior na insustentável leveza de nosso ser.

Bem-aventurados os pobres de espírito e de bens materiais, isto é, aqueles que tomam consciência da liberdade interior e do poder criativo e criador que a despreocupação consciente com os bens materiais lhes proporciona. O Reino dos Céus é o lugar do poder e da riqueza que nada destrói, porque se realiza no coração despreocupado daquele cuja dádiva máxima é ser e não ter, enxergando a vida como um dom supremo.

Fica clara na fala de Jesus uma postura de ecologia humana, uma forma de equilibração entre dar e receber, entre agir e se emocionar, em que o eu e o mundo estão sempre experimentando um ao outro em busca de uma possível aliança, de uma complementação que permita a ambos ser diferenciando-se para viver com qualidade.

Segunda bem-aventurança

Jesus olhava para o grupo, agora formado por dezenas de pessoas que o ouviam, e descobriu bem longe, completamente separados dos outros, um grupo de leprosos. Então, elevando a voz até eles, disse: "Bem-aventurados os que choram, pois serão consolados" (Mateus 5, 4). "Bem-aventurados vocês, que agora choram, pois haverão de rir" (Lucas 6, 21).

"Observem as aves do céu: não semeiam nem colhem nem armazenam em celeiros; contudo, o Pai celestial as alimenta. Não têm vocês muito mais valor do que elas? Quem de vocês, por mais que se preocupe, pode acrescentar uma hora que seja à sua vida? Por que vocês se preocupam com roupas? Vejam como crescem os lírios do campo. Eles não trabalham nem tecem. Contudo, eu lhes digo que nem Salomão, em todo o seu esplendor, vestiu-se como um deles. Se Deus veste assim a erva do campo, que hoje existe e amanhã é lançada ao fogo, não vestirá muito mais a vocês, homens de pequena fé?" (Mateus 6, 26-30).

Ao falar da riqueza, da abundância, das preocupações materiais, da dor, do choro ou da privação, Jesus deixa claro que nada é sem efeito, ou melhor, que tudo influencia tudo. Ele não estabelece uma simples e ingênua relação causal tipo privação-prêmio, dor-alegria entre os acontecimentos da vida. *Jesus não faz a apologia da pobreza, do choro*; não é porque alguém chora que será consolado. A ideia é que através do choro, da pobreza, as pessoas descubram os caminhos do coração, onde se encontram a alegria, o prazer, a fartura, o consolo.

"Bem-aventurados os que choram" porque sereis consolados, porque vos alegrareis. O choro é uma síntese maravilhosa dos três sistemas básicos de nosso organismo. Só quando intelecto, coração e ação se harmonizam, o choro é possível. O choro é a mais límpida linguagem do coração, não importa se de prazer ou raiva. As lágrimas são as águas batismais da purificação, o selo de um encontro ou reencontro com uma verdade ou uma sensação perdidas.

O choro é fonte de consolo, de alegria, porque nasce de um processo de síntese interior. Ele registra molecularmente algo que não passa pela crítica nem pela permissão do sistema nervoso central. O choro, enquanto bem-aventurança, nasce do encontro de uma verdade com uma emoção temida, procurada, sofrida, alegre, que controla o fluxo de energia vital, permitindo que a pessoa se liberte de uma prisão interior.

Consolar-se é, portanto, encontrar em si mesmo sua própria fonte de alegria. No mistério do choro, existem raios de luz que envolvem o mais íntimo do ser, produzindo um contato transformador.

"Bem-aventurados os que choram, pois se alegrarão." Às vezes, choramos antes que as coisas aconteçam, às vezes, depois que as coisas acontecem. Quase sempre esse chorar vem acompanhado de culpa, de dúvidas, sendo fruto de nossa impotência diante do passado ou do futuro.

Chorar aqui-agora é um choro de confronto, pode envolver amor e ódio, alegria e tristeza, mas é sempre transformador. Essas lágrimas funcionam como lubrificante que permite que duas realidades se encontrem, se reconheçam e até se escorreguem uma através da outra, podendo a alegria e o riso ser frutos naturais desse encontro.

Assim, num processo dialético, na pobreza é possível encontrar o fruto do reino dos céus; no choro, a seiva da consolação; e na mansidão, ver Deus.

Terceira bem-aventurança

Jesus olhou calmamente para os montes, para os campos de trigo, para a vegetação abundante mais ao longe margeando o Rio Jordão. E dando uma cadência quase de alegria à sua voz, proclamou:

"Bem-aventurados os humildes, pois eles receberão a terra por herança" (Mateus 5, 5). "Vocês ouviram o que foi dito: 'Olho por olho e dente por dente'. Mas eu lhes digo: Não resistam ao perverso. Se alguém o ferir na face direita, ofereça-lhe também a outra" (Mateus 5, 38-39). (Isto é: tenha um espírito de suavidade, de paciência e fuja da vingança.)

"Vocês ouviram o que foi dito: 'Ame o seu próximo e odeie o seu inimigo'. Mas eu lhes digo: Amem os seus inimigos e orem por aqueles que os perseguem, para que vocês venham a ser filhos de seu Pai que está nos céus. Porque ele faz raiar o seu sol sobre maus e bons e derrama chuva sobre justos e injustos. Se vocês amarem aqueles que os amam, que recompensa receberão? [...]" (Mateus 5, 43-46).

Jesus cria uma situação paradoxal: é sendo manso que se é poderoso. Trata-se da força dominadora da mansidão. A mansidão é um estado interior de absoluto respeito por si mesmo, um estado de plenitude interior, de passividade atenta. Por isso a pessoa mansa, quando desrespeitada, não se aflige, não sofre, porque ela é senhora de si mesma – suas reservas interiores a tornam superior à força da violência. Esta, ao contrário, não é força, mas fraqueza. O violento é fraco, vazio. Ele precisa matar o mundo exterior para se sentir inteiramente forte, cheio, vitorioso, livre.

A humildade envolve um desapego, um vazio fértil interior, um bastar-se inocente, um nunca avançar além de si mesmo, por isso a pessoa mansa se sente sempre no seu lugar, não importa onde esteja. Não se sente perdida porque não se preocupa com onde está. Quando não se deseja nada se possui tudo. A mansidão tem relação com uma espera consciente, pois sabe que o cosmos nunca trai a si mesmo. Carrega, em sua base, uma confiança ecológica relacional.

Eis um belíssimo exemplo ecológico do que estou falando: uma árvore de médio porte consome cerca de 500 litros de água por dia. Admirável, não? E de onde ela busca tanta água? Se cavarmos até onde se encontram as pontas de suas raízes não encontraremos água. E, no entanto, ali existe água, porque sem água ela secaria e morreria. Esse é o exemplo perfeito que do estamos chamando de ecologia humana, processo através do qual a natureza usa de todos os elementos à sua disposição para se autoequilibrar, como a árvore ao sugar da terra seca a umidade que a sustenta.

A mansidão também é assim. Lança profundamente suas raízes no coração do outro, não importa quem seja, e então ele descobre Deus.

Por isso, os humildes possuirão a terra pela doçura, pela suavidade, pela atenção cuidadosa, pelo entregar-se despreocupado. E, nessas condições, a terra também se entrega aos mansos, porque nada tem a temer deles.

Pela mansidão se é senhor da terra sem ser seu dono. A mansidão respeita o direito do outro, as diferenças entre as pessoas, o desejo de ir na frente, porque ela sempre chega a tempo. A mansidão é paciente e humilde, pois acredita que as pessoas, tarde ou ligeiro, se esbarrarão com a verdade das coisas e delas mesmas.

Quarta bem-aventurança

Além da altura desproporcional para os homens de seu tempo, duas coisas chamavam a atenção na figura do Mestre: seu olhar e suas mãos. Seu olhar era tranquilo e inquietante, doce e indagador. Não havia como olhar para ele sem se sentir imediatamente visto por ele. Suas mãos, grandes e fortes, convidavam ao encontro, pareciam falar através de gestos extremamente sincronizados com o que ele dizia.

Jesus olhou para um grupo de publicanos e disse: "Bem-aventurados os que têm fome e sede de justiça, pois serão satisfeitos" (Mateus 5, 6). "Não julguem, para que vocês não sejam julgados. Pois da mesma forma que julgarem, vocês serão julgados; e a medida que usarem também será usada para medir vocês" (Mateus 7, 1-2).

E virando-se para os fariseus, completou: "Ninguém pode servir a dois senhores; pois odiará a um e amará o outro, ou se dedicará a um e desprezará o outro. [...]" (Mateus 6, 24).

Aparentemente, Jesus estabelece uma lógica estranha: "Não julgue para não ser julgado", pois é quase impossível não julgar. É como colocar um peso no prato de uma balança e pedir que o fiel da balança não se mova. Ao contrário, julgar a si ou ao outro é seguir e obedecer ao fiel da balança. Não julgar é permitir que o fiel da balança fique no meio quando, de fato, deveria pender para um dos lados. Julgar é colocar a justiça, isto é, o direito do outro em um prato e, no outro, a ação em julgamento. Julgar não é dar opinião, é ler a marca do fiel da balança e pronunciá-la. Julgar não é condenar, mas mostrar o equilíbrio ou o desequilíbrio entre uma ação e seu efeito. Condenar é um ato que parte da justiça e termina numa lei que regula comportamentos. Parece que a fala do Mestre pode assim ser entendida: não condene sem uma ação de justiça anterior.

Quando o Mestre diz: "Não julgue para não ser julgado" parece querer dizer: "Olhe, veja e permaneça em um estado de contemplação diante da realidade. Assim a realidade virá a você. Julgar é sair de si e ir até a realidade. Contemplar é ficar em si e aceitar a realidade vindo até nós, se transfenomenalizando. Não julgue. Contemple, pois contemplar é alargar os olhos do espírito. Só o Pai julga, porque o Pai e a realidade são uma coisa só".

"Vocês serão medidos com a mesma medida com que medirem". Somos os mais severos juízes de nós mesmos. Essa é a verdadeira justiça, nem mais nem menos. Eu sou a medida de mim mesmo e tudo que sai de mim tem a minha medida.

Portanto, "não julgue", pois nunca a sua medida será a medida de seu irmão, e se você errar ao medi-lo estará medindo a si mesmo erradamente.

"Ninguém pode servir a dois senhores" – a si próprio e ao outro. Por isso o Mestre nos dá a verdadeira medida do amor: "Amarás ao seu próximo como ama a si mesmo". Portanto, não existem duas medidas nem no amor nem na justiça. A justiça é o primeiro momento do amor. O amor é a justiça feita com o coração.

"Bem-aventurados os que têm fome e sede justiça, pois serão satisfeitos" – isto é, bem-aventurado aquele que se olha, que se descobre, que sente o seu tamanho real, que se valoriza, que se dá o próprio direito, que vê o outro como vê a si mesmo, porque estes serão saciados, isto é, terão paz interior, paz de espírito, e a terão em abundância.

O avaro, o egoísta, o orgulhoso, o manipulador morrerão de fome, porque eles não têm sede de justiça. A bem-aventurança é: na razão em que tiver sede, será saciado. Muita fome, muitos dons, pouca fome, mãos vazias. Quanto mais descobrimos nossa beleza, mais tesouros encontraremos dentro de nós. "Vocês são deuses", dizem os Salmos (João 10, 33-37).

Não prejudicar, não usurpar, dar a quem tem para receber, receber de quem tem para dar, trocar com quem está em falta ou em abundância é o ritual da justiça, da ecologia interna, num processo permanente de auto e heterorregulação, como fazem as plantas, os bichos e os elementos da natureza quando sua essência é respeitada.

Quinta bem-aventurança

Olhando para o Mestre, via-se que sua emoção mudava quando ele anunciava uma bem-aventurança. Ele punha na voz uma autoridade que não deixava dúvidas de que estava mudando valores, confrontando certezas, chamando às pessoas a uma responsabilidade nova, estabelecendo um verdadeiro relacionamento entre a pessoa e o meio em que vivia. Deixava claro que meio e pessoa não podiam ser vistos isoladamente, no sentido de que vivemos permanentemente uma relação organismo-ambiente.

Quando disse: "Sejam misericordiosos, assim como o Pai de vocês é misericordioso" (Lucas 6, 36), elevou os olhos ao céu, esboçou um ligeiro sorriso – como se, por um instante, rompesse o véu de sua humanidade e se encontrasse com a divindade do Pai – para, em seguida, deixar seus olhos caírem promissoramente sobre a multidão e completar: "Bem-aventurados os misericordiosos, pois obterão misericórdia" (Mateus 5, 7).

A misericórdia é uma bem-aventurança do coração. Inclui um profundo sentimento de contato, de compaixão, de empatia, de vibração pelo outro.

A justiça é fria, a misericórdia é quente; advém da comunhão com a energia do outro. A misericórdia transcende a justiça, é seu transbordamento. Na misericórdia, se dá ao outro aquilo a que ele tem direito e mais um pouco pelo encantamento, pela comunhão.

Se um professor, vendo o esforço constante de um aluno, seu desejo de se desafiar, de crescer, lhe dá nota 8 em uma prova pela qual mereceu 7, ele pratica a misericórdia, pois esta celebra a humanidade do outro no que ela tem de busca, de reparação, de incentivo.

Sendo Deus a riqueza, Ele não poderia se contentar em ser apenas justo, pois a justiça é pobre enquanto a misericórdia é rica. A justiça vem da cabeça, a misericórdia, da cabeça e do coração.

A misericórdia é generosa, é pródiga, não deixa por menos, dá sempre mais, experiencia o que tem direito, é franca, transcende a justiça, o aqui-agora, não se contenta com pouco. O misericordioso está em grande sintonia consigo e com o mundo fora dele. Não mente, é corajoso.

Vejamos alguns exemplos nos quais Jesus exerce essencialmente a misericórdia.

Quando se observa atentamente a figura do Mestre, impressiona como ele não deixava nada inacabado, como era extremamente claro no que dizia, como mostrava suas emoções. Ele enfrentou os vendilhões do templo (Lucas 19, 45-47), chorou no túmulo de Lázaro (João 11, 35), sentiu medo no Getsêmani (Mateus 26, 36-39), reclamou na cruz (Mateus 27, 46), confrontou os fariseus (Mateus 23), almoçou com o chefe dos publicanos (Lucas 19), deixou uma pecadora famosa tocá-lo e lavar-lhe os pés (Lucas 7, 36-50), acolheu as crianças (Lucas 9, 46-49; 18,15-17).

Exercia plenamente sua liberdade, sem medo. Corria riscos sabendo que era procurado pelos senhores do Templo e que poderia ser preso a qualquer instante.

Quando olhamos a alma de Jesus, vemos total clareza, limpeza, leveza. Era como se ele nos dissesse: "Façam o que eu faço, minhas ações são minha linguagem. Sem discrepância, sem dissonância".

Ecologia da misericórdia é isso: é ser inteiro, sintonizado com o mundo, sem suspeita nem contradição, com o mais absoluto respeito por si e pelo outro, pessoa ou coisa, e transcender.

Completou Jesus: "Seja o seu 'sim', 'sim', e o seu 'não', 'não'; o que passar disso vem do Maligno" (Mateus 5, 37)

Sexta bem-aventurança

O Mestre parecia querer concluir sua fala. Levantou-se, tomou seu alforje, tirou dele um odre de água e bebeu calmamente. Assentou-se no velho tronco de carvalho, e, colocando a mão sobre a cabeça de uma criança, sentada ali aos seus pés, disse: "Bem-aventurados os puros de coração, pois verão a Deus" (Mateus 5, 8).

Imagino que o Mestre tenha uma predileção especial pela pureza do coração, porque é a única bem-aventurança que Ele liga diretamente à visão de Deus, cuja recompensa imediata é o contato direto com Pai.

Penso que a pureza tem que ver com a essência das coisas. Quando se atinge a essência de algo, toca-se num aspecto divino. A essência das coisas são fagulhas divinas, constituintes do ser. Por isso, quando damos existência à essência das coisas, adulteramos sua natureza, porque introduzimos nelas categorias humanas de ampliação de compreensão da realidade. Nesse sentido, a pureza se opõe a qualquer tipo de adjetivação. Quando se adjetiva um objeto: "casa grande, homem bom", precisamos de um parâmetro para nos fazer entender o que é grande e o que é bom.

Assim, puro de coração é aquele para quem a realidade é vivida só e enquanto realidade, não importa se uma coisa, um fato, uma pessoa. Como expressa Fritz Perls (1977, p. 17), "uma rosa é uma rosa é uma rosa"; tudo que passa disso é a "impureza" da rosa, pertence a nós, não a ela.

A pureza, então, é um processo ou um estado no qual paramos na contemplação do objeto e ficamos ali, desvendando-o, até nos consumirmos nele. Pureza é olhar para a essência das coisas e permitir que ela adentre nosso ser sem julgamento, sem *a prioris*.

Talvez essa seja a mais difícil das bem-aventuranças, porque estamos tão contaminados de valores, de história, que nosso olhar para o outro é sempre contaminado de nós mesmos. Se vemos a existência das coisas e a transcendemos, atingimos uma neutralidade quase absoluta, uma indiferença dinâmica, entramos na atmosfera do sagrado. A recompensa por essa atitude de neutralidade quase absoluta e de indiferença dinâmica é a visão de Deus.

A pureza nos permite ver Deus na essência das coisas e a essência das coisas nos remete à visão de Deus. A meditação, nesse contexto, se torna um instrumento que pode nos conduzir à pureza pelo abandono dos detalhes, dos entulhos que acompanham as coisas.

Bem-aventurados os puros de coração, os simples, os inocentes, os crédulos, os confiantes, os sem malícia, porque sem saber, veem as coisas assim como Deus as fez. Eles têm Deus por antecipação. Os puros de coração, vendo as coisas como Deus as vê, as veem também como Ele as vê.

Sétima bem-aventurança

No meio da multidão, havia um grupo de soldados romanos. Pertenciam a um esquadrão que vigiava o trecho entre Cafarnaum e Tiberíades. O Mestre já os encontrara algumas vezes nas suas caminhadas. Apesar de gentios, olhavam com simpatia o grupo do Mestre e jamais o intimidaram. Foi olhando para eles que

Jesus disse: "Bem-aventurados os pacificadores, pois serão chamados filhos de Deus" (Mateus 5, 9).

Essa bem-aventurança, de acordo com os textos originais, pode ser traduzida por "bem-aventurados os pacíficos" ou "bem-aventurados os pacificadores". Na realidade, penso que as duas coisas se equivalem, pois para que alguém seja um pacificador deverá ter descoberto a paz dentro de si, deverá ter descoberto a fonte de paz que é o amor a si mesmo e ao outro, deverá ter descoberto a justiça interior dos puros de coração, porque a paz é fruto da justiça, e esta, fruto de amor.

Paz, justiça e amor é a trilogia que transforma o filho do homem em filho de Deus.

Bem-aventurados os pacíficos é um apelo à calma, à interioridade, à reflexão, ao encontro consigo mesmo. Bem-aventurados os pacificadores é um apelo à ação, à mudança, à criação de condições humanas dignas do planeta.

Deus é pacífico e pacificador, por isso distribui generosamente entre seus filhos os dois dons: o da paz e o da guerra. Afinal, Jesus mesmo diz: "Não pensem que vim trazer paz à terra; não vim trazer paz, mas espada" (Mateus 10, 34). Assim, põe, de um lado, o amor por si e pelo planeta e, do outro, a destruição, o ódio a si e ao planeta.

"Quem não é comigo é contra mim", diz o Mestre (Mateus 12, 30). "Nenhum servo pode servir a dois senhores" (Lucas 16, 13), continua. Não há como ficar neutro diante de Deus, pois Ele é o senhor da Paz e da Guerra. É nele que existe a mais radical das divisões. Como Ele não pode se dividir, porque é essência pura, as existências que dele emanam o fazem em forma de paz ou de guerra. É no coração do homem que essa divisão ou opção se dá, que se faz a justiça para os mansos e a guerra para os falsos senhores de si mesmos e da terra, os que não descobriram o dom da paz.

Deus não é causa da guerra, mas, mas sua existência é uma provocação, pois assim como a paz é o encontro do homem com o coração de Deus a guerra é a expulsão de Deus do coração do homem. Então o desastre e o caos total podem acontecer. Deus não é ópio, é parâmetro a partir do qual nascem a paz ou a guerra.

Os mansos verão a Deus. Os pacíficos e pacificadores serão chamados de filhos de Deus. Esse é mais um novo paradigma para o terceiro milênio: mansidão e paz na terra como trilhas sagradas para conduzir a Deus. Ele não se encontra no tumulto, por isso mansidão e paz são formas silenciosas de ação, nas quais Deus mora por excelência e nas quais pode facilmente ser encontrado pelos que o procuram com a verdadeira intenção de encontrá-lo.

Oitava bem-aventurança

As pessoas estavam extasiadas diante da novidade do ensinamento do Mestre e poderiam passar a vida ali, à margem do lago, a escutar Jesus. O Mestre vinha de um longo trabalho, como o de quem lança os alicerces de uma casa construída em local extremamente difícil. Ele sabia que tinha um tempo limitado, que sua obra era difícil, que construir uma nova atitude com relação ao amor como instrumento máximo de relacionamento humano não era fácil. Por isso a energia mágica de sua voz era seu instrumento de tocar a alma das pessoas.

Levantou-se, olhou a multidão para dar o seu último e talvez mais difícil recado, olhou para algumas mulheres que o acompanhavam e depois para um grupo de sacerdotes da sinagoga de Cafarnaum e disse: "Bem-aventurados os perseguidos por causa da justiça, pois deles é o Reino dos Céus" (Mateus 5, 10).

Creio que os perseguidos por amor à justiça têm o amor especial do Mestre. Pensemos em Martin Luther King, Gandhi, d. Elder Câmara, João Paulo I, Tiradentes, o juiz Leopoldino Marques do Amaral, todos perseguidos e mortos pelo seu amor à justiça, aos excluídos, aos pobres, aos sem-terra, aos sem rumo, aos sem-teto, a todos aqueles que sofrem para que se estabeleça no mundo um reino de fraternidade, de ética, de confiança e respeito.

Quando penso nesses milhões de irmãos e irmãs que ao longo dos séculos formaram o reino de Deus na Terra e estão hoje no reino de Deus nos céus, me pergunto de onde veio tanta coragem, tanta clareza, tanto ânimo – a ponto de morrerem pela luta.

Penso que a resposta pode estar nestas palavras de Cristo falando com a samaritana: "[...] está chegando a hora, e de fato já chegou, em que os verdadeiros adoradores adorarão o Pai em espírito e em verdade. São estes os adoradores que o Pai procura. Deus é espírito, e é necessário que os seus adoradores o adorem em espírito e em verdade" (João 4, 23-24).

Os amantes da justiça adoram no coração, na alma, na força de seu corpo. Não precisam de palácios nem templos, pois se transformam eles mesmos nos palácios e templos da natureza e neles esta se recapitula à procura da verdadeira seiva, da verdadeira nutrição. Eles sabem que seu corpo é o mais legítimo templo do sagrado, do divino, da natureza, e é nessa consciência que encontram forças para amar a justiça até a morte. Os céus estão dentro deles e, no seu próprio corpo eles contemplam a Deus. Por isso nada os detém, porque o Senhor é seu pastor, é sua maestria, sua força.

"Se vocês tiverem fé do tamanho de uma semente de mostarda, poderão dizer a esta amoreira: 'Arranque-se e plante-se no mar', e ela lhes obedecerá" (Lucas 17, 6). Ter fé é amar plenamente a Deus aqui-agora, é possuí-lo aqui-agora. O amor contém a fé, a fé decorre do amor, por isso é impossível ter fé quando não se ama. Porém, como não se pode ter fé no que não se conhece e, de outro lado, só se ama o que se conhece, entendo que a fé é função do amor. O amor é a base que nos faz transportar montanhas; a fé, o instrumento da visibilidade do amor. Primeiro aprende-se a amar; depois disso, a fé chega de mansinho, silenciosa.

São tantos os que sofrem perseguição por amor à justiça, denunciam o mal, são ameaçados, mantêm a denúncia e são executados. Só posso imaginar que sejam invadidos por um êxtase sagrado, por uma comunhão no divino, por uma quase identidade entre eles e Deus – identidade que só o amor produz entre os amantes, amantes que se sustentam na fé um do outro.

Eles se extasiam diante da beleza que emana da justiça. Sobem o Monte Tabor, constroem a tenda da transfiguração, divinizam-se e nada mais importa senão a visão do divino. Então, morte e vida tornam-se complementares. Nesse estado, eles contemplam os céus abertos, como Estêvão (Atos 7, 54-60), apedrejado nos primeiros dias do cristianismo, morrem a morte do justo e vivem para sempre a vida do amor através da fé, selada no mais perfeito e pleno amor entre pessoa--natureza-Deus. Por isso esses mortos pela justiça são herdeiros diretos e naturais do Seu reino.

Fim do Sermão da Montanha

Bem-aventurados, portanto, todos os que veem a Deus numa árvore, numa prostituta, no rumor de uma cachoeira, na força de um tufão, na impetuosidade de uma enchente, nas lágrimas de uma criança faminta, nos movimentos trêmulos de um velho, num cão agonizante, na hóstia consagrada, na aurora de um novo dia, porque eles não precisam de Deus amanhã, eles já o têm hoje – e Ele se transforma na sua força máxima, no seu dom supremo.

Não é pois sem razão que o Mestre, olhando suave, terna e confiantemente para a multidão, conclamou, com a mais doce confiança nas suas criaturas: "Assim brilhe a luz de vocês diante dos homens, para que vejam as suas boas obras e glorifiquem ao Pai de vocês, que está nos céus" (Mateus 5, 16).

O Sermão da Montanha chegara ao fim. O Mestre nos havia premiado com uma das mais belas de suas mensagens, mas ainda faltava algo. Ele queria nos premiar com o título de irmãos, pois só entendemos de fato o que é amor quando somos capazes de olhar para as pessoas e, sem distinção, nos sentirmos irmãos e irmãs, filhos e filhas do mesmo Pai.

Jesus elevou os olhos e os braços aos céus e disse: "Quando rezarem, rezem assim: 'Pai nosso, que estás nos céus! Santificado seja o Teu nome. Venha o Teu Reino; seja feita a Tua vontade, assim na terra como no céu. Dá-nos hoje o nosso pão de cada dia. Perdoa as nossas dívidas, assim como perdoamos aos nossos devedores. E não nos deixes cair em tentação, mas livra-nos do mal, porque Teu é o Reino, o poder e a glória para sempre. Amém'" (Mateus 6, 9-15).

Tentando concluir

É difícil concluir quando se escreve mais com o coração do que com a cabeça. Um tema fascinante, profundamente humano e atual. Quase todos conhecem as bem-aventuranças, mas é interessante como conhecemos a primeira parte e desconhecemos a segunda, na qual Cristo quis trazer sua mensagem. Outra questão é que, às vezes, as frases estão na voz passiva ou são ditas de maneira geral.

Termino, então, fazendo algumas considerações.

No que se refere à segunda parte das bem-aventuranças, penso que ajuda a compreender o paralelo entre a primeira e segunda parte dizendo o seguinte (omitirei a primeira parte e falarei da segunda). Onde se lê: Bem-aventurados: 1) Deles é o reino dos céus – *Eu lhes darei o reino dos céus*; 2) Serão consolados – *Eu os consolarei*; 3) Receberão a terra por herança – *Eu lhes darei a terra*; 4) Serão satisfeitos – *Eu os satisfarei*; 5) Obterão misericórdia – *Eu lhes serei misericordioso*; 6) Verão a Deus – *Eu lhes mostrarei Deus*; 7) serão chamados filhos de Deus – *Eu os chamarei de filhos de Deus*; 8) Dele é o reino dos céus – *Eu lhes darei o reino dos céus*.

Essa posição vê Deus como gratuidade absoluta. Ele não recompensa porque a pessoa faz jus ao prêmio, ele recompensa porque quer, porque Ele é só generosidade. Ele não precisa dos dons, dos sacrifícios de suas criaturas: recompensa porque é livre para fazê-lo e não por que se estabelece um comércio implícito entre Ele e sua criatura.

Não podemos dizer a Deus o que lhe convém ou não, mas isso não nos impede de tentar entender a linguagem divina quando falamos de ecologia humana, de parceria entre nós e o meio ambiente, entre nós e Deus. Deus é o alfa e o ômega dessa misteriosa interdependência, e nós seremos o caminho do meio.

Para mim, não obstante o nevoeiro em que me encontro, quando pretendo penetrar no mistério de minha relação com Deus penso que as bem-aventuranças são um vívido apelo divino a entrarmos dentro de nós e a colhermos de nossa relação com o mundo os frutos sazonados que a dor, o abandono, a fome, a pobreza, a injustiça e a exclusão germinam em nosso coração. Deus confia no poder criativo de suas criaturas, senão não seria nosso divino arquiteto.

As bem-aventuranças, com um processo de ecologia interna, representam o mais divino dos movimentos na construção do amor, puro e simples, por nós mesmos. A isso chamo de amorosidade interna.

Assim, o prêmio a que se refere a segunda parte das bem-aventuranças é fruto de nosso esforço pessoal, de nosso encantamento por nós mesmos, de nossa descoberta pessoal. Deus é uma testemunha amorosa de nosso processo. Quando colocamos seus dons para funcionar plenamente, mais nos tornamos seus filhos e mais cumprimos seu mandato: "Portanto, sejam perfeitos como perfeito é o Pai celestial de vocês" (Mateus 5, 48).

Referências

Bíblia. *Nova Versão Internacional*. Disponível em: <bibliaonline.com.br/nvi>. Acesso em: 11 abr. 2022.

Perls, F. S. *Gestalt-terapia explicada*. São Paulo: Summus, 1977.

Ribeiro, J. P. *Conceito de mundo e de pessoa em Gestalt-terapia*. São Paulo: Summus, 2011.

______. *Holismo, ecologia e espiritualidade*. São Paulo: Summus, 2009.

Grupo Summus
www.gruposummus.com.br
www.gruposummus.com.br
Acesse, conheça o nosso catálogo e cadastre-se para receber informações sobre os lançamentos.

www.gruposummus.com.br